Éloges pour
L'AFFAIRE DE LA PLACE DE HANOVRE

«Hors pair! Avec ses descriptions saisissantes de l'époque,
Gardner donne vie à son roman, depuis les rues habitées
par les plus démunis jusqu'aux demeures des nantis.»
— *RT BookReviews*

«Dans la tradition d'Anne Perry, les débuts de Mme Gardner
nous offrent un roman policier historique fascinant et
émouvant.»
— Suan Wilson, *The Best Reviews*

«Grâce à un récit au rythme soutenu, à la création de personnages crédibles, à une énigme stimulante et à l'ambiance
authentique de l'époque, Ashley Gardner a su créer un
succès en puissance.»
— *Book Loons*

«*L'Affaire de la place de Hanovre* est un tissu complexe
d'énigmes que Gardner combine habilement avec la personnalité du protagoniste.»
— *The New Mystery Reader*

L'AFFAIRE DE LA PLACE
DE HANOVRE

L'AFFAIRE DE LA PLACE DE HANOVRE

Ashley Gardner

Traduit de l'anglais par
Sophie Beaume et Valérie Finet

Éditeur : François Doucet
Traduction : Sophie Beaume et Valérie Finet
Révision linguistique : Nicolas Whiting
Correction d'épreuves : Nancy Coulombe, Carine Paradis
Conception de la couverture : Mathieu C. Dandurand
Photo de la couverture : © Thinkstock
Mise en pages : Sébastien Michaud
ISBN papier 978-2-89733-522-9
ISBN PDF numérique 978-2-89733-523-6
ISBN epub 978-2-89733-524-3
Première impression : 2013
Dépôt légal : 2013
Bibliothèque et Archives nationales du Québec
Bibliothèque Nationale du Canada

Éditions AdA Inc.
1385, boul. Lionel-Boulet
Varennes, Québec, Canada, J3X 1P7
Téléphone : 450-929-0296
Télécopieur : 450-929-0220
www.ada-inc.com
info@ada-inc.com

Diffusion
Canada :   Éditions AdA Inc.
France :   D.G. Diffusion
                Z.I. des Bogues
                31750 Escalquens — France
                Téléphone : 05.61.00.09.99
Suisse :   Transat — 23.42.77.40
Belgique :   D.G. Diffusion — 05.61.00.09.99

Imprimé au Canada

Participation de la SODEC. ꟷODꟷC
Nous reconnaissons l'aide financière du gouvernement du Canada par l'entremise du Fonds du livre du Canada (FLC) pour nos activités d'édition.
Gouvernement du Québec — Programme de crédit d'impôt pour l'édition de livres — Gestion SODEC.

Catalogage avant publication de Bibliothèque et Archives nationales du Québec et Bibliothèque et Archives Canada

Gardner, Ashley

    [Hanover Square affair. Français]
    L'affaire de la place de Hanovre
    (Les enquêtes du capitaine Lacey ; 1)
    Traduction de : The Hanover Square affair.
    ISBN 978-2-89733-522-9
    I. Beaume, Sophie, 1968-   . II. Titre. III. Titre : Hanover Square affair. Français.

PS3607.A726H3614 2013   813'.6   C2013-942139-4

Ce livre est dédié aux lecteurs
de longue date de la série des Enquêtes du
capitaine Lacey, qui m'ont apporté leur
soutien et m'ont encouragée à continuer.

Chapitre 1

inglant comme un coup de fouet, un coup de feu retentit dans la nuit sur la place de Hanovre.

La foule présente sur la place se dispersa, jetant bâtons et morceaux de briques tandis qu'ils fuyaient la ligne de cavaliers qui étaient entrés par l'autre extrémité de la place. Je me collai à un mur détrempé par la pluie alors que la foule passait devant moi, me heurtant et me poussant sous l'effet de la panique comme si je ne mesurais pas un mètre quatre-vingts et n'étais pas solidement charpenté.

La place et les rues attenantes avaient été encombrées par le trafic tout l'après-midi : des carrioles, des attelages, des chevaux, des chariots, les personnes à pied qui faisaient des courses ou qui ne faisaient que passer, ainsi que les vendeurs de rue qui vantaient leurs marchandises. La foule avait bloqué la circulation dans toutes les directions, pié-geant à l'intérieur de la place tous ceux qui cherchaient désespérément à en sortir. Ils se bousculaient afin d'échapper à la cavalerie et à leurs armes mortelles, et les passants, eux, se ruaient afin d'échapper à la foule.

Je continuai à longer le mur, la pierre brute déchirant mes gants bon marché, et je remontai le courant des silhouettes qui essayaient de m'emmener dans leur sillage. À l'intérieur de la place, au cœur de la tempête, les cavaliers attendaient. Le bleu, rouge et jaune canari de leurs uniformes contrastaient avec le brouillard.

L'homme qu'ils avaient dans leur mire avait mené la foule durant la plus grande partie de l'après-midi : il avait crié, insulté, jeté des pierres et des morceaux de briques sur la malheureuse maison qui se trouvait au numéro 22 de la place de Hanovre. À présent, il faisait face aux cavaliers, le dos droit, ses cheveux gris assombris par la pluie.

Je reconnus le lieutenant qui commandait, Lord Arthur Gale, qui appartenait au 24e régiment de dragons légers. Quelques années auparavant, sur un champ de bataille portugais, j'avais dégagé le jeune Gale de sous un cheval mort et l'avais remis sur son chemin. Cet incident, cependant, n'avait pas contribué à développer une camaraderie entre nous. Gale était le fils d'un marquis et connaissait déjà une grande réussite sociale, et moi, fils unique d'un pauvre gentilhomme, j'avais peu d'importance pour la famille Gale.

Je ne me fiais pas le moins du monde au jugement de Gale. Il avait déjà, par le passé, mené un assaut tellement puissant qu'il avait franchi une ligne très solide d'infanterie française, mais ses hommes et lui s'étaient trouvés derrière les lignes ennemies, trop essoufflés pour arriver à faire marche arrière. Gale avait été l'un des rares hommes à revenir de cet assaut, laissant derrière lui la plupart des autres, les chevaux comme les hommes, morts.

— Messieurs, dit le vieil homme aux cavaliers. Je vous remercie d'être venus. Il faut que nous arrivions à le faire sortir. Il doit payer pour ce qu'il a fait.

Il désigna la maison — le numéro 22 — dont les fenêtres du rez-de-chaussée avaient été brisées et la peinture noire de la porte d'entrée entaillée.

Gale ricana en le regardant.

— Partez, Monsieur, ou bien nous vous emmènerons devant un juge.

— Pas moi, Messieurs. C'est *lui* qui doit faire face à la justice. Allez le chercher chez lui. Amenez-le-moi. Je vous en prie.

J'étudiai la maison, un peu surpris. Tout homme qui avait les moyens de posséder ou de louer une maison sur la place de Hanovre devait être riche et puissant. Je présumai qu'il devait s'agir de l'un des membres de la Chambre des Lords, ou au moins un riche député, qui devait avoir proposé une loi ou un mouvement impopulaire, soulevant la colère du peuple a son endroit. La hausse du prix du pain, ainsi que la horde de soldats de retour en Angleterre après la bataille de Waterloo, avaient créé une colère intense chez les personnes qui s'étaient soudainement retrouvées sans rien. La colère éclatait à tout moment et se transformait en émeute. Il n'était pas difficile ces jours-ci de transformer, en l'espace d'un instant, un groupe de personnes en une foule violente.

Je n'avais aucune idée de qui était la personne qui vivait au numéro 22 ou quels étaient ses penchants politiques. J'avais simplement essayé de traverser la place de Hanovre pour me rendre sur la rue Brook, plus loin dans Mayfair. Mais le désespoir tranquille du vieil homme et son surprenant air incongru de respectabilité m'avaient poussé à me rapprocher de lui. J'avais toujours, comme me l'avait dit Louisa Brandon, eu un faible pour les désespérés.

Les yeux de Gale étaient sombres et durs.

— Si vous ne partez pas, je devrai vous arrêter pour violation de la paix du roi.

— Violation de la paix du roi ? cria l'homme. Quand un homme commet un péché à l'encontre d'un autre, n'est-ce pas là une violation de la paix du roi ? Allons-nous les laisser prendre nos filles pendant que nous pleurons ? Dois-je le laisser vivre tranquillement dans sa belle maison tandis que la mienne est ruinée par la douleur ?

Gale fit un geste brusque à l'attention du cavalier qui se trouvait à ses côtés. Sans discuter, l'homme descendit de cheval et se dirigea vers l'émeutier aux cheveux gris.

Le vieil homme le regarda approcher, plutôt surpris qu'effrayé.

— Est-ce justice que ce soit moi qui paie pour les péchés qu'il a commis ?

— Je vous conseille de rentrer chez vous, Monsieur, répéta Gale.

— Non, je vous dis que vous devez le faire sortir. Il faut qu'il vienne devant vous et qu'il avoue ce qu'il a fait.

Son désespoir me toucha alors que des nuages de brume se levaient et enveloppaient la scène. Le bleu et le rouge des uniformes de la cavalerie, le noir du costume de l'homme et les couleurs brunes et bais des chevaux commencèrent à s'estomper dans le blanc immaculé.

— Qu'a-t-il fait ? demandai-je.

L'homme se retourna. Des mèches de cheveux tombaient en bataille sur son visage et de minces lignes de sang séché coagulaient sur sa peau comme s'il s'était lui-même griffé dans sa rage.

— M'écouteriez-vous ? demanda-t-il, le souffle coupé. Est-ce que vous m'aideriez ?

— Ne vous en mêlez pas, capitaine, dit Gale, sa bouche formant une ligne sombre.

Je regrettai d'avoir parlé, peu sûr d'avoir envie de m'engager dans ce qui pouvait être une affaire politique, mais la colère de l'homme et son désespoir me semblaient être davantage que la simple fureur de la foule à propos du prix de la nourriture. Gale allait sans doute l'arrêter et l'envoyer dans une cellule froide dans laquelle il attendrait le bon vouloir du juge. Peut-être que quelqu'un devait écouter ce qu'il avait à dire.

— Qu'est-ce que l'homme du numéro 22 vous a fait ? répétai-je.

Le vieil homme fit un pas vers moi, les yeux brûlants.

— Il a péché. Il m'a volé la plus précieuse des choses que je possédais. Il m'a tué !

Je vis la folie briller dans ses yeux. Avec un cri féroce, il se retourna et se jeta contre la porte du numéro 22.

Chapitre 2

J'avais déjà entendu un tel cri de désespoir auparavant. C'était au Portugal pendant la guerre péninsulaire, quand un caporal avait vu son meilleur ami — certains prétendirent que c'était son amant — être abattu par un soldat français. Il s'était jeté sur le Français avec ce même cri, et il était retombé sur le corps de son ami, transpercé à son tour par la baïonnette du Français. J'avais abattu le Français qui les avait tués tous les deux.

Le souvenir du champ de bataille s'estompa et mon attention se porta de nouveau sur la place de Hanovre. Le jeune cavalier qui se trouvait à côté de moi fit un pas en arrière, leva son pistolet et tira directement dans le dos de l'homme aux cheveux gris.

L'homme tressaillit au moment où la balle le pénétra, et le sang noircit son manteau. Poussant un autre cri de colère et de souffrance, il tomba lentement à genoux.

Je l'attrapai lorsqu'il s'effondra. Le sang souillait son costume de laine peignée détrempé par la pluie, et ses yeux étaient grands ouverts, perplexes. Je le déposai doucement sur les pavés, puis je lançai un regard furieux au cavalier.

— Pourquoi diable avez-vous fait cela ?

L'officier était jeune. Son visage était rond et juvénile, et ses yeux étaient aussi gris qu'un ciel nuageux. Son insigne m'apprit qu'il avait un grade équivalent à celui d'enseigne, mais dans la cavalerie, et je vis dans ses yeux qu'il n'avait jamais vu de combats, ni de soldat français, ni la mort.

Il plissa le nez.

— Cet homme est fou. Il critique ses supérieurs.

Le vieil homme respirait encore. Les pierres en dessous de lui brillaient à cause de la pluie de cet après-midi et étaient sales, pleines de boue et de crottin de cheval déposés par les roues des calèches et des attelages. Je fis glisser mon manteau de mes épaules, le mit en boule et le glissai sous la tête de l'homme.

Son manteau, à présent en loques, avait été confectionné avec soin, même s'il était un peu démodé, et une déchirure sur sa manche avait été soigneusement réparée. Couverts de sang et de boue, ses gants étaient encore entiers et étaient d'un tissu plus fin que les miens. On pouvait apercevoir, dans la poche de son gilet, le sombre anneau doré d'une montre.

— Il ne fait pas partie de la classe ouvrière, dis-je. C'est un employé ou un conseiller, peut-être l'assistant d'un avocat ou d'un banquier. Un homme habitué à travailler de manière sereine.

Le cuir craqua lorsque Gale descendit de cheval. Il se plaça à côté de son subalterne et me dévisagea avec aversion.

— Weddington, voici le capitaine Lacey. Il appartient au 35e régiment d'artillerie légère. Autoproclamé expert de l'humanité entière.

— Vraiment, Monsieur ?

— Vraiment. Il est constamment fasciné par la nature réelle de l'homme et les raisons qui poussent un homme à faire ce qu'il fait.

Je l'ignorai. Gale ne m'avait jamais pardonné, moi une personne ordinaire, de lui avoir sauvé la vie.

— Qui vit ici ? demandai-je en désignant le numéro 22.

La maison n'était pas différente des autres sur la place — belle, moderne, élégante, grande. Deux grandes fenêtres à carreaux multiples dorénavant brisés s'étendaient sur la droite de la porte, et deux rangées supplémentaires de vitres allaient du premier étage aux étages supérieurs. Des colonnes dorées entouraient la porte et des arcs au-dessus des fenêtres allégeaient la façade stricte. Le nombre « 22 » était accroché à l'une des colonnes. La porte, peinte en noir, arborait un marteau de cuivre brillant, une indication que la famille qui y vivait était à domicile. S'ils avaient choisi de passer ce printemps ailleurs, la porte aurait été dénudée.

Un rideau bougea à l'étage supérieur de la maison d'à côté, mais les fenêtres du numéro 22 restèrent soigneusement calfeutrées.

— Bon sang, si seulement je le savais, grogna Gale. Mon commandant m'a dit qu'il avait personnellement reçu une plainte au sujet de troubles sur la place de Hanovre et m'a demandé de venir vérifier. « Oui, Monsieur », voilà tout ce que j'ai pensé à dire. J'ai obéi aux ordres.

Je cachai une grimace en replaçant le manteau du mourant, mais une douleur ancienne se fit sentir, rapide et vive. Je me demandai brièvement si Gale était en train de me narguer, mais je chassai cette pensée. Il ne pouvait pas savoir. Nous n'avions rien dit. Tel était notre accord.

L'homme aux cheveux gris se mit à trembler, et ses yeux tournèrent plusieurs fois sous ses paupières de cire.

— Il va mourir si on ne l'aide pas, dis-je.

— Il mourra à Newgate, dans ce cas, rétorqua Gale.

Je regardai le numéro 22.

— Nous pouvons l'amener à l'intérieur.

— Dans la maison sur laquelle il a jeté des briques ? Trouvez un chariot et emmenez-le loin d'ici, si nécessaire.

Une vive colère commença à monter en moi, et je regrettai brièvement de ne pouvoir réinstaller le lieutenant Arthur Gale sous ce cheval au Portugal. L'homme qui était en train de mourir signifiait moins pour ces bons messieurs du 24e qu'un insecte piétiné.

Je me remis debout. J'allais emmener cet homme chez lui. En tant qu'officier à demi-solde sans aucun revenu privé, j'avais du mal à joindre les deux bouts, et cela m'avait sans doute permis d'avoir davantage d'affinités avec mes voisins plus pauvres. Je laisserais Gale rentrer chez lui et se faire servir son porto du soir sur un plateau d'argent. Ce vieil homme n'avait personne pour l'aider.

Un autre cri fendit l'air tandis qu'une femme se frayait un passage au milieu de la foule à présent composée de curieux, et elle tomba devant nous. Elle était âgée, elle aussi, avec de longs cheveux gris qui s'échappaient de son chapeau, ses yeux aussi grands et sauvages que ceux de l'homme agonisant.

— Charles, dit-elle en pleurant. Mon époux.

Son panier tomba de son bras, et des fruits et des paquets emballés dans du papier glissèrent sur les pavés mouillés.

Le cornette se dirigea vers elle. Je posai ma main fermement sur son bras et il se retourna, les yeux emplis de colère.

— Laissez, ordonna Gale. Remontez sur votre cheval.

Le subalterne de Gale et moi échangeâmes un autre regard hostile, et je finis par le relâcher. Il se détourna de moi, se frottant le poignet.

Il attrapa son cheval et monta en selle, ses mouvements témoignant de sa colère. Au signal de Gale, les cavaliers firent demi-tour comme un seul homme et quittèrent la place au trot, me laissant seul avec l'homme qui était en train de mourir et son épouse.

❈ ❈ ❈

Je persuadai un conducteur de charrette accommodant de les ramener chez eux. Il ne voulait pas, car il devait prendre un chargement près de Hampstead, mais je lui promis une couronne pour sa peine. Nous installâmes notre gentilhomme inconnu aussi confortablement que possible sur la banquette de l'attelage, et son épouse grimpa à ses côtés. Elle ne nous regarda pas ni ne nous remercia, et elle se contenta de rester accroupie à côté de son époux, lui tenant la main comme s'il lui était possible d'insuffler un peu de sa propre vie dans le corps de son mari qui faiblissait. Je mis un temps effroyable pour arriver à ce qu'elle me donne une adresse, mais elle finit par marmonner le nom d'une rue, que le conducteur reconnut comme étant l'une de celles qui se trouvaient près de la rue Strand.

Je ramassai son panier. Les fruits qui s'y trouvaient étaient pourris, comme si elle les avait trimbalés avec elle pendant plusieurs jours. Je jetai les fruits et déballai les paquets. Chaque paquet contenait de la dentelle en écheveaux fins, chacun étant identique aux autres. Je les replaçai dans le panier et le déposai à côté d'elle. Elle parut à peine le remarquer.

Je les accompagnai. Je devais me rendre dans Mayfair, cet après-midi-là, car j'y avais rendez-vous avec l'épouse de mon ancien commandant, dans leur maison de la rue Brook. Cependant, je dois avouer que je fus tout aussi heureux de monter dans la charrette et de me laisser emmener dans la direction opposée.

Louisa déplorerait sans doute la situation lorsque je lui ferais parvenir mes regrets, mais je me félicitais d'avoir l'occasion d'éviter la réunion. J'avais le sentiment de savoir de quoi elle voulait me parler, et je ne voulais pas être impliqué dans tout cela. En outre, son époux serait peut-être à la maison, l'homme qui avait été mon mentor et même plus qu'un frère. Ce même homme avait mis fin à ma carrière et, à peu de choses près, à ma vie.

Le conducteur avançait lentement dans la circulation, la rue Swallow étant une artère étroite du sud toujours embouteillée. Des plans étaient en cours pour élargir cette rue et la transformer en une avenue élégante pour que le prince régent soit capable de parcourir une route plus ou moins directe depuis un parc qui serait construit au nord de la rue Oxford jusqu'à sa maison opulente, la demeure Carleton, juste en dessous de Pall Mall. Là-bas, le prince, qui était régent depuis maintenant cinq ans, habitait dans le faste tandis que son père, le roi George, vivait, rongé par la folie, dans ses pièces capitonnées de Windsor. Le reste d'entre nous utilisait la rue Swallow simplement pour quitter les quartiers chics de Mayfair et nous rendre dans les quartiers les plus sombres de Londres.

Le brouillard commença à baisser. Le temps que nous arrivions à Haymarket, la pluie avait cessé, mais une couverture de brume nous enveloppait. Je maintenais constamment l'homme pour le protéger des chocs occasionnés par les pavés et le balancement du charriot. Son épouse était simplement assise, le regard dans le vide. Plus au sud, sur Charing Cross, un théâtre de marionnettes de rue avait attiré un bon nombre de spectateurs qui, malgré le temps frisquet et l'obscurité, applaudissaient ou huaient avec enthousiasme.

Le conducteur emprunta une petite ruelle qui donnait sur la rue Strand. La ruelle était étroite et sombre, un peu comme celle où je logeais, mais les hautes maisons qui se pressaient ici étaient très propres et respectables. Le conducteur trouva la maison et arrêta sa voiture devant.

Je dus forcer la femme à lâcher la main de son époux et je la déposai sur le trottoir. Le conducteur me regarda, de la pitié dans les yeux.

— Pauvres bougres. Comment ont-ils fait tout le chemin jusqu'à la place de Hanovre ?

Je m'étais posé la même question.

La porte d'entrée s'ouvrit brusquement et une femme mince en tenue de servante accourut.

— Madame ? Que s'est-il passé ?

— Aidez-moi, dis-je.

Les yeux de la servante passèrent de la femme au vieil homme dans le charriot, et son visage déjà pâle blêmit.

— Mon Dieu. Où les avez-vous trouvés ?

— Place de Hanovre, répondis-je.

La consternation que je vis dans ses yeux me fit comprendre que mes paroles ne l'avaient pas surprise, qu'elle s'était attendue à quelque chose du genre. La femme aux cheveux gris se détourna instantanément de moi et passa ses bras autour de la taille de la servante comme si elle avait trouvé une personne plus robuste pour la soutenir.

— Est-ce que M. Horne lui a tiré dessus ? demanda la servante.

La question me surprit, mais le conducteur m'interrompit avant que je puisse lui demander ce qu'elle voulait dire.

— Que fait-on de lui, mon gars ?

Le conducteur agita son pouce en direction du charriot.

La servante se tourna sans attendre ma réponse et emmena la femme qui s'accrochait à elle à l'intérieur.

— Pouvez-vous le soulever ? demandai-je au conducteur.

— Oui ; toute ma vie, j'ai soulevé des chargements bien plus lourds que lui.

La maison donnait directement sur la rue. Je suivis le conducteur qui portait le vieil homme pour franchir la porte d'entrée jusque dans le hall sombre d'une maison respectable, bien que petite. Le papier peint délavé était propre et lisse. On y retrouvait accrochés des tableaux réussis, bien que manquant d'originalité, représentant des paysages. Au bout de l'étroit couloir, un escalier rejoignait les étages supérieurs. Les rampes étaient exemptes de poussière, la coursive droite et nette. Les appliques sur le palier contenaient des bougies éteintes et à demi consumées.

La domestique réapparut au moment où nous arrivâmes au premier étage et nous conduisit à une petite chambre de façade. Le conducteur déposa son fardeau sur le lit et me rejoignit dans le couloir.

— Il n'en a plus pour longtemps dans ce monde, pauvre bougre, me dit-il. Maintenant, chef, je m'en vais vers Hampstead.

Il ne tendit pas vraiment la main, mais je pris une couronne dans ma poche et la posai dans sa paume calleuse. Je pouvais difficilement faire le radin, car il s'était écarté de sa route alors qu'il n'avait aucune raison de le faire.

L'homme se toucha le front et partit, mettant fin à l'arrangement.

Je retournai dans la petite chambre propre. Sur le lit, le vieil homme, à peine vivant, était couché sur le dos. La femme de chambre dont les mains tremblaient était en train de lui enlever son gilet abîmé.

La balle avait causé une grande déchirure au milieu de celui-ci. Un morceau d'os d'un blanc marquant dépassait de l'entaille, et sa poitrine se soulevait et retombait au rythme de sa respiration faible et saccadée. Mais je connaissais suffisamment les blessures par balle pour savoir que celle-ci était propre. La balle l'avait entièrement traversé.

— Il a besoin d'un chirurgien, dis-je.

La domestique répondit sans lever la tête.

— Nous ne pouvons nous permettre de telles choses.

J'ôtai mon manteau.

— Amenez-moi une bassine d'eau et beaucoup de linges. Voulez-vous m'aider ?

— Vous aider à faire quoi, Monsieur ?

— À le rafistoler, à défaut de pouvoir faire autre chose. C'est tout ce qu'un chirurgien pourrait faire. Il se peut qu'il survive si la blessure ne s'infecte pas.

Elle me fixa.

— Êtes-vous un médecin ?

Je secouai la tête.

— J'ai pansé beaucoup de blessures. Y compris les miennes.

La femme de chambre fut courageuse. Elle apporta la bassine et une pile de serviettes, et elle resta tout au long de la pénible entreprise. Elle me dit s'appeler Alice et qu'elle travaillait pour le maître et la maîtresse — M. et Mme Thornton — depuis vingt ans. Elle tint fermement la bassine, me remit des serviettes et maintint M. Thornton dans le lit pendant que je me chargeais du travail délicat qui consistait à nettoyer la plaie.

Dans la chaleur de l'Espagne et du Portugal, durant la guerre contre Napoléon Bonaparte, qui n'avait pris fin que l'année précédente, les chirurgiens avaient utilisé de l'eau pour nettoyer les plaies lorsqu'il ne leur avait plus été possible d'obtenir des préparations curatives. Ils avaient continué à utiliser de l'eau quand ils avaient découvert que les plaies nettoyées ainsi avaient tendance à guérir plus rapidement que celles enduites de pommade. Je mettais cette théorie à l'épreuve aujourd'hui, sentant que ces gens ne pouvaient en aucun cas s'acheter de la pommade chez un apothicaire.

J'enveloppai son torse avec des bandages et Alice le lava. La chambre était devenue sombre, alors j'allumai une bougie. M. Thornton était tombé dans le coma et restait immobile, mais il continuait à respirer — une respiration douce et propre, sans bulles de sang.

— Avez-vous du laudanum? demandai-je.

Elle hocha la tête.

— Un peu. J'en ai donné quelques gouttes à la maîtresse.

— Donnez-lui également quelques gouttes lorsqu'il se réveillera. Il ne faudra pas du tout qu'il bouge pendant quelques jours.

— Je veillerai sur lui, Monsieur. C'est ce que je fais toujours.

Je m'essuyai les mains et m'assis sur une chaise dure, soupirant de soulagement au moment d'ôter le poids sur ma jambe blessée.

— Qui est M. Horne ? demandai-je.

Alice se retourna vivement. Des gouttes pourpres tombèrent des linges et éclaboussèrent le couvre-lit.

— Je vous demande pardon, Monsieur ?

— La première chose que vous avez demandée lorsque vous avez vu votre maître, c'est si M. Horne lui avait tiré dessus. Est-ce qu'il vit au numéro 22 de la place de Hanovre ?

Elle avala sa salive et détourna le regard. Je pensai qu'elle n'allait pas me répondre, mais elle leva finalement la tête et rencontra mon regard. Ses yeux intelligents étaient intenses et limpides.

— Il a commis un crime innommable, Monsieur, dit-elle. Une chose horrible, pire qu'un meurtre. Et je donnerais tout, tout au monde, pour le voir pendu pour ce qu'il a fait.

Chapitre 3

À huit heures, ce soir-là, j'arrivai à nouveau sur la place de Hanovre et me dirigeai vers le numéro 22.

J'étais revenu sur mes pas à bord d'une calèche hélée sur la rue Strand, et tandis que j'approchais les quartiers de Mayfair réservés à l'élite, les voitures, les demeures et les chevaux devenaient de plus en plus élégants. Les robustes chevaux des carrioles cédaient la place à des paires de chevaux de race élégants et bien assortis qui tiraient des carrosses peints dans des tons allant du simple brun foncé au jaune vif. Un gentilhomme passa à bord de sa calèche, son cou drapé de blanc bien droit tellement il était fier de son véhicule à deux roues et de son cheval à la foulée altière qui le tirait. Un petit garçon en livrée, que l'on appelait un tigre, se cramponnait à la perche à l'arrière.

J'avais envoyé un message à Louisa Brandon un peu plus tôt, lui présentant mes excuses pour avoir manqué notre rendez-vous cet après-midi-là. Elle me demanderait des explications lorsque je la reverrais, et je lui en donnerais une en temps voulu.

Quelqu'un avait cloué des planches sur les fenêtres du rez-de-chaussée, et la porte arborait encore les marques des pierres que la foule avait jetées. À part cela, la maison était tranquille, calme, comme si l'émeute n'avait jamais eu lieu. Les rampes de l'escalier menant aux cuisines étaient encore entières et droites, et les colonnes de chaque côté de la porte d'entrée ne présentaient pas de taches. Les pavés sur lesquels M. Thornton était tombé avaient été piétinés par les chevaux, les voitures et les pas des piétons ; son sang avait déjà été effacé.

Malgré l'excitation de l'après-midi, le numéro 22 ressemblait à une maison ordinaire, identique à celle des voisins de chaque côté. Mais j'étais venu pour en soutirer les secrets.

Je m'approchai de la porte abîmée et maniai le heurtoir. Quelques instants plus tard, un vieux majordome au nez crochu ouvrit la porte et jeta un coup d'œil à l'extérieur.

— Je voudrais voir M. Horne, s'il est là, dis-je.

La porte se referma pour ne plus laisser qu'une petite ouverture.

— Nous sommes vraiment dans une situation incommode à l'heure actuelle, Monsieur.

— Je sais. J'ai vu ce qui est arrivé à vos fenêtres.

Je fis glisser ma carte dans la fente.

— Remettez-lui ceci. Je vais attendre.

Le majordome mit la carte devant ses yeux vitreux, l'étudia attentivement et ouvrit la porte un peu plus grand.

— Je vais me renseigner, Monsieur. Suivez-moi, s'il vous plaît.

Il me laissa entrer, m'escorta jusqu'à un salon au plafond haut à l'arrière de la maison et me laissa patienter là.

J'observai la pièce lorsqu'il fut parti et décidai qu'il était déplorable que les fenêtres n'aient pas été détruites ici aussi — cela aurait apporté une amélioration. La pièce était décorée dans des tons criards tels que le pourpre, le doré et le vert dans un faux style égyptien, avec des divans, des fauteuils et des canapés recouverts de tissu bon marché censé passer pour du brocart. La frise dorée qui ornait la partie supérieure des murs avait été réalisée n'importe comment et représentait de jeunes filles égyptiennes nues en adoration devant des hommes égyptiens privilégiés et gâtés par la nature. Sous ces scènes de débauche étaient accrochés des paysages incongrus peints par quelqu'un qui avait essayé — sans y parvenir — d'imiter Turner.

Je me promenai devant ces mauvaises peintures tout en tentant de décider ce que je dirais à Horne s'il acceptait de me voir. Il ne me connaissait pas, je n'avais pas de rendez-vous, et nous n'avions jamais été présentés. Il pourrait très bien demander au majordome de me mettre de nouveau à la porte, et ma mission aurait été vaine.

Mais j'avais été conduit jusqu'ici de manière aussi certaine que le vent du mois de janvier amène la neige, parce qu'Alice, la domestique, m'avait parlé de Jane Thornton.

Jane était la fille des Thornton, une jeune fille ordinaire de dix-sept ans : jolie, à la voix posée, rêvant d'avoir un époux ainsi que sa propre famille. Parfois, Jane rendait visite à une jeune dame dans Mayfair. Il s'agissait de la fille d'une famille appelée Carstairs. La jeune femme avait l'habitude d'envoyer la voiture de son père chercher son amie plus pauvre afin que toutes deux puissent profiter d'une visite ou d'une sortie. Un jour, Jane et sa servante, Aimee, étaient sorties afin de rejoindre la jeune femme pour passer l'après-midi à faire les magasins. Elles n'étaient jamais arrivées. Lorsque la voiture avait atteint la maison de la jeune femme, Jane et sa servante n'étaient pas à bord.

Le cocher avait prétendu être choqué et étonné, et il paraissait aussi perplexe que tout le monde. Le trafic dans les rues de Londres ralentissait fréquemment jusqu'à avancer au pas ou bien s'arrêtait complètement; les deux jeunes filles auraient pu descendre à tout moment sans que le cocher s'en rende compte. Mais pour quelle raison? Cela n'avait aucun sens qu'une jeune fille se faufile hors d'une voiture dans les rues dangereuses de Londres au lieu d'être conduite en toute sécurité jusqu'à la maison de son amie. Une recherche avait été menée, mais Jane et Aimee n'avaient jamais été retrouvées.

Et puis, quelques semaines plus tard, Alice s'était promenée avec M. Thornton le long de la rue Strand, tout près de l'église Saint-Martin-des-Champs. Une voiture les avait dépassés, et le visage de Jane Thornton était apparu à la fenêtre.

Elle ne les avait pas appelés, elle n'avait pas fait signe, elle les avait simplement regardés tristement avant qu'une autre main ne referme le rideau, la dissimulant aux regards. Alice et M. Thornton avaient poursuivi la voiture, avec difficulté, jusqu'à la place de Hanovre où elle s'était arrêtée devant le numéro 22.

Cependant, quand M. Thornton avait frappé à la porte et demandé la permission d'entrer, le domestique avait nié la présence de Jane. M. Horne, le veuf qui occupait la maison, avait même proposé de laisser M. Thornton fouiller la maison pour y trouver sa fille. M. Thornton avait cherché, mais il n'avait pas trouvé Jane. Il en avait été encore plus confus, submergé par le chagrin, et Alice l'avait ramené chez lui.

Alice était encore persuadée que Jane se trouvait au numéro 22. Ce matin, M. Thornton avait dit à Alice qu'il emmenait Mme Thornton faire des achats. Mme Thornton s'était convaincue que Jane était partie afin de s'acheter des vêtements, et depuis, elle s'obstinait à faire des achats en vue de son retour. M. Thornton l'avait probablement laissée à ses occupations dans la rue Oxford et avait pris le chemin de la place de Hanovre. Il y était déjà retourné quelques fois auparavant. C'était la police locale qui le ramenait à la maison. Il avait promis à Alice, après le dernier incident, qu'il n'y retournerait plus.

Et voilà, c'est là que j'étais entré en scène.

L'histoire avait éveillé en moi une dangereuse colère, une de celles qui m'avaient attiré des ennuis un nombre incalculable de fois par le passé. J'avais servi en tant que dragon léger durant toute la guerre péninsulaire, depuis le débarquement au Portugal en 1808 jusqu'à ce que nous nous retirions de France en 1814. Je n'avais pas ressenti de colère envers les Français en général ; c'étaient des soldats qui accomplissaient leur devoir, tout comme moi. Leur infanterie avait fait de son mieux afin de me tirer dessus, leur artillerie avait fait de son mieux pour détruire mon régiment, et leur cavalerie nous avait foncé dessus, les sabres brandis ; néanmoins, tout cela faisait partie du grand jeu de la guerre.

Non, ce qui me mettait généralement hors de moi, c'étaient des choses que d'autres pouvaient considérer comme minimes : le subalterne qui avait mordu une prostituée presque à mort ; mes propres soldats qui avaient commis des actes horribles après le siège de la ville de

Rodrigo; un colonel crapuleux qui avait fait des avances indécentes et inopportunes à Louisa Brandon, l'épouse de mon commandant. J'avais soulagé ma rage pour les deux premiers incidents en donnant l'ordre de les fouetter, et pour le dernier, en convoquant en duel le colonel en question.

Le duel était puni de mort dans l'armée, mais j'aurais bien volontiers risqué ma carrière et ma vie elle-même en retrouvant le colonel à l'aube en compagnie de mes seconds. Le duel n'avait jamais eu lieu parce que le colonel s'était montré lâche et avait demandé pardon à la dernière minute. Louisa avait été furieuse contre moi. Brandon, qui était absent à l'époque, m'avait réprimandé pour ma fougue tout en me lançant des regards emplis d'un mélange d'envie et d'admiration. Je n'avais pas conscience à l'époque de la colère qui couvait au fond de lui. Le fait que ce soit moi, plutôt que lui, qui aie défendu l'honneur de son épouse l'avait irrité pendant un long moment. C'était toujours le cas.

La porte du salon s'ouvrit et une servante entra avec un bruissement. Elle s'arrêta net et me regarda. Des mèches de cheveux bruns décolorés dépassaient de son bonnet et ses yeux étaient petits et sombres.

— Qui êtes-vous ? lâcha-t-elle.

Je trouvai sa grossièreté irritante, mais peut-être que M. Horne l'avait envoyée afin de m'interroger, étant donné que j'étais arrivé sans invitation, un acte comparable à de l'impolitesse.

— Le capitaine Gabriel Lacey, dis-je. Ici afin de rencontrer M. Horne.

Elle s'approcha de moi.

— Vous venez de la part de M.Denis, alors ?

Avant que je puisse décider quoi répondre à cela, elle se mit sur la pointe des pieds et colla ses lèvres à mon oreille.

— Tout va bien. C'est plus sûr de cette façon, n'est-ce pas ? Je sais tout. Mais je ne dirai rien.

Son haleine sentait l'oignon. Elle fit un pas en arrière et me regarda dans l'expectative.

Des questions jaillirent en moi, à commencer par qui diable pouvait bien être ce M. Denis, mais le vieux major-dome revint avant que je ne puisse parler.

— Gracie, dit-il sèchement. Retournez aux cuisines, jeune fille.

Gracie me lança un regard et se précipita ensuite hors de la pièce.

Le maître d'hôtel redevint courtois.

— Je vous prie de m'excuser, Monsieur. M. Horne a dit qu'il s'entretiendrait avec vous. Veuillez me suivre.

Je le remerciai et obéis, un peu surpris que M.Horne ait accepté de me rencontrer de façon si soudaine.

Lorsque nous sortîmes dans le couloir, Gracie avait disparu. Le majordome me conduisit à l'arrière de la maison et me fit monter un escalier qui longeait le salon. D'autres peintures mornes ornaient le papier peint criard. J'essayai de ne pas les regarder tandis que le majordome me conduisait au premier étage et me faisait traverser un petit couloir.

Il ouvrit une porte qui donnait sur un bureau. Le tapis jaune était la seule note joyeuse dans la pièce ; les meubles semblaient avoir été disposés n'importe comment et n'étaient pas assortis. Un bureau en acajou se tenait près d'une fenêtre, et une méridienne avait été placée devant la cheminée. Une garde-robe était adossée de façon incongrue et isolée au mur, et une table de bois satiné aux pieds fuselés reposait près de la porte. Sur le papier peint n'était accroché qu'un seul tableau, représentant, une fois de plus, un triste paysage.

M. Horne se leva derrière le bureau et s'approcha, la main tendue. Il avait une quinzaine de centimètres de moins que moi et était probablement plus âgé d'une dizaine d'années. Ses cheveux noirs étaient striés de mèches grises, et des rides creusaient le coin de ses yeux. Son nez était petit et pointu, et sa bouche était grande comme celle d'une femme. Tout muscle qu'il avait un jour possédé s'était, à présent, visiblement transformé en graisse. En effet, il était mou et charnu plutôt que robuste. Il avait un double menton à peine dissimulé sous la lavallière qui couvrait son cou.

Il me serra la main, la paume légèrement humide.

— Comment allez-vous, capitaine ? J'ai entendu parler de vous. Vous êtes un ami de M. Grenville.

Il prononça ce nom avec délectation, et je compris, à ce moment-là, la raison pour laquelle il avait accepté de me rencontrer. La société avait découvert, ce printemps, que Lucius Grenville s'était lié d'amitié avec moi. Grenville était leur coqueluche. L'homme avait parcouru le monde, il était le confident de la cour, et il possédait un goût exquis pour l'art, le vin, la nourriture, les chevaux, l'architecture et les femmes. Il avait été énormément imité, et sa connaissance était très recherchée. Une hôtesse n'avait qu'à dire « Grenville sera présent » pour que sa fête soit connaisse un succès assuré.

Je n'avais pas encore compris la raison pour laquelle Grenville avait voulu faire ma connaissance. Il n'était pas beaucoup plus jeune que moi, mais il montrait une joie de vivre que j'avais perdue après vingt ans passés à la guerre. Grâce à lui, je recevais désormais des invitations pour des fêtes très prisées, et j'avais été ajouté aux listes d'invités des hôtesses très en vue. Je savais que le beau monde voulait uniquement me juger et découvrir la raison pour laquelle Grenville avait décidé de m'honorer de cette façon. Il m'arrivait néanmoins d'apprécier ces sorties, parfois.

— Il fait partie de mes connaissances, oui, répondis-je sur un ton neutre.

— Cela doit être tout à votre avantage, j'imagine.

Je n'aimais pas sa voix mielleuse, son goût en matière d'art et son insinuation, mais je répondis :

— En effet.

Il me faisait presque des clins d'œil.

— Eh bien, que puis-je faire pour vous, Monsieur, que votre relation avec M. Grenville ne peut pas ?

Je pensai à la jeune fille que j'avais rencontrée en bas.

— M. Denis, hasardai-je.

Il arrêta de cligner des yeux. Il hésita un long moment, comme s'il cherchait à savoir s'il devait admettre ou non qu'il connaissait ce nom, puis il hocha la tête.

— Bien sûr. Bien sûr. Je comprends tout à fait. Asseyons-nous et discutons-en.

Il me conduisit vers les deux chaises qui se trouvaient près de la cheminée. Il sonna le maître d'hôtel, qui arriva un peu plus tard avec un bol de punch – du porto chaud avec du sucre, de l'eau et du citron. Il remplit un verre pour chacun de nous, puis il s'en alla.

Je bus une gorgée et tentai de ne pas faire de grimace. Je n'aimais pas le goût sucré, et le sucre ne pouvait pas cacher le fait que le porto était bon marché. Je m'étais dit que Horne devait avoir de l'argent, parce que seul un homme riche pouvait se permettre de résider dans une maison de la place de Hanovre. Cependant, il était certain qu'il ne dépensait pas son argent dans l'alcool, ni dans l'art, ni dans la décoration intérieure.

— Alors, vous êtes intéressé par M. Denis, dit-il après que nous ayons fait les commentaires habituels à propos du temps, de l'état des rues de Londres et du prochain mariage de la princesse Charlotte avec Leopold de Saxe-Cobourg-Saalfeld. Pourquoi avez-vous pensé à venir me voir ?

Je haussai les épaules.

— J'ai tenté ma chance.

Il ricana, ses mentons rebondissant contre sa lavallière.

— Bien, bien. Vous avez très bien fait. Si Grenville ne se portait pas garant de vous, vous savez, je n'en parlerais pas. Mais Grenville sait très bien tout cela, n'est-ce pas ? Il est, comme vous et moi, un connaisseur.

Je cachai mon dégoût, étonné que cet homme se mette dans la même catégorie que le raffiné Grenville.

— Quel est votre centre d'intérêt, hein, Lacey ? Le vin ? L'art ? Ou quelque chose, dirons-nous, de plus doux ?

Je ravalai ma bile. Si Jane Thornton avait passé cinq minutes avec cet homme, je l'étranglerais.

Je pris une autre gorgée du punch exécrable.

— Les jeunes femmes, vous voulez dire ?

Il écarquilla les yeux.

— Bon sang que vous êtes franc, capitaine. Je suppose que c'est l'armée qui vous a rendu ainsi. Ne soyez pas aussi direct avec Denis. Il vous jetterait dehors sans ménagement.

J'attendis et le laissai me regarder.

— Mais il peut m'aider ?

— Oh, je crois qu'il le peut. Je crois qu'il le peut.

Je me demandai qui était donc ce Denis. Un proxénète ? Était-il responsable de l'enlèvement de Jane Thornton ? Tout homme respectable m'aurait montré la porte si j'avais posé la même question. Mais tandis que Horne arborait un sourire suffisant et rongeait son frein, ma colère se mit à bouillir jusqu'au point de rupture. J'envisageai l'idée de dégainer mon épée de ma canne et de le transpercer sur-le-champ. Cela aurait peut-être effacé son sourire suffisant.

Je fis un effort surhumain pour me calmer. Je n'avais aucune preuve qu'il détenait Jane Thornton, pas encore. Mais si je la trouvais, si je découvrais que Mlle Thornton était sous son emprise, je le briserais.

Je me raclai la gorge.

— Quand ?

— Je vais devoir lui écrire, prendre rendez-vous, le convaincre de vous rencontrer. Il ne voit pas n'importe qui, vous savez. Le nom de M. Grenville devrait accélérer les choses.

Je secouai la tête.

— Ne parlez pas de Grenville. Je ne veux pas abuser.

Je m'imaginais devoir expliquer à Grenville pourquoi j'avais utilisé son nom afin d'obtenir un rendez-vous avec un proxénète. Je n'avais pas le droit d'abuser de son amitié, et je n'avais pas envie non plus de l'impliquer dans quelque chose sans qu'il en ait connaissance.

Horne eut l'air déçu.

— Très bien, mais cela pourrait prendre plus de temps. De toute manière, le fait que je me porte garant de vous devrait aider. Donnez-moi votre adresse et je vous écrirai.

Je lui dis d'envoyer les lettres à la boulangerie qui se trouvait en dessous de mes appartements à Covent Garden. Ce n'était certainement pas une adresse à la mode, mais il ne broncha pas.

Horne prit une gorgée de punch, ce qui laissa une ligne rouge autour de ses lèvres.

— Vous avez été avisé de venir me voir. Si vous étiez allé voir M. Denis avec vos manières franches, vous en seriez revenu perdant. Il veut des manières douces, ce M. Denis. Quoi qu'il en soit, qui vous a dirigé vers moi ? Était-ce Grenville ?

Je le regardai dans les yeux.

— Jane Thornton, dis-je.

Les mots résonnèrent dans la pièce comme des balles dans un baril.

Horne me regarda fixement.

— Qui ?

— Vous ne la connaissez pas ?

— Jamais entendu parler d'elle. C'est elle qui vous a envoyé ?

Je m'appuyai au dossier, le doute s'insinuant dans ma colère.

— Il y a eu des émeutes, aujourd'hui, sur la place. Les fenêtres à l'avant de votre maison ont été brisées.

— Oui, en effet. Nous étions dans la confusion la plus totale.

— L'émeute était dirigée contre vous.

Horne haussa les sourcils.

— Vous croyez ? Allons donc, cela ne pouvait pas être une affaire personnelle. Mes opinions politiques sont loin d'être radicales. Non, ce devait être un aliéné échappé de

Bedlam qui excitait la foule. Ma vie, hélas, n'a rien de très excitant.

— Vous ne connaissiez pas ce gentilhomme ?

— Devrais-je le connaître ? Où voulez-vous en venir ?

Il avait réellement l'air perplexe. Ma fureur s'apaisa suffisamment pour évaluer la situation. Je notai que seule la femme de chambre, Alice, m'avait parlé de l'implication de Horne dans l'enlèvement de Jane. Même si Horne m'avait déjà irrité au plus haut point, je savais que je devais avancer avec précaution. Un homme qui vivait place de Hanovre avait les moyens d'engager des poursuites contre moi pour diffamation, ce qui pourrait me ruiner complètement et n'aiderait pas les Thornton le moins du monde.

— Je ne veux en venir nulle part, dis-je. J'entretenais simplement la conversation. Comme vous l'avez remarqué, je ne suis pas très compétent dans ce domaine.

Horne rit encore.

— En effet, vous ne l'êtes pas. Peut-être devriez-vous être encore plus proche de M. Grenville, capitaine. Il est un excellent exemple à suivre en ce qui concerne les bonnes manières.

※ ※ ※

Je rentrai chez moi à bord d'un autre fiacre. Pour un capitaine qui ne touchait que la moitié de sa solde, le tarif d'un shilling par mile parcouru était cher, mais la pluie s'était remise à tomber sérieusement, et je savais que je ne pourrais que péniblement parcourir la distance à pied.

Le chauffeur me déposa dans le haut de Grimpen Lane, un petit cul-de-sac qui donnait sur la rue Russel, près du carré de Covent Garden et parallèle à la rue Bow. Ma logeuse, Mme Beltan, qui me louait un appartement dans sa maison étroite ainsi qu'à un autre locataire, tenait une boulangerie au rez-de-chaussée. Les passants se rendaient volontiers dans la cour minuscule pour ses pains à la levure qui étaient délicieux avec une chope de bière.

À cette heure, la boulangerie était fermée et les fenêtres au-dessus de celle-ci étaient sombres. Le deuxième étage était loué à une actrice, la jolie Marianne Simmons, qui, entre deux rôles, paradait parfois sur Covent Garden ou dans les théâtres de Drury Lane à la recherche d'un protecteur pour une quinzaine de jours ou deux. Cependant, elle était discrète, car j'avais rarement vu les gentilshommes qui l'entretenaient.

La maison avait été grandiose, le siècle passé, avec un escalier haut de plafond qui grimpait sur un côté de la maison. Les murs de l'escalier avaient été couverts d'une peinture murale représentant un paysage luxuriant qui se déclinait sur le plafond dans un doux dégradé de tons bleus. Des nuages peints et quelques oiseaux légèrement hors de proportion le parsemaient. La peinture s'était effacée avec les années et la saleté, et seules quelques parcelles du paysage apparaissaient à travers ce brouillard lorsque la lueur d'une bougie révélait, ici, la branche d'un arbre, et là une bergère dans de charmants tons jaunes.

Ce soir-là, je ne pris pas la peine d'allumer une bougie. Je tâtonnai dans l'obscurité, une main sur le mur froid, l'autre sur ma canne. Je vivais au premier étage, l'étage au-dessus du rez-de-chaussée. Les pièces, l'une à l'avant et l'autre à l'arrière, avaient été autrefois le salon de la maison et une grande chambre à coucher, et les plafonds étaient hauts, ce qui représentait un inconvénient dans le froid de l'hiver. Les arches en plâtre, qui avaient autrefois été taillées afin de ressembler à des vignes torsadées autour de piliers, s'effritaient un peu plus chaque jour. Il arrivait que des morceaux de plâtre se détachent et atterrissent dans mon café.

Lorsque j'ouvris la porte qui donnait sur la pièce de devant, j'y trouvai une bougie qui brûlait et, à ma grande surprise, Louisa Brandon assise dans mon fauteuil.

Chapitre 4

Nous nous observâmes, l'un l'autre, pendant un moment, puis je fermai la porte et enlevai mes gants.

— N'avez-vous pas reçu mon message ? demandai-je.

Elle se leva dans un bruissement de soie.

— Je l'ai reçu. Mais je voulais vous voir.

Je m'avançai vers elle et elle tendit la joue pour un baiser. Je sentis son parfum tandis que je posais mes lèvres sur sa peau lisse.

J'aurais voulu me mettre en colère contre elle pour avoir osé venir, mais je n'en fus pas capable. Je m'étais toujours senti apaisé en présence de Louisa Brandon, en dépit de ce qui se passait entre son mari et moi, et après les événements de cette journée, mon cœur avait besoin d'un peu de réconfort.

Je lâchai ses mains. Elle avait attisé le feu, mais il ne brûlait que faiblement, alors je me mis à genoux et ajoutai quelques pelles de précieux charbon sur la grille de l'âtre.

— Est-ce que votre mari sait que vous êtes ici ? demandai-je tout en m'activant.

— Il sait que je suis allée à l'opéra.

Je tisonnai le feu d'un air sceptique.

— En d'autres termes, il sait que vous êtes ici.

Louisa se rassit avec un mouvement gracieux de sa jupe.

— Aloysius ne me retient pas, Gabriel.

Je me relevai devant la cheminée et tentai de parler avec désinvolture.

— Je vais demander qu'on apporte du café, si vous voulez, mais je ne garantis pas qu'il vous plaise. Je soupçonne la patronne de La Mouette de le préparer avec de vieilles chaussettes.

— Je ne suis pas venue pour prendre un café, dit-elle. Je suis venue vous parler.

Je ne répondis pas. Je savais pourquoi elle était venue.

Dix-neuf ans plus tôt, mon mentor et mon meilleur ami, Aloysius Brandon, alors capitaine, m'avait présenté à son épouse. Elle était à l'époque une fille de vingt et un ans au teint frais, avec des cheveux blond clair et des yeux gris. Ses cheveux étaient toujours aussi blonds et ses yeux toujours aussi clairs, mais son visage portait les marques du chagrin laissées par la perte de ses trois enfants. Aucun d'entre eux n'avait vécu davantage que sa première année.

Mes propres cheveux sombres étaient striés de mèches grises et mon visage aussi portait des traces de souffrances. Louisa avait été là pour chacune d'entre elles.

Je posai le bras sur le manteau émietté de la cheminée et laissai la chaleur du feu soulager la douleur dans ma jambe. J'attendais qu'elle prenne la parole, mais elle se contenta de me regarder tandis que la pluie battait contre les fenêtres comme des grains de sable.

— J'ai eu un après-midi pénible, Louisa. Je sais que vous êtes venue afin de me convaincre d'accepter les excuses de votre mari, mais ne prenez pas cette peine. Je ne suis pas encore prêt.

— Il veut vous voir.

— Comme si c'était ce qu'il voulait, dis-je.

— Il veut que tout redevienne comme avant. Il me l'a dit.

Quelque chose se serra dans ma poitrine.

— Eh bien, ce n'est pas possible. J'ai perdu ma confiance en lui, et lui celle qu'il avait en moi. Nous ne nous verrons plus jamais, l'un l'autre, de la même façon.

— Vous avez accepté d'au moins faire semblant.

— J'ai accepté de faire trop de fichues choses. Regardez-moi, Louisa. Ma carrière était la seule chose dans ma vie que je faisais correctement, et maintenant, je n'ai même plus cela.

— Il veut aider.

Ma mâchoire se crispa. Brandon avait offert sa charité à quelques reprises depuis que nous étions de retour à Londres, mais ce que j'avais vu sur son visage quand il l'avait fait m'avait enragé davantage.

— Je n'accepterai pas l'aide de votre mari.

— Vous l'avez aimé, autrefois, dit Louisa.

Un morceau de charbon se brisa et glissa dans l'âtre.

— J'ai changé. Et il a fait des choses qui sont impardonnables. Vous le savez.

Louisa tenterait, je le savais, de nous réconcilier pour le reste de sa vie. Mais j'avais fait un marché diabolique avec Brandon afin de continuer à dissimuler notre honte mutuelle, celui de quitter tranquillement l'armée et de ne rien dire. J'avais pris une demi-solde pour avoir au moins un maigre revenu, mais je doutais de reprendre un jour le service. Avec la fin de la guerre, et autant d'officiers licenciés, peu de régiments seraient intéressés par un capitaine quadragénaire et blessé. Et c'est ainsi que j'étais : échoué sur les côtes indifférentes de Londres, un commandant qui n'avait plus personne à diriger.

— Avez-vous souillé vos chaussons sur Grimpen Lane ce soir pour me dire cela ? demandai-je après un certain temps. Vous auriez dû vous épargner le voyage.

Elle écarta les mains, mais elle me fit un sourire.

— Je devais essayer. Et mes chaussons se trouvent dans une boîte dans ma voiture.

— Que je n'ai pas vue à l'extérieur. Je refuse de croire que votre cocher dévoué vous ait déposée au bout de la rue et soit parti en direction de la rue Brook. Qu'est-ce que vous manigancez ?

— Si vous aviez vu ma voiture et su que j'étais ici, vous auriez pu repartir jusqu'à ce que je laisse tomber et que je rentre chez moi.

— J'aurais pu, oui.

Elle me regarda.

— J'aurais dû savoir que vous ne viendriez pas à la maison. J'ai un mal fou à vous voir en privé, ces jours-ci.

— Est-ce que vous vous demandez pour quelle raison ?

— Je connais la raison, Gabriel. Je souhaite juste que ce ne soit pas le cas.

Nous échangeâmes un long regard. La lumière du feu caressait ses cheveux lisses, dorés comme le soleil. Son nez était légèrement tordu, un fait que j'avais remarqué lorsque j'avais fait sa connaissance.

Je finis par me radoucir.

— Pardonnez mon humeur, Louisa. Comme je l'ai dit, j'ai eu un après-midi épouvantable.

— Vous ne m'avez pas dit ce qui vous avait empêché de venir à notre rendez-vous. J'ai supposé que vous ne vouliez simplement pas venir.

Je me passai la main dans les cheveux, notant qu'ils étaient de nouveau longs. J'avais besoin de les couper.

— C'était trop difficile à expliquer dans une lettre, dis-je.

— Dans ce cas, expliquez-moi maintenant, s'il vous plaît. Est-ce que ça va ?

Je m'assis sur la chaise libre de la chambre et posai les coudes sur mes genoux. J'avais pensé lui épargner les détails sordides concernant M. Thornton, sur lequel on avait tiré, et la maison de Horne, mais le raisonnement éclairé de Louisa serait le bienvenu. Donc, je lui racontai. Tout.

Je me rendis compte, tandis que je lui relatais l'histoire, du peu que j'avais réellement appris au sujet de Horne. J'avais découvert l'existence de M. Denis, un homme vers qui l'on se dirigeait lorsque l'on cherchait des œuvres d'art ou des femmes, mais je n'avais pas appris grand-chose de plus. J'aurais pu demander à fouiller la maison, mais cela n'aurait apporté que peu de bien au père de Jane. Il était également possible qu'Alice et M. Thornton se soient trompés de maison. Jane aurait pu entrer au numéro 23 ou au numéro 21, ou alors dans une maison sur un autre côté de la place.

Je voulais que Horne soit coupable, je suppose, parce que je ne l'aimais pas. Mais je n'avais aucune preuve de plus que Thornton — uniquement l'indice d'une fausse frise égyptienne obscène et une profonde intuition.

Les yeux de Louisa brillèrent d'indignation.

— Le lieutenant Gale a ordonné de tirer sur le pauvre homme ?

— Je ne sais pas s'il en a donné l'ordre. Le cornette qui l'a fait était jeune et novice, et peut-être a-t-il seulement cru qu'il lui demandait de tirer. Gale lui-même ne savait pas pourquoi il avait été envoyé sur place au lieu d'un magistrat.

Je fis une pause, dégoûté.

— Il ne remet jamais en question une opportunité de parader en uniforme et d'avoir l'air important.

Louisa se pencha en avant, une lueur dans ses yeux gris.

— Avez-vous l'intention de continuer à rechercher la jeune fille ?

— Je veux la retrouver. Vous n'avez pas vu les Thornton, Louisa. Elle était tout ce qu'ils avaient.

— Comment allez-vous la chercher ?

J'avais réfléchi à cela alors que je rentrais chez moi dans un fiacre qui avait une odeur rance.

— Placarder des avis de recherche. Aller rue Bow. Pomeroy, un de mes sergents, est devenu détective. Je peux lui soutirer des renseignements, même si je ne peux pas me permettre de l'engager.

— Offrez une récompense, suggéra-t-elle.

J'ouvris les mains.

— Je n'ai rien à offrir. Mais je peux interroger les voisins et les domestiques de Horne. Quelqu'un doit savoir quelque chose sur elle.

Louisa se déplaça jusque sur le bord de son siège avec une détermination familière sur son visage.

— Je vous donnerai la récompense. Nous pouvons offrir cinq livres. Cela sera suffisant pour que les gens accourent de toutes parts.

— Beaucoup de monde, j'imagine.

— Et donnez-moi l'adresse des Thornton. J'irai les voir. Je pourrais être en mesure de les aider.

— Ils en ont besoin.

Je m'avançai et pris sa main froide dans la mienne.

— Votre bonté, Louisa, continue de m'étonner.

Elle me regarda avec surprise.

— Pourquoi ? Être charitable est un devoir. Vous devez retrouver cette pauvre fille, Gabriel.

Elle hésita.

— Mais contentez-vous de cela.

— Cela veut dire quoi, exactement ?

— Vous savez ce que cela signifie. Je sais comment vous êtes.

Je lui offris un demi-sourire.

— Ce que vous voulez dire, c'est de ne pas poursuivre Horne et Denis pour leur faire entrevoir la colère divine.

— Oui. Restez tranquille.

Je libérai sa main.

— Ils pourraient ne rien avoir à craindre de moi. Peut-être n'ont-ils rien à voir avec l'enlèvement. Je n'ai pas encore décidé. Je n'ai vu aujourd'hui aucun signe de la présence d'une jeune femme chez Horne, à l'exception de la servante, et je ne pense pas qu'il s'agissait de Jane. Elle appartenait sans aucun doute à la classe ouvrière et était franchement bizarre.

Louisa me regardait.

— S'ils ont quelque chose à voir avec ça, que ferez-vous ?

— Je n'ai pas encore décidé non plus.

— Vous ne pouvez pas faire grand-chose même s'ils sont coupables.

J'étais de plus en plus contrarié.

— Pourquoi persistez-vous à épargner Horne ? C'est un bâtard plein de graisse, et il est impliqué dans quelque chose. La servante l'a également laissé entendre.

— Parce que la dernière fois que vous avez poursuivi un bâtard plein de graisse, vous avez récolté ceci.

Elle désigna mon genou gauche.

Je ressentis un élancement douloureux, me rappelant qu'il me faisait encore souffrir et qu'il me punirait durant le reste de la nuit pour en avoir abusé.

— La dernière fois, j'étais un imbécile, et j'ai fait confiance à votre mari et à son honneur. Cela a été ma grande erreur. Je ne la referai pas.

Sa voix s'adoucit.

— C'était il y a deux ans, Gabriel.

Je savais que je ne pourrais pas la détourner longtemps de son objectif initial.

— Et chaque jour au cours de ces deux années, je me suis souvenu de ce à quoi j'ai renoncé. Quand j'ai accepté de quitter l'armée, je ne pensais pas que j'aurais à vivre ceci — je fis des gestes en direction de mes appartements vides —, cette demi-existence.

Ses yeux gris devinrent sombres.

— En a-t-il été ainsi ?

— Vous savez bien que oui.

— Vous avez beaucoup d'amis... vous êtes lié à
M. Grenville.

— Oui, oui, tout le monde croit que recevoir un sourire
de M.Grenville revient à la même chose qu'être touché par
Dieu.

— Mais grâce à lui, vous êtes invité partout.

— C'est seulement pour que la foule puisse m'observer
et se demander ce que Grenville voit en moi. Et je n'ai jamais
pensé que vous pensiez que la valeur d'une personne
dépendait du nombre d'invitations qu'elle recevait.

Louisa sourit.

— J'essaie de faire remarquer que vous êtes davantage
que votre carrière dans l'armée. La guerre est finie, de toute
façon. La plupart des hommes de l'armée n'ont plus de
carrière.

— Beaucoup d'entre eux avaient une chose vers laquelle
retourner. Pas moi. C'est pour cette raison que j'ai suivi
votre mari en premier lieu.

Je serrai le poing.

— Je crois que j'en ai assez fait pour la famille Brandon
pour que vous ne me forciez pas à faire une fausse
réconciliation.

Les yeux de Louisa avaient la couleur grise la plus claire,
comme la mer sous les nuages. La lueur du feu faisait ressortir les boutons dorés et plats sur son spencer, une veste
de rigidité quasi militaire.

— Vous devez l'avoir aimé, autrefois, dit-elle, pour avoir
épargné son honneur comme vous l'avez fait.

— Je ne l'ai pas fait pour son honneur, Louisa. Je l'ai fait
pour vous.

Louisa me regarda, en état de choc.

— Vous ne m'avez jamais dit ça.

Je pressai mon poing serré contre ma cuisse.

— Je ne l'aurais pas fait. Mais je veux que vous compreniez. Lorsque Brandon s'inquiétait de son honneur, il n'a jamais parlé du fait que sa disgrâce serait aussi la vôtre. Vous auriez autant souffert d'indignité, ou peut-être plus que lui, et pire encore, on aurait eu pitié de vous. Votre propre détresse ne lui est jamais venue à l'esprit, et pour cela, je ne lui pardonnerai pas.

Elle prit une forte inspiration, les lèvres entrouvertes, et j'aurais voulu ne pas avoir parlé. La dernière chose que je voulais faire était de faire croire à Louisa Brandon que ma situation actuelle était de sa faute. Cela avait été mon choix. J'aurais pu couler Brandon et emmener Louisa avec moi au Canada. Mais elle aimait cet idiot indigne, et je n'aurais pas pu supporter de la faire souffrir.

Elle se leva précipitamment et se dirigea vers la porte. J'y parvins avant elle et l'empêchai de sortir.

— Où allez-vous ?

Elle ne me regardait pas.

— À l'opéra, comme je l'ai dit. Je dois y voir Lady Aline.

— Je vais aller chercher votre voiture et vous accompagner.

— Vous n'êtes pas obligé de m'accompagner.

Je pensai à Jane Thornton qui se trouvait seule avec sa femme de chambre et que l'on avait enlevée dans une voiture familiale de Mayfair.

— Je ne vous laisserai sous aucun prétexte vous promener seule dans Covent Garden. Je vous accompagnerai. Et si votre mari désapprouve, il peut me provoquer en duel.

Elle leva les yeux sur moi et je n'y vis pas de la culpabilité, mais plutôt un mélange de pitié et de colère. Je me détournai et m'engouffrai dans la cage d'escalier froide, claquant la porte derrière moi. La dernière chose que je voulais de Louisa Brandon, c'était sa pitié.

✳ ✳ ✳

« Josiah Horne », écrivit soigneusement Milton Pomeroy en lettres capitales sur le dos de ma carte.

— Qui est-il quand il se trouve chez lui ?

— Un gentilhomme qui vit au numéro 22 de la place de Hanovre, répondis-je.

— Jamais entendu parler de lui. Qu'a-t-il fait, exactement ?

Pomeroy avait une tignasse de cheveux jaunes qu'il plaquait en arrière à l'aide d'une pommade bon marché qui sentait vaguement l'essence de térébenthine. Il avait un corps carré et robuste, des yeux bleu clair et une voix qui pouvait hurler sur les champs de bataille. Il ne savait rien à propos des circonstances qui avaient conduit à mon départ de la péninsule ; Pomeroy avait lui-même suivi le 35ᵉ régiment des Dragons légers à Waterloo, puis il était rentré chez lui et s'était retrouvé sans rien à faire.

Par accident, il était tombé sur le repaire d'un voleur qui travaillait méthodiquement à travers Londres. Pomeroy l'avait suivi et attrapé sur le fait. L'ancien sergent avait procédé lui-même à l'arrestation, étant donné que les citoyens avaient le droit de le faire. Il l'avait attrapé par le cou et l'avait emmené jusqu'à la rue Bow. Sa persévérance avait impressionné les magistrats, et lorsqu'un ancien agent avait pris sa retraite, ils l'avaient embauché.

La vie des agents de la rue Bow convenait parfaitement à Pomeroy ; il s'agissait d'un corps d'élite d'hommes qui enquêtaient sur les crimes, traquaient les criminels recherchés, ou recherchaient des personnes disparues. Ils étaient autorisés à garder la récompense qui était offerte pour la capture et la condamnation du criminel. Et Pomeroy s'appliquait avec son efficacité impitoyable de sergent à gagner autant de récompenses qu'il le pouvait. Je l'avais souvent observé en train de marcher d'un pas lourd à proximité de Covent Garden avec un pauvre bougre dans sa poigne et rugir au-dessus de la foule de sa voix de sergent :

— Maintenant, mon garçon, fais-moi une faveur. Montre un peu de dignité, fils. Relève-toi et fais face aux magistrats comme un homme.

Les policiers qui accomplissaient fréquemment leur devoir avec réticence faisaient des arrestations ou surveillaient les émeutes, mais c'étaient les agents de la rue Bow qui récoltaient la gloire. Si nous trouvions Jane Thornton, ce serait Pomeroy qui récolterait la récompense, pas moi. Se lancer à la poursuite des criminels et rechercher des jeunes femmes disparues n'était pas considéré comme un travail de gentilhomme.

Pomeroy et moi-même nous tenions dans le hall terne du tribunal de police parmi des hommes et des femmes du peuple à moitié ivres qui attendaient la sentence qui leur serait imposée. J'étais venu jusqu'ici après avoir attendu chez moi toute la matinée une réponse à une lettre que j'avais envoyée à Grenville.

Je désirais arracher des informations à Grenville au sujet de Josiah Horne parce que Grenville savait tout sur tout le monde à Londres. Il avait certainement dû entendre un potin ou l'autre à propos d'un gentilhomme fortuné comme Horne. Aucune réponse ne m'était parvenue, ce qui m'avait irrité au plus haut point, et ainsi, après un repas de début d'après-midi composé de petits pains du magasin de Mme Beltan, j'avais préféré partir à la recherche de Pomeroy.

J'avais la tête lourde. La veille, j'étais resté en compagnie de Louisa dans sa loge à l'opéra jusqu'à l'arrivée de Lady Aline Carrington à l'entracte. Cette vieille fille m'avait adressé un sourire accommodant et je m'étais incliné avec raideur avant de laisser Louisa à ses redoutables bons soins. J'étais rentré à la maison et avais pris trois verres de gin avant d'aller me coucher.

Malgré mon mal de tête, le gin avait écarté avec succès la mélancolie que j'avais sentie monter en moi. Je souffrais de cette maladie depuis mon enfance et parfois, une sombre dépression m'enveloppait, allant jusqu'à m'ôter la force de quitter mon lit. J'avais appris à éviter cet état en m'impliquant complètement dans une situation intéressante. Cependant, parfois, un peu de gin et une bonne nuit de repos suffisaient à écarter le mal.

Je m'obligeai à réfléchir avec précaution avant de répondre à la question de Pomeroy au sujet de Horne. L'ancien sergent avait la ténacité d'un tricheur professionnel, mais il n'en avait pas l'intelligence. Je ne voulais pas qu'il s'attaque à Horne avant d'avoir la preuve que l'homme avait fait quelque chose.

— Hier, il y a eu une émeute devant sa maison sur la place de Hanovre, finis-je par dire. Ses fenêtres ont été brisées.

Pomeroy m'observa avec une curiosité circonspecte.

— J'ai entendu parler de l'émeute. Je n'y suis pas allé.

— Et qu'en est-il de la jeune fille, Jane Thornton ?

Pomeroy hocha fermement la tête.

— Sa famille a signalé sa disparition. Je pense que c'était vers le mois de février. Nous ne l'avons jamais retrouvée, et la famille ne pouvait pas offrir une grande récompense. C'est un commerce dégoûtant, mais cela continue. Des jeunes femmes sont enlevées dans la rue. Il n'y a qu'une seule issue commerciale pour elles, après cela, n'est-ce pas, pauvres femmes ?

— N'est-elle pas réapparue parmi les suicidés ?

— Non, Monsieur. J'ai regardé lorsque j'ai reçu votre lettre, ce matin. Aucune Jane Thornton repêchée dans la rivière pour autant que je sache.

Je me demandai combien de jeunes filles anonymes y *avaient* été retrouvées. Ou bien si Jane gisait encore au fond de la Tamise, son jeune corps petit à petit dépecé par le courant et les poissons.

Je remerciai Pomeroy, qui accepta de me prévenir s'il trouvait quoi que ce soit. Je me frayai un passage devant les hommes et femmes désespérés qui patientaient dans le hall, puis je quittai le bâtiment de la rue Bow.

Je me rendis chez un imprimeur sur Strand près de la rue Southampton et lui demandai d'imprimer des avis promettant une récompense de cinq livres pour chaque personne disposant d'informations au sujet d'une jeune fille appelée Jane Thornton qui avait disparu entre la rue Strand et la place de Hanovre deux mois plus tôt. Un avis avait de bonnes chances de fonctionner, et c'était un des seuls moyens que j'avais sous la main.

Louisa m'avait donné de l'argent pour financer cette entreprise. J'avais avalé ma fierté et accepté, sachant qu'elle l'avait fait pour le bien des Thornton, pas pour le mien.

Après en avoir fini avec cette tâche, je partis vers l'ouest dans le quartier de Strand afin d'interroger les vendeurs qui traînaient près de l'avenue où j'avais déposé M. Thornton chez lui la veille. La plupart d'entre eux me répondirent de mauvaise grâce parce que je me trouvais dans le chemin des clients qui désiraient acheter, mais quelques-uns furent disposés à me parler. Une vendeuse d'oranges qui travaillait là la plupart du temps se rappela de l'élégante calèche qui avait l'habitude d'attendre une jeune femme au bout de la rue, mais elle ne fut pas capable de jurer qu'elle se trouvait bien là un jour précis, deux mois auparavant, ou bien qui y était monté.

L'usage courant voulait que le cocher s'arrête et patiente. La jeune femme arrivait avec sa servante, et l'un des garçons qui patientaient pour balayer la rue pour les gens fortunés l'aidait à monter dans la voiture, puis la voiture se mettait en route. Le cocher ne descendait jamais, ni n'achetait d'orange, ni ne discutait, mais la dame était toujours polie et achetait parfois quelque chose, soit à elle, soit à la fille qui vendait des fraises.

Je donnai quelques pennies à la jeune femme et rentrai chez moi avec une orange dans la poche.

La nuit était de nouveau en train de tomber au moment où j'arrivais près du marché de Covent Garden. La pluie faiblissait. Des chariots serpentaient à travers la place et les ménagères se pressaient autour des échoppes à la recherche des bonnes affaires de dernière minute avant que les vendeurs ne ferment pour la nuit. Des vendeurs de fraises, des artistes de rue, des mendiants, des voleurs à la tire, et des prostituées se pressaient parmi eux. Des cris proclamant «Fraises sucrées, achetez mes fraises mûres» rivalisaient avec «Couteaux à hacher, un penny la lame».

Une jeune fille s'approcha de moi et glissa sa main sous mon bras.

— Bonjour, capitaine, dit-elle. Vous voulez vous amuser un peu?

Chapitre 5

*J*e baissai les yeux. Black Nancy, ainsi surnommée en raison de ses longs cheveux colorés bleu-noir, se promenait à mes côtés et me faisait un large sourire, me laissant voir ses dents de travers. Quelques-unes de ses collègues flânaient juste derrière elle.

Nancy ne devait pas avoir plus de seize ans, et mon rejet constant de ses offres l'étonnait fortement. Elle me poursuivait avec un acharnement presque comique. Je suppose qu'il fallait que je parte du principe qu'un jour, elle finirait par m'avoir à l'usure. Dans son monde, on trouvait qu'elle se faisait de plus en plus vieille — dans le mien, elle était encore une enfant.

Elle portait sa robe préférée, ce jour-là, en velours usé de couleur brun roux dont le décolleté dévoilait sa poitrine généreuse. Elle l'avait recouverte d'une veste de laine bleue démodée depuis au moins dix ans. Elle était de bonne humeur, mais elle chassait ses proies — les gentlemen qu'elle appâtait — avec un caractère impitoyable qui aurait pu faire passer la campagne de Napoléon Bonaparte pour la conquête de la Russie à une sortie frivole du dimanche.

— Je suis un homme pauvre, Nancy, commençai-je, reprenant ma rengaine habituelle.

Elle me fit un clin d'œil.

— Je sais. Peut-être que tu me plais.

L'une des autres filles se mit à rire.

— Il aime les filles qui prennent des bains, Nancy. Tu n'as pas pris un seul bain en un an.

— Cesse de jacasser, Margaret. Je l'ai vu en premier.

Nancy agrippa mon bras plus fermement. Les autres filles en eurent assez de me taquiner et s'éclipsèrent, se reportant sur des proies plus disposées. Nancy s'attarda, se pavanant à mes côtés, sa bouche peinte de rouge arborant un sourire.

— Je ne t'ai pas vu pendant plusieurs jours, capitaine. Te caches-tu de moi?

— J'ai été occupé.

Je m'arrêtai et me mis à réfléchir. Chaque jour et jusqu'à tard dans la nuit, Nancy se baladait partout dans Covent Garden, parcourait la rue Strand de haut en bas et tous les coins entre ces extrémités. Si une personne était susceptible de voir ce qu'il s'y passait, c'était elle.

— À quoi penses-tu, capitaine? demanda-t-elle. Tes yeux s'assombrissent quand tu fais cela. Sais-tu vraiment à quel point tu es beau, ou bien te moques-tu de moi?

J'ignorai sa question.

— Que dirais-tu de gagner quelques shillings?

Une lueur s'alluma dans ses yeux et elle se colla à moi.

— Oh, je pensais que tu ne le demanderais jamais.

Je fronçai les sourcils.

— Pas pour ça. Je recherche un cocher. Parles-tu avec ceux qui patientent devant le théâtre de Covent Garden?

Elle me lança un regard déçu et se détacha de moi.

— Parfois. Ils partagent une petite goutte de gin quand il fait froid. Pourquoi en cherches-tu un ? Tu n'as pas de cocher ?

— Je recherche l'un d'entre eux en particulier, le cocher de la famille Carstairs. Tu le connais ?

Carstairs était le nom de la famille qui avait envoyé leur voiture à Mlle Jane Thornton et à sa servante, ce fameux après-midi fatidique, d'après ce que m'avait dit Alice.

Son regard se fit rusé.

— Je pourrais le trouver pour toi. Pour un certain prix.

— Je peux te donner un shilling maintenant, et un autre quand tu l'auras trouvé.

Elle caressa le revers de mon manteau.

— Garde ton argent, capitaine. Je trouverai ce cocher dans un coin chic. Tu me paieras à ce moment-là. Si je ne le trouve pas, tu ne me devras rien.

Elle me lança un regard inquisiteur.

— Pourquoi le cherches-tu ?

— Je dois lui demander quelque chose. Trouve-le et demande-lui de venir me voir chez moi.

— Maintenant, tu as attisé ma curiosité. Tu ne veux pas me raconter ? Je ne parlerai pas.

— Pas tant que je ne lui aurai pas parlé.

Ses doigts glissèrent le long de mon manteau.

— Tu sais comment embobiner une jeune fille. Je le trouverai pour toi, capitaine. Peut-être pourras-tu me payer autrement.

Elle me regarda les yeux baissés.

J'essayai de lui lancer un regard sévère.

— Je suis assez vieux pour être ton père.

Elle gloussa, mais elle retira sa main.

— Tu es plus vieux que mon père, mais tu es tellement plus beau.

— Tu es trop gentille. J'ai faim, maintenant. Laisse-moi partir et aller dîner.

Elle obéit de manière inattendue. Je sentis sa petite main sur mes fesses quand elle partit et je la regardai se hâter, ses cheveux ondulant comme une vague sombre.

Tout en me dirigeant vers la Mouette de l'autre côté de la place, je vérifiai furtivement mes poches pour m'assurer que toutes mes pièces y étaient encore.

※ ※ ※

Beaucoup plus tard, ce soir-là, je me promenai à pied sur la rue Cockspur, près de Charing Cross, dans mon uniforme d'officier.

Mon manteau était bleu foncé, avec des revers blancs, des boucles et des cordes tressées argentées. Cet uniforme — qui m'avait presque coûté le salaire gagné en un an —, je l'avais gardé précieusement pour des occasions mondaines, mais sur la péninsule, j'en avais porté un autre identique à celui-là qui avait été abîmé par la sueur, la boue et le sang. Avec une carabine accrochée à ma selle et un sabre le long de ma jambe, j'avais chargé sur tout avec les Dragons de l'infanterie lourde et légère : la cavalerie française, l'infanterie française disposée en lignes que nous voulions disperser, et même l'artillerie. Nous avions été entraînés à dégainer notre sabre au dernier moment, juste avant que nos lignes ne se mélangent et ne se rencontrent — le bruit de l'acier qui siffle et la vue d'une forêt étincelante de sabres étaient censés effrayer l'ennemi. Cependant, je n'ai jamais su si l'ennemi apercevait vraiment le spectacle, car à cet instant, ils étaient trop occupés à essayer de nous tirer dessus, de nous transpercer de leur baïonnette ou de nous découper en morceaux.

Aujourd'hui, je menais un autre combat, celui de la reconnaissance sociale et d'une bonne opinion publique. Louisa, ainsi que ce détestable Horne, avaient raison lorsqu'ils m'avaient dit que la reconnaissance de Grenville était un avantage pour moi. Ceux qui auraient pu ne pas me parler ou qui n'auraient même pas remarqué l'existence d'un obscur gentilhomme d'un coin reculé d'East Anglia — un capitaine qui n'avait pas rendu son nom célèbre par lui-même sur la péninsule — m'envoyaient désormais des invitations pour les événements les plus courus de la saison mondaine.

J'avais également eu raison en disant à Louisa qu'ils m'invitaient uniquement pour émettre des suppositions sur la raison pour laquelle Grenville me fréquentait.

J'avais rencontré Grenville un peu plus tôt dans l'année, à une fête de Nouvel An organisée chez lui. Lady Aline Carrington, une célibataire qui aimait commérer et la revendication des *Droits de la femme* de Mary Wollstonecraft — dans cet ordre —, avait persuadé Grenville de l'autoriser à m'amener avec elle. Je les avais accompagnées, elle et Mme Brandon, à la fête, et j'avais rencontré là-bas le fameux M. Grenville.

Il faut reconnaître que je ne fus pas très emballé par lui au premier regard. Je ne l'avais pas pris au sérieux et l'avais considéré comme un dandy trop imbu de sa personne. Je crois qu'il l'avait senti parce qu'il s'était montré froid envers moi, même s'il ne m'avait pas vraiment chassé de chez lui.

Les choses changèrent quand je découvris, de manière plutôt accidentelle, que plusieurs personnes qu'il, ou plutôt son majordome, avait engagées en extra avaient prévu de le voler. Grenville conservait de précieuses œuvres d'art et antiquités dans ses salons privés, à l'étage ; seules quelques personnes privilégiées avaient été autorisées à les voir. La bande de voleurs — menée par le majordome — avait préparé un plan élaboré pour arriver à dérober ces œuvres d'art.

Je m'étais armé de courage et m'étais approché du dédaigneux Grenville pour lui avancer mes soupçons. À son crédit, il faut dire qu'il cessa de prendre son air affecté et m'écouta, après quoi il me demanda pourquoi je pensais cela. Je lui dis alors que c'était parce que l'uniforme du valet n'était pas à sa taille.

Le personnel engagé pour la soirée n'avait été autorisé qu'à se rendre dans les cuisines et dans les grands salons de réception au rez-de-chaussée. Il s'était avéré que plusieurs d'entre eux avaient assommé Bartholomew, le valet de Grenville, qui était grand, et l'un d'entre eux avait volé son uniforme afin d'accéder aux étages supérieurs. Ils avaient supposé que les éminents gentilshommes ne savaient pas à quoi ressemblaient leurs propres valets — ils étaient engagés par les majordomes, les gouvernantes ou les intendants. Il est vrai que peu de personnes présentes à la fête regardaient les visages des domestiques circulant avec du champagne et des macarons.

Cependant, Grenville avait lui-même trié ses domestiques sur le volet, même si, il le confia plus tard, il avait commis une grave erreur avec le majordome. Lorsque nous avions retrouvé Bartholomew ligoté, endolori et très en colère dans un bureau à l'étage, Grenville avait été furieux. Nous nous étions précipités dans le salon et avions pris les voleurs sur le fait. Bartholomew avait rendu les coups qui lui avaient été assénés dans une belle démonstration de boxe, et j'avais, bien entendu, mon épée rangée dans ma canne.

Le matin suivant, Grenville m'avait envoyé sa voiture, m'invitant à partager son petit déjeuner et à discuter avec lui de l'incident. C'est ainsi qu'avait commencé notre intéressante relation.

Connaître Grenville m'offrait un autre avantage — il savait pratiquement tout à propos de tout le monde à Londres, puisqu'il était fervent du moindre ragot à propos de ses semblables. Il connaîtrait les Horne, probablement la famille Carstairs également, et ce qu'il ne savait pas, il pouvait facilement le découvrir.

Je ne semblais pas tirer un grand avantage de cette relation en ce moment, car je ne parvenais pas à mettre la main sur cet homme. Je lui avais écrit, mais il n'avait pas répondu, et je refusais de lui envoyer une nouvelle lettre implorant d'être autorisé à lui parler. Je ne rejetterais pas son amitié, mais je refusais de lui lécher les bottes.

Malgré tout, j'avais besoin de ses informations, donc j'avais accepté une invitation ce soir de la part d'un certain colonel Arbuthnot qui accueillait l'exposition des dernières œuvres d'un peintre prometteur du nom d'Ormondsly. J'avais accepté parce j'avais l'espoir d'y retrouver Grenville.

Grenville était très en vue dans le monde de l'art, et les artistes recherchaient son opinion à la moindre occasion. Le gratin de la société patienterait, retenant son souffle, lorsque Grenville lèverait son monocle, la lueur d'une bougie scintillant sur l'oculaire doré, et lorsqu'il ferait courir son regard sur le tableau. J'avais vu le public se mordre les lèvres, presser leurs doigts contre leurs lèvres ou se balancer d'un pied sur l'autre tandis que Grenville inclinait la tête, plissait les lèvres et reculait de quelques pas pour ensuite répéter tout le processus. Il finirait par rendre son jugement — soit il déclarerait que la toile était l'œuvre d'un génie, soit un effroyable échec. Ses paroles feraient de l'artiste quelqu'un de connu ou le briseraient. Il serait certainement présent chez Arbuthnot.

Avant que j'aie pu quitter mon appartement pour cette sortie, ma voisine du dessus, Marianne Simmons, avait ouvert ma porte et était entrée avec insouciance.

— Avez-vous un peu de tabac à priser, Lacey ?

Non surpris, j'attrapai mes gants et les enfilai.

— Dans le placard.

Je fis un signe de la tête en direction de la vieille commode en bois qui se tenait contre le mur à côté de la porte. Grenville m'avait récemment offert un bon mélange de ses fournisseurs sur Pall Mall, en même temps qu'une boîte en ébène sculptée et incrustée de nacre. Je ne prenais pas beaucoup de tabac à priser, et je ne fumais pas non plus les petits cigarillos ou les plus gros cigares comme le faisaient beaucoup de militaires. J'étais là un bien étrange gentilhomme qui n'aimait pas le tabac sous quelque forme que ce soit, mais j'avais toujours pensé que je pourrais le prendre ou le laisser de côté.

Marianne ne me remercia même pas. Elle s'avança jusqu'à la commode et se mit à fouiller dans le tiroir dans lequel j'avais l'habitude de garder mon stock de tabac à priser. Elle avait attaché ses boucles blondes avec un ruban, à la grecque, un style un peu démodé, mais qui convenait à son visage enfantin. Sa beauté faisait qu'elle était appréciée sur scène et populaire auprès des gentilshommes en privé. Et elle était assurément belle. Même moi, qui avais appris à bien la connaître, je pouvais encore apprécier son derrière rebondi, ses grands yeux bleus et la courbe gracile de ses chevilles.

Cependant, j'avais fini par voir que derrière sa beauté se trouvait la dureté d'une femme qui avait observé le monde et l'avait trouvé cruel. Là où Black Nancy plaisantait avec ses copines et faisait face aux épreuves avec bonhomie, Marianne Simmons pouvait être dure, froide et impitoyable.

Sachant que j'étais pauvre, elle me parlait uniquement quand elle désirait m'emprunter du charbon et des bougies, ou bien quelques pennies pour le thé. C'est-à-dire quand elle ne se servait pas tout simplement elle-même. Elle me considérait également comme quelqu'un pouvant commodément la ravitailler en tabac à priser auquel elle était accro, mais qu'elle ne pouvait s'offrir.

Elle sortit la boîte en ébène.

— Si ce Grenville est si riche, pourquoi ne vous donne-t-il pas tout simplement de l'argent ?

Lorsque Marianne avait découvert que le fameux Lucius Grenville m'avait pris sous son aile, elle m'avait harcelé de questions à son sujet, même si elle semblait en savoir davantage à son sujet que moi. J'imaginais que les gentilshommes qu'elle fréquentait racontaient énormément de ragots à son sujet.

— Un gentilhomme n'offre pas d'argent à un autre gentilhomme.

— Un grand inconvénient pour vous.

Elle colla la boîte contre sa poitrine.

— Je suppose qu'il ne fréquente pas les actrices ?

— Il les fréquente.

En fait, je l'avais vu la veille au théâtre en compagnie d'Hermione Delgardia, la dernière actrice qui faisait sensation sur le continent et qui visitait l'Angleterre pour un certain temps.

Marianne plissa le nez.

— Aucune qui danse dans le chœur, je parierais. Non, il a des vues plus ambitieuses, n'est-ce pas ?

Je la pressai vers la porte sans lui demander de me rendre la boîte.

— Je ne saurais dire.

Je refermai la porte et la fermai à clé. Le regard déçu de Marianne ne m'échappa pas. Elle ne pourrait pas redescendre discrètement l'escalier et me chiper des bougies pendant que je serais sorti.

Il s'avéra que ce soir-là, je ne pus ni questionner Grenville à propos de ses goûts en matière d'actrices, ni lui demander son opinion au sujet de Josiah Horne, puisqu'il ne fit jamais son apparition chez Arbuthnot. La réception rassemblait un duc, une autre actrice nettement mieux notée que Marianne, plusieurs autres personnes que je ne connaissais qu'un peu, Lady Aline Carrington et une très jolie veuve qui s'appelait Mme Danbury. Cette dernière m'ignora la plupart du temps même si j'essayai de me joindre aux conversations près d'elle.

J'attendis presque toute la soirée, mais Grenville n'arriva jamais. La toile n'était pas extraordinaire de toute façon.

Fatigué, contrarié et au bout de mes ressources, je pris un fiacre qui m'emmena aussi loin que mes finances me le permettaient et j'atterris à St. James. Je me baladai avec l'espoir d'avoir la chance de tomber sur Grenville arrivant ou repartant d'un de ses clubs, mais l'homme demeura insaisissable.

Je me promenai lentement jusque Pall Mall et la rue Cockspur, reprenant la route épuisante jusqu'à Covent Garden. Au moment où j'arrivais à Charing Cross, un homme m'interpela.

— Capitaine Lacey, c'est ça ? C'est moi, Monsieur, vous vous souvenez ? Sergent-major Foster.

Je baissai les yeux sur un visage tanné et des yeux bleus brillants. Je n'avais pas vu cet homme au cours des trois dernières années, mais il avait été un des piliers du 35e régiment, montant rapidement les grades jusqu'à atteindre celui qu'il avait aujourd'hui, le grade de sergent-major. Je savais qu'il était allé à Waterloo, mais je n'avais rien entendu à son sujet depuis lors.

— Bien sûr.

Je tendis la main.

Il fit un large sourire, recula d'un pas et me salua.

— Je ne peux pas m'habituer à la vie civile, Monsieur, c'est un fait. Sergent un jour, sergent toujours. Et vous, Monsieur ? J'ai entendu dire que vous aviez été grièvement blessé et que vous étiez rentré chez vous en convalescence.

Je souris faiblement et donnai un petit coup à ma botte gauche avec ma canne.

— C'est vrai. Je suis encore un peu raide, mais je me débrouille.

— Désolé de l'entendre, Monsieur. Vous étiez vraiment quelque chose à voir sur le champ de bataille. Vous étiez présent, vous chevauchiez au triple galop et vous nous criiez de nous tenir debout et de nous battre. Vous étiez un modèle.

Son sourire s'élargit.

— Je pense que «modèle» était le plus gentil des mots utilisés.

Foster gloussa.

— Vous avez toujours été quelqu'un de mordant, Monsieur, en vous priant de me pardonner. Ah, voici quelqu'un d'autre dont vous pourriez vous souvenir. Mme Clarke, voici notre capitaine Lacey.

La jeune femme potelée qui était en train de se pencher devant les vitrines sombres des magasins, un peu plus loin, se tourna et revint sur ses pas pour s'approcher du sergent-major. Le sourire poli que j'avais plaqué sur mon visage en m'attendant à être vaguement reconnu se figea.

Je ne l'avais pas connue en tant que Mme Clarke, je l'avais connue en tant que Janet Ingram, et sept ans plus tôt, elle avait brièvement été ma maîtresse. Je ne l'avais plus revue depuis le jour où elle avait quitté la péninsule pour retourner auprès de sa sœur mourante dans l'Essex. Elle sourit en me regardant dans les yeux, et je sentis les années s'écrouler entre nous, comme si la souffrance, la trahison, la douleur du vide de celles-ci n'avaient jamais existé.

Elle semblait un peu différente de celle qu'elle avait été il y a toutes ces années, au Portugal, à tant de kilomètres d'ici, à l'époque où elle était la veuve d'un caporal. Sa taille était aussi dodue, ses bras aussi ronds, ses cheveux, maintenant rehaussés d'un chapeau plat en paille, toujours aussi somptueusement auburn. Ses yeux bruns pétillaient comme autrefois — l'éclat d'une femme qui affrontait la vie selon ses propres termes, quoi qu'il lui en coûte. Notre liaison n'avait duré que six mois, mais chaque journée de ces six mois était gravée de façon nette et claire dans ma mémoire.

Je ne sais pas si le sergent-major Foster se souvenait des circonstances de notre relation. Il restait là, radieux et souriant, comme s'il me faisait une blague. Ma gorge était comme du papier de verre, et je fis mon possible pour sourire, puis j'inclinai poliment mon chapeau.

— Mme Clarke.

Elle passa outre ma politesse guindée avec un sourire qui me coupa le souffle.

— Gabriel.

Elle me parcourut du regard, passant de mes cheveux châtains à mon front et jusqu'au haut de mes bottes.

— Je suis heureuse de vous voir, même si vous avez changé. Que vous est-il arrivé?

— C'est, dis-je, une longue histoire.

Le sergent-major Foster se frotta les mains.

— Eh bien, eh bien, ce sont vraiment des retrouvailles, ce soir. Comment va le colonel, capitaine?

Je quittai Janet des yeux pour reporter mon regard sur le visage hâlé et souriant de Foster.

— Je vous demande pardon?

— Miséricorde, il a déjà oublié. Notre commandant, Monsieur. Le colonel Brandon. Votre meilleur ami.

Je sursautai alors que je faillis laisser échapper la vérité, mais je masquai cela sous un air courtois.

— Le colonel est en bonne santé. Tout comme son épouse.

Janet pencha la tête, une lueur de scepticisme dans les yeux, mais elle ne dit rien.

— Content de l'entendre, dit Foster. J'ai eu moi-même un peu de chance. Mon vieil oncle est décédé, et il semble qu'il avait un peu d'argent de côté. Tout m'est revenu. Je pense aller dans le Surrey et trouver une jolie petite maison à la campagne. Que pensez-vous de cela pour un ancien sergent, hein, capitaine ?

— Je pense que ce sont d'excellentes nouvelles, sergent-major.

— Lorsque je serai complètement installé, je vous enverrai une lettre, et nous aurons une belle et longue conversation sur le bon vieux temps.

— J'aimerais beaucoup cela.

Ma bouche prononça les paroles attendues, mais mes pensées et mes yeux étaient tournés vers Janet. Elle me rendait mon regard, son sourire m'attirant vers elle et me racontant tout ce que j'avais besoin de savoir.

— Eh bien, laissons le capitaine poursuivre sa route, Mme Clarke, dit le sergent-major.

Il me salua encore une fois, bien droit et précis.

— Bonsoir, Monsieur.

Je lui rendis son salut.

— Bonsoir, sergent-major. Mme Clarke.

Je me demandai qui pouvait bien être ce sacré *M.* Clarke, mais cette question devrait attendre.

Janet prit ma main tendue et, au contact de cette brève et chaude pression, un léger frisson me parcourut. Je pris alors conscience que, même si j'avais quitté Janet il y a bien long-temps, je ne l'avais pas réellement laissée s'en aller.

Ils me dirent au revoir et reprirent leur chemin ensemble. Je pris la direction opposée, vers Long Acre. Après avoir fait peut-être dix pas, je m'arrêtai et regardai en arrière. Janet marchait à côté de Foster. Elle avait la même taille que l'homme, qui était petit. Elle tourna la tête et me regarda.

Elle avait toujours été capable de dire ce que j'avais dans le cœur, et j'imaginai, quand nos regards s'accrochèrent l'un à l'autre, qu'elle était capable d'y voir ce qui y battait en ce moment.

Elle finit par se retourner, et je repris ma route, mais le monde avait changé.

✳ ✳ ✳

— Des rumeurs circulent à votre sujet, mon ami, me dit Lucius Grenville lorsque son majordome me présenta un verre de cognac français.

Je le remerciai et sirotai le délicieux liquide, fermant brièvement les yeux pour mieux l'apprécier.

Nous étions installés dans le salon se trouvant à l'étage de la maison de Grenville rue Grosvenor. La façade de la maison était simple, presque austère, dans le style des frères Adam datant de la fin du siècle dernier. Par contre, l'inté-rieur était somptueusement meublé. Cette pièce, tout particulièrement, présentait des objets provenant des voyages de Grenville : des tapis d'Orient étaient étalés sur le sol, et une tente en soie était tendue au-dessus de nos têtes. De l'ivoire et des tas de bijoux égyptiens remplissaient un coffre peu commun près de la porte, et un masque en or d'un ancien Égyptien décorait la cheminée. Les meubles allaient d'un divan turc à un ensemble ordinaire de chaises à dossier droit éparpillées au hasard dans la pièce. De véritables chandelles de cire, des douzaines, éclairaient l'obscurité et adoucissaient les couleurs autour de nous.

Je me souvenais de la pièce décorée en faux style égyptien chez Horne, et je me demandai si l'homme avait tenté d'imiter cette pièce, même s'il y avait peu de chances qu'il l'ait vue en personne. S'il avait voulu l'imiter, il n'avait pas du tout atteint le but recherché.

Grenville était un homme mince, un peu plus jeune que moi de quelques années, avec des cheveux sombres qui ondulaient au-dessus de son col et des favoris qui s'étendaient jusqu'à un point juste en dessous de ses pommettes saillantes. Ses yeux étaient noirs, son visage angulaire et son long nez pentu. On ne pouvait pas dire que c'était un bel homme, mais des hordes de femmes, des femmes mariées respectables aussi bien que des Chypriotes, étaient prêtes à lui pardonner ce défaut.

Dans le courrier du matin, j'avais trouvé une lettre de Grenville m'informant que sa voiture viendrait me chercher à onze heures pour m'emmener chez lui. J'étais partagé entre le mécontentement et le soulagement. Il avait résolu mon problème consistant à le chercher en venant lui-même me chercher, mais sa fâcheuse habitude à me convoquer quand il voulait me voir me vexait.

Horne m'avait également écrit pour me dire qu'il avait reçu une réponse de M. Denis et me demandait si je pouvais venir me présenter au numéro 22 cet après-midi à cinq heures. J'envoyai une lettre où je répondais par l'affirmative.

J'avais pris mon bain et mon petit déjeuner, et j'avais pensé à Janet Clarke, qui avait été, autrefois, Janet Ingram.

Janet avait été la veuve d'un jeune soldat de cavalerie, se retrouvant seule très jeune, sans argent et sans protection. Un soir, je tombai sur une partie de cartes disputée par mes hommes — le vainqueur ramènerait Janet chez lui. Lorsque j'avais mis fin à la partie, elle s'était mise en colère et m'avais demandé que je lui dise où je pensais qu'elle passerait la nuit ce jour-là, puisque j'étais tellement intelligent. J'avais dit que je supposais qu'elle pouvait rester chez moi. Ce qu'elle fit. Pendant six mois.

Elle ne parlait jamais beaucoup de son passé, même si elle m'avait dit qu'elle était née dans un village sur la côte est de l'Angleterre, près d'Ipswich. Elle n'avait pas vraiment eu de quoi la distraire, à part travailler à la ferme ou se faire tripoter par les hommes du coin. Lorsque le jeune Ingram était passé par son village, se vantant d'avoir accepté la solde du roi et de partir pourchasser les Français au Portugal, Janet avait saisi sa chance d'échapper à sa petite vie et était partie avec lui.

Passer sa vie à suivre le tambour était une chose pénible pour une femme, comme je le savais bien, mais certaines d'entre elles, comme Louisa Brandon, développaient une résistance qu'aurait enviée n'importe quel général. Elles enduraient la perte, la privation, la faim et l'épuisement, et chaque bataille, victorieuse ou non, entraînait beaucoup de morts. Les femmes devenaient si facilement des veuves ; beaucoup d'entre elles plus d'une fois.

Janet elle-même avait développé assez de résistance pour survivre à la mort de son mari et pour déclarer qu'elle deviendrait l'épouse ou la maîtresse de celui qui remporterait la partie de cartes. Mes hommes m'en voulurent de l'avoir gardée pour moi, mais je ne pus que me réjouir de ce choix. Pendant ces six mois, j'avais été plus vivant que je ne l'avais été durant la décennie précédente ou pendant les années qui suivirent.

Nous ne parlions jamais d'amour ni de l'avenir. Durant la guerre en Espagne et au Portugal, nous n'avions que le jour présent, parce que le lendemain, une bataille ou un tireur embusqué français pouvait changer notre vie à tout jamais. Quand Janet reçut une lettre lui annonçant que sa sœur était mourante, je l'avais renvoyée chez elle, sachant qu'elle ne reviendrait pas. Nous ne nous étions pas promis de nous écrire, de nous revoir, ni de nous attendre. Le temps avait passé, mais elle était toujours splendide. Toujours Janet.

Grenville leva l'index qui portait une bague incrustée de diamants.

— Tout d'abord, vous accompagnez Mme Brandon à l'opéra, alors que son époux est visiblement absent.

— Le bout de mon pistolet mettra fin à toute calomnie au sujet de Mme Brandon, dis-je.

Grenville revêtit un large sourire et secoua la tête.

— Votre honneur, tout comme celui de Mme Brandon, semble être incontestable. Même si les plus malicieux ont vaillamment essayé d'en tirer quelque chose, cette histoire a été étouffée.

Il leva un deuxième doigt à côté de l'autre.

— Deuxièmement, vous affichez des avis à propos d'une jeune femme dont je n'ai jamais entendu parler, ce qui veut dire que vous êtes impliqué dans une affaire intéressante.

— C'est assez proche de la vérité.

Grenville leva un doigt supplémentaire.

— Troisièmement, sans l'aide de personne, vous avez chassé hier une douzaine d'hommes de la cavalerie de la place de Hanovre où ils étaient en train d'embêter tout le monde. Le lieutenant Gale fulmine.

— Cinq, dis-je.

— Je vous demande pardon ?

Je pris une autre gorgée de cognac.

— Je n'ai expulsé que cinq hommes de la cavalerie de la place de Hanovre.

Chapitre 6

Grenville me sourit à moitié, comme s'il pensait que je plaisantais. Il portait des couleurs monochromes, aujourd'hui, un costume noir et blanc aussi sobre que l'extérieur de sa maison. Une broche vermeille ornait sa cravate blanche, telle une goutte de sang.

Je continuai à siroter le cognac et il écarquilla les yeux.

— Mon Dieu, Lacey, vous êtes sérieux. Vous m'étonnez.

Je m'installai confortablement sur le divan turc, tendant ma jambe gauche afin de soulager la douleur qui me tiraillait.

— C'est pour cette raison que vous m'avez demandé de vous rendre visite ? Afin de découvrir quelles rumeurs sont fondées ?

— En partie uniquement. L'autre raison étant que je voulais connaître votre opinion au sujet de ce cognac.

Il leva son verre, révélant le fond ambré qui rayonnait derrière les facettes de cristal.

— Il est réellement exceptionnel, concédai-je. Un excellent choix.

— Cela me fait plaisir de partager avec vous nourriture et alcool, Lacey. Vous n'essayez pas de déceler ce que je veux vous entendre dire avant de prononcer votre jugement. Si quelque chose vous dégoûte réellement, vous n'hésitez pas à le dire tel quel. J'apprécie votre honnêteté.

— Moi qui pensais que j'étais simplement grossier, dis-je. Je suis allé voir la dernière toile d'Ormondsly, l'autre soir. J'ai été surpris de ne pas vous y voir.

— Vraiment?

Grenville s'appuya au manteau de la cheminée, croisant une botte lustrée sur l'autre.

— Qu'avez-vous pensé de la toile?

J'avais à peine remarqué cette foutue chose. Mon attention avait été distraite, puisque j'avais épié l'arrivée de Grenville, tenté de prendre part à la conversation et admiré l'adorable Mme Danbury. Je haussai les épaules.

— C'était...

Il fit un geste, faisant scintiller ses bagues en diamants.

— Exactement. Ormondsly est jeune et talentueux, mais il doit se parfaire. Dans quelques années, il arrivera à quelque chose — s'il ne se tue pas avant cela avec sa consommation d'opium. Si je fais l'éloge de sa peinture maintenant, des artistes qui ont davantage de mérite seront injustement ignorés; si je minimise son travail ou si je fais un commentaire mitigé, sa carrière serait finie avant d'avoir commencé. Mieux vaut prétendre que je regrette de ne pas avoir eu l'occasion de voir son travail. Je verrai son œuvre en privé, en sa présence, et je lui dirai ce que j'en pense réellement.

Il prit une petite gorgée de cognac, ayant fini son discours.

— Cela doit être difficile d'avoir un tel pouvoir, dis-je sèchement.

Pendant un bref instant, la colère étincela dans ses yeux noirs, et je me demandai si j'étais allé trop loin. Il allait demander à son imposant valet de me jeter dehors, et je n'aurais pas la chance de terminer cet excellent cognac.

Puis, sa bonne humeur revint.

— La société accorde une valeur à mes opinions qui est bien plus haute que sa valeur réelle. C'est pour s'épargner de devoir donner son opinion à haute voix, j'imagine.

Soulagé, je pris une gorgée du délicieux cognac.

— Pour dire la vérité, c'est de votre opinion dont j'ai besoin en ce moment.

— Pas sur la toile, certainement.

— Non. Je voudrais des informations sur un gentilhomme qui vit place de Hanovre.

Grenville me lança un regard interrogateur, et je perçus une lueur d'intérêt briller dans ses yeux. Je lui relatai l'histoire, m'interrompant çà et là pour m'humidifier la bouche avec le cognac.

Pendant l'histoire, Grenville fronça les sourcils, le nez plongé dans son verre, puis lorsque je lui relatai que Horne avait mentionné Denis et mes spéculations quant au fait que Denis devait être un proxénète, il s'assit brusquement sur l'une des chaises à dossier droit.

Lorsque j'eus terminé, Grenville dit :

— Mes excuses, Lacey. J'avais hâte d'entendre des ragots, et je dois avouer que je ne m'attendais pas à ce que vous soyez impliqué dans quelque chose d'aussi tragique.

— Ce n'est rien. Que savez-vous de Josiah Horne ? La famille Thornton, tout comme Alice, pense que Horne a enlevé Jane. Est-ce possible ?

Grenville roula son verre entre ses paumes.

— Je n'ai jamais rien entendu de mal à propos de cet homme. Horne est un député du Sussex. C'est un veuf qui vit calmement et qui, pour autant que je sache, ne fait jamais de grabuge au Parlement. Ce n'est pas un politicien casse-cou. Je le rencontre rarement à des événements mondains, et je suis incapable de nommer une personne qui le connaît vraiment bien.

Il sirota son cognac.

— Vous dites qu'il n'a pas reconnu le nom de Jane Thornton ?

— Je jurerais qu'il n'avait jamais entendu parler d'elle. Mais peut-être la connait-il sous un autre nom.

— Ou peut-être dit-il la vérité.

— Mais M. Thornton et Alice ont vu Jane entrer dans la maison.

— Ils se sont peut-être trompés de maison, fit remarquer Grenville. Ou il se peut que Horne ne sache pas du tout qu'elle est allée là-bas. Peut-être qu'elle y a rencontré quelqu'un d'autre — le majordome, le valet, la servante que vous avez vue.

— Pourquoi essayez-vous de le décharger ? Il se peut qu'il ait enlevé la fille et qu'il l'ait déshonorée. Si elle n'est plus avec lui, elle n'aurait nulle part où aller, à part dans un bordel ou dans les rues.

Grenville leva la main.

— Calmez-vous, Lacey. Je ne fais qu'énumérer les possibilités. Je sais que vous n'aimez pas cet homme, et je ne peux vous en blâmer si ce que vous dites est vrai. Cependant, avant d'envoyer le juge, vous devriez d'abord découvrir s'il a réellement vu la fille ou non.

Je tambourinai du bout des doigts la table à côté de moi.

— Louisa Brandon m'a dit la même chose. J'ai malheureusement un tempérament impulsif.

— C'est ce que j'ai entendu. Vous savez, un colonel qui fréquente mon club m'a raconté que vous aviez un jour pointé votre pistolet sur la tête d'un autre colonel et lui aviez demandé d'annuler un de ses ordres.

Il me regarda avec curiosité, comme s'il espérait que je le régale de toute l'histoire.

— Un ordre qui aurait causé la mort de tous mes hommes. Je n'aurais pas permis qu'ils soient sacrifiés afin qu'il puisse revendiquer leur courage.

Je me souvenais de ce jour venteux au cœur de l'hiver, sur un champ de bataille au Portugal, quand mon sang s'était mis à bouillir et qu'un colonel de la cavalerie s'était uriné dessus parce qu'il me croyait assez dingue pour appuyer sur la gâchette. Par chance, les officiers d'état-major étaient au courant de l'incompétence de l'homme ; j'avais donc évité un incident qui aurait pu ruiner ma carrière. Voir grandir ma colère me consternait — ma vision devenait claire et nette, et un plan d'action, direct et évident se présentait à moi. Le bien et le mal devenaient soudain évidents ; une situation complexe se réduisait à un point lumineux. À certains moments, mes colères mettaient fin au cœur du problème ; à d'autres, elles ne faisaient qu'empirer les choses. Malheureusement, je ne savais pas toujours faire la différence entre les deux.

Grenville se leva et fit quelques pas vers la cheminée.

— En parlant de votre témérité, je vais vous donner un petit conseil en ce qui concerne ce James Denis.

Il me fit face.

— Ne vous occupez pas de lui. Poursuivez Horne si nécessaire, mais laissez Denis en dehors de tout ça.

Je levai les sourcils.

— Pourquoi ? Qui est Denis ?

Grenville hésita tandis que des ombres jouaient sur son visage anguleux.

— Il est dangereux de connaître un homme comme James Denis. Je vous en prie, croyez-en ma parole.

Il voulait que j'arrête de poser des questions, ce qui me poussa simplement à vouloir en poser davantage.

— Si c'est le cas, pourquoi n'ai-je jamais entendu parler de lui ?

Grenville haussa les épaules.

— Il vit tranquillement.

— Tout comme Horne, d'après vous.

Grenville me regarda, mal à l'aise, comme s'il voulait nier qu'il détenait l'information que je désirais. Il finit par pousser un soupir résigné et déposa son verre en cristal sur le manteau de cheminée.

— Je ne sais pas qui est réellement James Denis, dit-il. Selon la rumeur, son père était un valet et sa mère une lady de haute lignée. Je ne suis pas sûr de croire cela. Cependant, malgré ses origines, Denis est aujourd'hui l'un des hommes les plus fortunés d'Angleterre. Les ducs le connaissent. Le prince régent l'a recruté, sans aucun doute ; vous savez quelle passion le prince voue à l'art, spécialement lorsqu'on lui dit que l'objet en question est impossible à acquérir. J'ai demandé sans détour au prince s'il utilisait Denis pour trouver une partie de sa collection, mais il n'a fait que m'adresser le regard faussement modeste qu'il adopte lorsqu'il essaie d'être intelligent.

Je n'avais jamais rencontré le prince régent, ni ne l'avais vu de plus près que depuis l'arrière d'une foule qui regardait passer sa voiture sur Pall Mall. La dernière fois que j'avais regardé sa voiture passer, la foule l'avait hué et de la boue avait éclaboussé le flanc de sa calèche jaune criard. La fille du régent, la princesse Charlotte, était extrêmement populaire, mais l'extravagant régent était à peine toléré. Grenville m'avait raconté des histoires à propos de dîners à la demeure Carleton — un jour, la table avait été entourée d'un étincelant bassin d'eau dans lequel nageaient des poissons. Grenville avait secoué la tête en relatant l'anecdote d'un air affligé.

— Eh bien, dis-je. Je vais bientôt rencontrer Denis et je découvrirai par moi-même qui il est. Horne m'a écrit qu'il avait eu une réponse à notre demande de rendez-vous.

Grenville se tourna promptement, les yeux écarquillés.

— Non, Lacey, n'y allez pas, même pas pour satisfaire votre curiosité. Denis est dangereux. Laissez-le dans son coin.

Cet ordre, bien sûr, ne fit qu'attiser ma détermination.

— Dans ce cas, expliquez-moi qui il est. Un proxénète ? Un trafiquant ?

Grenville secoua la tête.

— Si seulement je savais. L'homme est insaisissable, même pour quelqu'un d'aussi agaçant que moi. Je sais qu'il y a des proxénètes et des trafiquants qui répondent à ses ordres. Il obtient des choses, des choses qui peuvent être hors de la portée des gens ordinaires. Il est capable d'obtenir ce qui ressemble à des miracles en donnant à son client, nommons-le ainsi, ce qu'il désire.

Grenville se remit à marcher.

— Chaque fois qu'il exprime son intérêt pour un projet de loi ou une discussion au Parlement, curieusement, le vote semble toujours coïncider avec ses intérêts. Cependant, je n'ai jamais réellement entendu dire qu'il avait de l'emprise sur qui que ce soit. On n'entend jamais rien incriminant directement Denis. Il est très discret.

— Suffisamment discret pour que son client ne connaisse pas le nom de la jeune femme qu'il a enlevée pour lui?

Grenville fit les cent pas devant la cheminée, puis il se tourna vers moi.

— Lacey, je vous en conjure, n'accusez pas ouvertement Denis d'avoir enlevé Mlle Thornton. Vous ne vous en sortiriez pas sain et sauf.

— Vous parlez comme si vous le connaissiez bien. A-t-il l'honneur de faire partie de vos fréquentations?

Grenville devint écarlate.

— Non. J'ai été un… de ses clients ; une seule fois.

La bougie à côté de moi vacilla et s'éteignit dans un crépitement de cire.

— Vous l'avez été, vraiment? C'est intéressant.

— Oui. Et, tout comme vous, je veux tout savoir sur une personne avant de m'engager. J'ai veillé à me renseigner sur Denis, et je n'ai pas aimé ce que j'ai découvert.

— Pourtant, vous l'avez engagé.

Grenville tapa son talon sur un motif du tapis de cheminée.

— Je n'avais pas le choix. Je voulais un tableau en particulier qui se trouvait en France durant la guerre. Dans la collection personnelle de Bonaparte, pour tout vous dire. Il appartenait à un aristocrate français en exil et avait été peint spécialement pour lui, d'après ce qu'il m'avait dit, et il avait tout essayé pour le récupérer.

Grenville continua à étudier le tapis.

— J'ai offert de l'aider, et j'ai entendu parler de Denis. J'ai engagé Denis pour retrouver et me livrer le tableau. Denis l'a fait.

— Il est sacrément plein de ressources. Comment s'est-il débrouillé ?

— Je n'en ai aucune idée. Et je n'ai jamais demandé. Le prix était, comme vous pouvez vous y attendre, très élevé.

Pour une raison ou pour une autre, je pensai soudain au paravent que le colonel avait rapporté d'Espagne. Sur ses trois panneaux, faits de feuilles d'or et d'ébène, étaient représentées des scènes de la Sainte Famille. Je n'avais aucune idée de l'endroit où il l'avait obtenu, mais il était très ancien, et il y attachait beaucoup plus de valeur qu'à tout ce qu'il possédait d'autre. Louisa m'avait raconté qu'il l'avait installé dans son salon privé, derrière sa chambre, une pièce où peu de gens étaient autorisés à entrer. Je m'étais toujours demandé où il était tombé sur cette chose qui semblait d'une valeur inestimable. Je me demandais à présent s'il l'avait obtenue grâce à une personne comme Denis.

J'écartai les doigts.

— C'est donc pour cette raison que Horne a sous-entendu que vous saviez tout à propos de Denis.

Grenville secoua la tête.

— Il n'a pas entendu une telle chose de la part de Denis. Ni de ma part. Je suppose que le Français de ma connaissance a cancané. Cela pourrait expliquer la raison pour laquelle il est parti de façon soudaine pour la France.

Il hésita, ses sourcils sombres baissés.

— Lorsque vous vous rendrez à ce rendez-vous avec Denis, je vous accompagnerai.

Ce n'était pas ce que je voulais. Grenville voudrait traiter cela très discrètement, alors que je préférais attraper Denis par le col et le secouer jusqu'à ce qu'il me donne l'information dont j'avais besoin. De plus, Grenville, comme à son habitude, mènerait la discussion. Je lui adressai simplement un hochement de tête et décidai que je ne prendrais pas la peine de mentionner le jour et l'heure du rendez-vous lorsque j'en aurais connaissance.

Grenville s'empara de son verre et traversa la pièce jusqu'à la carafe de cognac.

— Quoi qu'il en soit, vous avez éveillé ma curiosité, Lacey. Montez la récompense à dix guinées. Je la fournirai. Brandon peut garder son argent de poche. Et passez une annonce dans les journaux. Si Mlle Thornton est passée à un autre protecteur, ce protecteur pourrait penser que confesser l'endroit où elle se trouve vaut bien dix guinées. Ma voiture sera également à votre disposition pour vos allées et venues dans Londres pour interroger les gens.

Il remplit son verre, puis il vint vers moi et versa davantage de cognac dans le mien.

— Pourquoi voulez-vous tant m'épargner des shillings ? demandai-je.

Il haussa les épaules tout en déposant la carafe en plein centre de la table.

— La dernière fois que je me suis trouvé dans un fiacre, l'odeur laissait supposer que le précédent passager s'était soulagé dans un coin. Vous ne pouvez prétendre que vous préférez cela à ma voiture.

Je ne pus que secouer la tête.

— Je pensais que vous auriez préféré rester en dehors de ce genre d'affaire sordide.

Il se tourna vers moi, ses mains berçant son verre impatiemment.

— Je vais vous confier un secret, Lacey. La raison pour laquelle je parcours le monde comme un vagabond et pour laquelle je reviens chez moi avec ces intéressantes babioles. La raison pour laquelle j'ai joué des coudes pour arriver dans la haute société et pour laquelle je prends des maîtresses provenant de milieux exotiques et inhabituels.

Je terminai à sa place.

— Parce que vous vous ennuyez désespérément.

Grenville me renvoya un regard surpris, puis il se mit à rire.

— Lit-on si facilement en moi ?

— C'est ce que je ferais, si j'en avais les moyens.

— Vous êtes d'une perspicacité inquiétante, vous savez, Lacey. J'ai découvert cela peu de temps après vous avoir rencontré. J'ai également découvert que tout ce dans quoi vous étiez impliqué était, à coup sûr, quelque chose d'intéressant. C'est pour cette raison que je vous ai fait venir ici et que je ne cesse de vous resservir du cognac. Je fais une grossière tentative pour satisfaire ma curiosité.

— C'est bien ce que je pensais.

Je savais parfaitement que l'intérêt que Grenville me portait était tout à fait égoïste. Il cherchait à se divertir et me payait en retour en facilitant mon entrée dans une société qui m'aurait normalement ignoré. Je supposais que je devrais lui en être reconnaissant, mais je ressentais de l'irritation plus qu'autre chose.

Le colonel Brandon avait été un autre homme qui avait facilité mon entrée, dans ce cas-ci, dans le commandement militaire alors que je n'avais pas d'argent pour le payer. Il m'avait convaincu de me porter volontaire en tant qu'officier, ce que je pouvais faire puisque j'étais le fils d'un gentilhomme, et son influence m'avait permis d'atteindre le rang de cornette dès qu'un poste s'était libéré. J'avais gravi par moi-même les échelons suivants jusqu'à celui de capitaine, plus lentement que les autres à cause de mon manque de fortune, mais l'influence de Brandon — et son argent — m'avait certainement aidé.

Et puis, au final, il m'avait totalement et complètement trahi. L'expression sur son visage quand j'étais revenu d'une mission dans laquelle j'aurais dû mourir avait à tout jamais brisé ce qui restait d'amour et de respect entre nous. La pauvre Louisa, qui s'en rendait responsable, avait essayé de faire naître le pardon, mais aucun de nous ne l'avait laissée faire.

Pas étonnant que je n'aie plus jamais voulu dépendre de qui que ce soit. Je connaissais à peine Grenville, malgré les circonstances intéressantes de notre première rencontre. Il devait fréquenter des tas d'officiers ayant participé à la guerre péninsulaire, sans mentionner Waterloo, mais il avait décidé de s'intéresser à moi.

Grenville confirma l'exactitude de mes pensées.

— J'admets que je collectionne les gens, dit-il, autant que je collectionne l'art. Les gens comme vous m'intéressent, des gens qui ont vécu. Je me suis juste amusé, dans la vie.

— Vous avez exploré l'Afrique et une grande partie de l'Amazonie, lui rappelai-je.

— Un homme riche soulageant son ennui. Vous, par contre, vous avez vécu votre vie.

Je réchauffai le verre entre mes paumes.

— Pourtant, j'échangerais avec plaisir ma place avec la vôtre.

Grenville secoua la tête.

— Vous ne le feriez pas, à dire vrai. J'ai fait des choses que je regrette.

— Comme tout un chacun.

Grenville me fixa intensément, mais je compris qu'il imaginait quelque chose et qu'il me regardait sans me voir.

— C'est votre cas ?

Je bus tout simplement mon cognac. Grenville ne connaissait pas la moitié de ce que je regrettais, et je n'allais pas le lui dire.

✳ ✳ ✳

L'après-midi s'était couvert, et au moment où j'arrivai place de Hanovre pour mon rendez-vous avec Horne, le ciel était noir et la pluie crépitait en gouttelettes. Je descendis du fiacre et frappai à la porte, espérant que le majordome se presserait de répondre.

J'avais décidé, après avoir parlé avec Grenville, que j'interrogerais Horne sans détour au sujet de Jane Thornton et de sa servante. S'il était innocent, dans ce cas, il n'aurait rien à craindre de ma part — je lui présenterais mes excuses et le laisserais tranquille. S'il n'était pas innocent, je l'interrogerais jusqu'à ce que je connaisse l'endroit où se trouvait Jane Thornton. Si elle se trouvait dans sa maison, je l'en sortirais, usant de violence si nécessaire. Si elle se trouvait ailleurs, je l'obligerais fermement à m'emmener auprès d'elle.

J'étais fatigué des manières évasives polies et des méthodes qui tournaient en rond. Ma nature était d'agir. Si j'offensais l'homme et qu'il demandait à ce que l'on me fasse sortir, qu'il en soit ainsi. J'emprunterais un pistolet à Grenville et laisserais Horne me tirer dessus tandis que je ferais feu en l'air. S'il était innocent, je l'aurais mérité.

Le majordome prit son temps. Je fis retentir une nouvelle fois le heurtoir.

À la place du majordome, un jeune valet ouvrit brusquement la porte et passa la tête à l'extérieur. Je lui tendis ma carte. Il me regarda de haut en bas, inspecta mon costume gris, puis il me pressa d'entrer dans le hall feutré. Le majordome au nez crochu arriva depuis l'arrière de la maison tandis que le valet s'emparait de mon chapeau et de mes gants.

— Capitaine. Bienvenue, Monsieur. Mon maître vous attend. Je vais l'informer de votre arrivée.

Il partit en boitillant et monta l'escalier. Le valet me conduisit au même salon de réception avec les mêmes ennuyeux dessins égyptiens et les mêmes tableaux maladroits. Je ne m'assis pas.

Le valet attisa le feu. Il me lança quelques regards impatients par-dessus son épaule avant d'humidifier ses lèvres et de parler.

— Avez-vous pris part à la guerre, Monsieur? À Waterloo?

On me posait souvent cette question, mais non. Brandon et moi avions choisi une semi-retraite avant que Napoléon ne s'échappe et reprenne le pouvoir en 1815. Pendant que le dernier et glorieux combat se disputait en Belgique, nous étions restés à Londres, n'apprenant l'issue du combat que lorsque les canons du parc Saint James avaient retenti pour célébrer la victoire.

— Pas à Waterloo, répondis-je. La guerre péninsulaire.

Réjoui, le valet fit un large sourire. Les horreurs de la guerre s'estompaient déjà. Les batailles brutales de Victoria, Salamanca et Albuera étaient devenues des histoires lointaines et romantiques.

— Quel régiment, Monsieur ?

— Le 35e régiment de l'artillerie légère.

— Vraiment, Monsieur ? Mon frère était dans le 7e régiment des Hussards. Il était l'officier d'ordonnance d'un colonel. Le colonel est mort. Abattu en selle. Mon frère a été grièvement blessé. Il a manqué de peu de se retrouver prisonnier des Français.

— Mes condoléances pour sa perte, dis-je.

— Je voulais y aller. Mais je n'avais que quinze ans, et ma mère ne voulait pas en entendre parler. Qu'est-ce qui allait lui arriver si ses deux fils venaient à mourir à l'étranger ? Alors je suis resté. Mon frère est revenu, donc elle s'était inquiétée pour rien.

Mon propre père m'avait interdit d'entrer dans l'armée ; le fait qu'il ne pouvait pas se permettre de me payer un commandement était un sujet controversé. Nous nous disputions et criions nuit et jour à ce sujet, ce qui incluait qu'il me gifle et qu'il me frappe avec un bâton quand je ne pouvais l'éviter. Je n'avais pas non plus mon propre argent pour un commandement, et je croyais donc n'avoir aucun espoir. Puis, juste après mon vingtième anniversaire, j'avais rencontré Aloysius Brandon, qui m'avait convaincu de l'accompagner en Inde en tant que volontaire.

Brandon était un homme persuasif, à l'époque, et rapidement, une amitié profonde nous avait liés. Donc, j'avais tourné le dos à mon père et étais parti avec Brandon dans l'armée royale. J'avais appris la mort de mon père le jour même où j'avais suivi Arthur Wellesley, le brillant général qui allait devenir le duc de Wellington, jusqu'à Talavera, en Espagne. Le lendemain, j'avais été promu du grade de lieutenant à celui de capitaine.

Nous entendîmes revenir le majordome, mais il était en train de courir, valdinguant dans l'escalier. Quelque part à l'étage, une femme se mit à hurler.

Le valet, avec son énergie juvénile, regagna le hall avant moi. Le majordome vacillait sur les marches plus haut, s'agrippant à la rampe, le visage grisâtre. Ses yeux s'arrêtèrent sur moi et se cramponnèrent pendant un instant, puis il se plia en deux et vomit sur le sol ciré.

Le hurlement persista, puis faiblit en gémissements de douleur. Des bruits de pas retentirent dans l'escalier inférieur — le reste du personnel émergeait des cuisines pour voir ce qu'il se passait.

Le valet débarqua devant moi et monta l'escalier. Je le suivis, ma jambe blessée me ralentissant. Au premier étage, dans l'embrasure de la porte du bureau dans lequel j'avais rencontré Horne la veille, la bonne, qui s'appelait Grace, était recroquevillée. Son bonnet était tombé de ses cheveux châtains et son visage était entaché de larmes.

Le valet regarda dans la pièce par-dessus la bonne, et son visage blêmit.

Le joli tapis jaune était abîmé. Il était marqué d'une énorme tache brune, s'écoulant de sous le corps de Josiah Horne. Il gisait sur le dos, les yeux grands ouverts, la bouche pétrifiée en une expression d'horreur. Le manche d'un couteau dépassait au centre de son torse, et un petit cercle de sang tachait son gilet couleur ivoire.

Cependant, ce n'était pas cette blessure qui avait causé la flaque brune et terne qui envahissait une grande partie du tapis. Le pantalon de Horne avait été ouvert et ses testicules étaient détachés de son corps.

Chapitre 7

L'odeur nauséabonde du sang et de la mort envahissait la pièce confinée. Je me frayai un passage devant le valet et me dirigeai vers la fenêtre, prenant garde à ne marcher que là où le tapis était encore jaune. Je soulevai le loquet et ouvris la fenêtre qui donnait sur le jardin, laissant entrer le vent frisquet et la pluie. Je respirai l'air froid avec soulagement.

Quand je me retournai, Grace était agrippée au chambranle, sanglotant fébrilement.

— Emmenez-la hors d'ici, dis-je au valet.

Le valet tenta de persuader Grace de se relever, mais elle demeura en boule, en pleurs. Il l'empoigna sous les bras, souleva son corps et l'emmena avec lui.

Je retraversai la pièce, sentant à peine mon genou raide, les pensées confuses. En ces instants de choc, alors que pour les autres personnes, le monde se brouillait, il devenait pour moi aussi clair que du cristal. Je voyais la pièce avec des contours nets, chaque meuble, chaque ombre projetée par le feu, chaque fibre du tapis trempé de sang.

Le visage de Horne exprimait la surprise. Sa bouche était grande ouverte, ses yeux bruns arrondis. Il était mort sans se débattre, d'après ce que je pouvais en déduire, puisque ses mains reposaient ouvertes le long de son corps. Ses doigts étaient légèrement recourbés, et non soulevés en signe de défense. Ses testicules, ensanglantés et dégoûtants, gisaient sur le tapis entre ses jambes écartées. Le couteau dans sa poitrine ne devait pas l'avoir tué instantanément, mais la mutilation de son corps avait répandu sa vie sur le tapis jaune vif.

Je détournai les yeux, comme un homme absorbé par un rêve, et j'aperçus le majordome dans le couloir. Il était appuyé contre un mur, son mouchoir collé aux lèvres, et il haletait.

Il faisait partie de ceux pour qui le monde se brouillait lorsqu'ils étaient en état de choc; il me serait inutile. Ma longue habitude à commander s'insinua en moi, et, inconsciemment, je redressai les épaules.

— Envoyez quelqu'un chercher un policier. Et un médecin. Empêchez les autres d'entrer.

Le valet émergea de l'escalier et revint près de nous au pas de course, ses yeux juvéniles écarquillés et excités.

— Un médecin ne pourra rien faire pour lui. Il est mort, non?

— Un médecin pourra nous dire depuis combien de temps il est mort, dis-je.

— Il peut faire cela, Monsieur? Cela doit faire un bon bout de temps. Ça doit être le cas pour que tout ce sang ait pu sécher, n'est-ce pas?

Le majordome gémit et je reportai mon attention sur lui.

— Quand est-ce que vous avez vu M. Horne pour la dernière fois?

Il bougea légèrement son mouchoir.

— Ce matin, Monsieur. Dans cette pièce.

— Ce matin? Il est dix-sept heures. Vous ne lui avez pas parlé de toute la journée?

— Il m'avait dit qu'il ne voulait pas être dérangé, Monsieur.

— Était-ce dans son habitude?

Le valet hocha la tête.

— Oui. À cause de ses dames. Nous ne devions jamais nous approcher quand il était en compagnie de ses dames. Quoi qu'il arrive.

— Tais-toi, siffla le majordome.

— Nous n'étions pas censés le savoir. Il gardait ça sous silence. Mais nous étions au courant.

Je gardai les yeux sur le majordome.

— Donc, vous n'avez pas trouvé étrange de ne pas l'avoir vu entre ce matin et maintenant?

Les deux domestiques secouèrent la tête.

J'examinai la pièce encore une fois. Un endroit étrange pour que Horne y ait entretenu une liaison. Le bureau était recouvert de livres et de papiers et sa chaise était trop étroite pour être confortable. Des endroits étranges pouvaient être excitants; cependant, Horne était plus âgé que moi et son corps trapu. Un homme de sa stature aspirerait à un lit de plume moelleux pour tout ce qui allait au-delà d'un baiser taquin.

Je regardai de nouveau l'armoire. Elle était faite en acajou bon marché, tout comme le reste des meubles, mais sa présence me tracassait.

Je m'approchai, tout en restant sur les bords du tapis. Elle comportait deux trous de serrure, deux verrous ressemblant à des yeux biscornus. Je fis courir ma main le long de la fente entre les deux portes. Près des verrous, l'interstice entre les deux portes était entaillé et ébréché, et il y avait de petites marques dans le vernis.

Je tirai sur les poignées. Les portes ne bougèrent pas.

— Avez-vous la clé de ceci ?

Dans le couloir, le majordome dit :

— J'ai les clés de toutes les serrures.

— Amenez-les-moi.

Des clés tintèrent tandis que le majordome les triait entre ses doigts tremblants. Le valet traversa la pièce pour m'en apporter une et la déposa dans ma main tendue.

J'insérai la petite clé dans l'un des verrous et tirai sur la porte. Elle oscilla sur ses gonds, de manière aussi silencieuse que le brouillard, et je demeurai immobile, choqué par ce que je vis à l'intérieur. Dans l'armoire était étendue une jeune femme, les genoux recroquevillés contre sa poitrine, les mains tordues derrière son dos et attachées. Elle était immobile, les yeux clos, et ses pâles paupières étaient cireuses. Une cascade de cheveux blonds cachait à moitié son visage couvert de bleus, et les pointes brunes de ses seins faisaient pression sur le tissu opaque d'une chemise.

Je sentis le souffle du valet sur mon épaule.

— Mon Dieu, Monsieur.

Je m'agenouillai et touchai la nuque dénudée de la fille. Sa peau était froide, mais je sentis son pouls sous mes doigts.

— Qui est-ce ? demandai-je.

Le valet bégaya.

— C'est Aimee. Je pensais qu'elle était partie.

Aimee. Mon cœur s'emballa. *La femme de chambre de Jane Thornton.*

— Où est l'autre fille ? Où est Jane ?

— Je ne connais aucune Jane.

— Bon sang ! La jeune femme avec qui elle est venue ici.

Le valet fit un pas en arrière, ses yeux sombres perplexes.

— La fille avec qui elle est venue n'était pas Jane. C'était Lily.

— Où est-elle ?

— Je ne sais pas, Monsieur. Elle est partie.

Je sortis un petit couteau de ma poche. Le valet me regarda, sur ses gardes, mais je me détournai et coupai doucement les liens autour des mains de la jeune fille.

Je me relevai.

— Soulevez-la.

— Monsieur ?

— Je ne peux pas la porter. Vous devez le faire. Y a-t-il une chambre où nous pouvons l'emmener ?

— Une chambre d'amis, je suppose, Monsieur, mais c'est M. Bremer qui a les clés.

Je supposai que M. Bremer était le majordome. Je jetai un coup d'œil dans le couloir, mais il s'était éclipsé pendant que nous observions Aimee.

— J'irai trouver Bremer. Quand est partie la fille qui s'appelle Lily ?

Les sourcils du valet se plissèrent sous sa perruque blanche.

— Oh, cela fait maintenant plusieurs semaines.

— Où est-elle allée ?

Il paraissait prêt à fondre en larmes.

— Je ne sais pas, Monsieur.

Je laissai tomber.

— Conduisez-la à une chambre d'amis. Je vais aller chercher Bremer.

Je le laissai tandis qu'il prenait la fille dans ses bras costauds et qu'il la regardait avec un effroi non dissimulé. Je trouvai Bremer dans la cuisine. Il était assis devant la table, la tête dans les mains, le reste du personnel rassemblé autour de lui. Ils levèrent les yeux et me regardèrent, pâles et anxieux, tandis que les gémissements de Grace résonnaient de l'autre côté de la porte sombre.

Une femme grande et décharnée au visage attentif, presque beau, et au tablier rempli de farine fit un pas vers moi.

— Qui êtes-vous?

Je l'ignorai et m'avançai vers Bremer.

— J'ai besoin de vos clés.

Il les détacha de sa ceinture et me les tendit en silence. Les clés cliquetèrent tant ses mains tremblaient.

Je désignai du doigt un jeune garçon qui était appuyé contre un mur.

— Toi. Cours et va chercher un policier. Ensuite, tu iras rue Bow et tu demanderas à parler à Pomeroy. Dis-lui que le capitaine Lacey t'envoie.

Ils me regardèrent tous fixement, et je me saisis des clés d'un geste brusque.

— Immédiatement.

Le garçon pivota et sortit à toute vitesse dans la pluie par la porte de l'arrière-cuisine. Par la fenêtre, on aperçut ses jambes minces remonter l'escalier extérieur.

Les domestiques étaient encore en train de me regarder fixement au moment où je tournais le dos et où je m'en allais d'un pas lourd. Derrière moi, Bremer se mit à sangloter.

Je trouvai le valet qui m'attendait devant une porte dans le couloir du haut. La jeune femme reposait inconsciente dans ses bras, les cheveux emmêlés sur sa poitrine. La perruque du domestique s'était mise de travers, ce qui le faisait paraître encore plus jeune que ce que suggéraient ses bras costauds — le visage d'un enfant effrayé sur le corps d'un homme. Le valet ne sembla pas surpris de voir que j'avais pris les commandes et attendit patiemment que je lui donne le prochain ordre.

La pièce que je déverrouillai était soignée et gaie — la première que j'aie vue avec ces qualités dans la maison. Je dis au valet de déposer la jeune fille sur le couvre-lit blanc brodé et de faire du feu.

Je secouai la couette qui se trouvait aux pieds du lit et en couvris la jeune fille. Elle gisait, inconsciente, mais elle respirait mieux, sa poitrine se levant et s'affaissant de manière égale, comme si elle était simplement endormie. Le valet l'observait, avec un mélange de pitié et de fascination dans les yeux.

— Alimentez convenablement le feu, lui dis-je. Et dites à l'autre bonne de monter et de s'asseoir ici avec elle. Pas Grace.

Le valet détacha ses yeux d'Aimee.

— Vous voulez Hetty, Monsieur ? Je vais aller la chercher.

— Dans un instant.

Je sortis de la pièce en boitant et retournai au bureau. Je fermai la porte sur l'horrible scène et la verrouillai avec les clés de Bremer. Lorsque je retournai à la chambre, le valet était en train de jeter, d'une seule main, un tas de pelletées de charbon sur la grille du foyer. Grâce à lui, le feu était en train de gronder et la chaleur se répandait dans la pièce.

Pendant un instant, j'eus envie de me laisser tomber sur les genoux et de presser mes mains autour de mon crâne. J'étais venu ici pour obtenir la vérité de la part de Horne, par la violence si nécessaire, mais quelqu'un venait de m'en empêcher. Quelqu'un l'avait poignardé en plein cœur, peut-être avec joie. Et ensuite, insatisfait, le tueur l'avait mutilé.

Je pouvais presque comprendre le meurtre. Horne était dégoûtant et suffisant, et de toute évidence, il avait battu cette jeune femme et l'avait ligotée et enfermée dans une armoire. Cependant, ce que le meurtrier avait fait a posteriori me donnait la nausée. Cela avait été un acte de colère, de vengeance, un acte aussi dégoûtant que l'avait été Horne en personne.

Au-delà de mon dégoût, mes pensées se mirent à travailler afin de reconstituer le casse-tête de ce qui s'était passé. Je ressentis le besoin soudain de remettre de l'ordre dans ma tête avant que n'arrive Pomeroy, même si je ne pouvais comprendre pourquoi. C'était le boulot de Pomeroy de retrouver le coupable et de l'arrêter, pas le mien.

Je regardai le valet.

— Quel est votre nom ?

Il se détourna du foyer, toujours agenouillé.

— John, Monsieur. J'ai été baptisé sous le nom de Daniel, mais les gentilshommes préfèrent avoir un John ou un Henry à leur porte.

— Si votre patron avait demandé à Bremer qu'il ne soit pas dérangé, pourquoi Grace était-elle là-bas ?

John réfléchit un instant.

— Parfois, c'était Grace qui le servait. Lorsqu'il ne voulait pas de nous.

Je me remémorai Grace à genoux dans l'embrasure de la porte, observant avec angoisse le corps de Horne dans une mare de sang brunâtre.

— Était-elle là avant ou après que Bremer ait ouvert la porte ?

— Je ne sais pas, Monsieur. J'étais avec vous.

Je laissai tomber.

— Quel est votre travail, ici ? Rester près de la porte d'entrée ?

— Oui, Monsieur. Depuis le matin jusqu'à ce que je la verrouille à clé à la fin de la journée. Si un gentilhomme qui est en affaire avec le patron vient à la porte, je le fais entrer dans la salle de réception et je donne la carte à M. Bremer. Si c'est quelqu'un qui n'a pas le droit d'être ici, je le jette dehors.

— Mais vous n'êtes pas tout le temps à la porte, si ?

Il eut l'air confus.

— Si, j'y suis tout le temps.

— Lorsque je suis arrivé hier, c'est M. Bremer qui m'a fait entrer. Pas vous.

— Oh. Eh bien, en réalité, je suis le seul homme ici, n'est-ce pas ? À part M. Bremer, et il est trop vieux. J'aide Hetty et Gracie à porter des seaux de charbon, en haut et en bas. Ou bien une cargaison de bois, ou une cuve d'eau dans l'arrière-cuisine. Personne d'autre n'est assez costaud.

— Donc, tout au long de la journée, c'est vous ou M. Bremer qui ouvrez la porte aux visiteurs. Personne n'entre sans que vous ne soyez au courant.

— Non, Monsieur.

— Qui est venu aujourd'hui ?

Il écarquilla les yeux.

— Est-ce que vous pensez qu'une personne qui est venue aujourd'hui pourrait avoir poignardé le patron?

— C'est possible. Réfléchissez. Qui est venu?

Le visage de John se déforma sous l'effort.

— Eh bien, il y a eu un gentilhomme mince aux cheveux sombres. Vous devrez demander à Bremer qui c'était. J'étais en train d'aider la cuisinière à porter les pommes de terre pour le dîner. J'ai laissé sortir le gentilhomme.

— Quand était-ce?

John essuya son front couvert de sueur sur son bras, délogeant sa perruque blanche de valet et révélant en dessous ses cheveux sombres coupés courts.

— Oh, peut-être à deux heures et demie.

— A-t-il été l'unique visiteur de toute la journée?

— À part vous-même, Monsieur.

— Qu'en est-il de la fille, Aimee? Vous avez dit que vous pensiez qu'elle était partie.

Son regard se dirigea vers le lit.

— Oui, Monsieur. Il y a plusieurs semaines de cela. Elles étaient parties, elle et Lily.

— Vous les avez vues partir?

Il réfléchit.

— Non. Le patron a dit qu'elles étaient parties. Gracie était tellement heureuse. Elle devait les servir. Elle ne les aimait pas.

— La jeune fille, Lily. Êtes-vous certain que c'était son nom?

— Le patron a dit que c'était son nom.

— Et elle a dit qu'elle s'appelait comment?

Il parut inquiet.

— Elle ne l'a jamais dit. Je ne me suis jamais approché d'elle. Ce n'était pas permis, n'est-ce pas?

— Vous a-t-il dit pourquoi elles étaient parties ?

John secoua la tête.

— Elles sont simplement parties.

Je m'appuyai sur ma canne. John me regardait, une expression d'anxiété plaquée sur son visage brillant. Je ne savais pas si son inquiétude signifiait qu'il était en train de mentir ou s'il attendait simplement une autre question difficile.

— Allez chercher Hetty. Si vous vous souvenez d'autre chose, s'il vous plaît, dites-le-moi.

— Oui, Monsieur.

John se releva de toute sa hauteur et quitta la pièce d'un pas lourd.

L'air s'était réchauffé, et mes muscles crispés par le froid se détendirent un peu. Je tirai une chaise près du lit et m'assis. Je mourais d'envie de réveiller la jeune fille pour l'interroger, mais elle respirait régulièrement et dormait profondément. Horne l'avait-il attachée et enfermée dans l'armoire avant l'arrivée du meurtrier, ou bien était-ce le meurtrier qui avait fait cela ? Dans les deux cas, il se pouvait qu'Aimee ait vu quelque chose, entendu quelque chose, suffisamment pour nous dire qui avait tué l'homme dans la bibliothèque.

La pitié me poussait à la laisser se reposer. J'avais au moins trouvé l'une des deux jeunes filles, et elle était encore en vie. Des contusions, sombres et vilaines, marquaient la peau translucide de son visage, sa gorge et sa poitrine. Voyant cela, la colère monta en moi, une colère à la fois envers Horne et envers le meurtrier. Mort, Horne ne pouvait payer pour ce qu'il avait fait, et j'avais un besoin profond et douloureux de le faire payer. Le meurtre m'avait privé de cette satisfaction.

La porte s'ouvrit et la bonne que j'avais vue dans la salle des domestiques entra. On apercevait ses cheveux sombres au travers de son bonnet en coton blanc, mais son visage n'était pas jeune. Elle avait un visage intelligent, avec un nez pointu et des yeux plutôt rapprochés.

Elle regarda la pâle jeune fille endormie sur le lit et ses narines se pincèrent.

— Vous m'avez demandée, Monsieur ?

— Oui. Hetty, c'est ça ?

— Oui, Monsieur. Je suis une domestique de l'étage inférieur. Et j'aide aux cuisines.

Je fis un geste vers le lit et parlai à voix basse.

— Saviez-vous que cette jeune lady était dans la maison ?

— Ce n'est pas une jeune lady, Monsieur. Et je ne le savais pas jusqu'à ce que John me le dise, il y a quelques instants. Je pensais qu'elle était partie.

Je mis un frein à ma colère devant sa suffisance.

— Vous souvenez-vous de son arrivée ici ? Elle était avec une autre jeune fille, celle que M. Horne appelait Lily.

— Oh, oui, je m'en souviens.

— Est-ce que Lily était le vrai nom de la jeune fille ?

— Comment pourrais-je le savoir, Monsieur ? Elles se donnent elles-mêmes un nom, n'est-ce pas ?

Mes doigts s'enroulèrent autour du pommeau de ma canne.

— Comment sont-elles arrivées ici, au tout début, Hetty ? À bord d'une voiture ?

— Je ne sais pas, Monsieur. Je n'ai rien vu. J'étais sortie faire des achats de nourriture le jour où elles sont arrivées. Quand je suis arrivée à la maison, la cuisinière était d'une humeur exécrable et m'a dit qu'il fallait préparer à manger pour plus de monde. Elle m'a directement envoyée acheter davantage de légumes. Elle était vraiment contente quand elles sont reparties. Que voulez-vous savoir de plus ?

Je gardai mon calme.

— Les avez-vous vues partir ?

— Non. Mais le patron a dit qu'elles étaient parties. Toutes les deux.

— Savez-vous pourquoi elles étaient venues au départ ?

Hetty rougit.

— Bien sûr, Monsieur. Mais ce n'est pas à moi de dire quoi que ce soit, n'est-ce pas ? Si le patron voulait héberger des jeunes dames, ce n'était pas mes affaires.

— Mais vous n'aimiez pas cela, la bousculai-je.

— Non, Monsieur. John rit et dit que le patron a un appétit d'ogre. Mais c'est mal, n'est-ce pas ? John dit que je lis trop de tracts.

— Pourtant, vous êtes restée.

Elle cligna des yeux.

— C'est une bonne place, Monsieur. Difficile d'avoir une autre place avec une aussi bonne paie. Et Lily s'exprimait de façon aimable, pour ce qu'elle était.

— Est-ce que cela vous surprendrait d'apprendre qu'elle était en vérité la jeune fille d'un respectable gentilhomme, amenée ici contre sa volonté ?

Hetty sembla dubitative.

— En effet, Monsieur, cela me surprendrait énormément. Je pensais qu'elle était actrice ou danseuse, ou quelque chose comme ça. En êtes-vous certain ? Elle n'a jamais tenté de s'échapper.

Non, je n'en étais pas certain. Je n'étais sûr de rien.

— Seriez-vous restée si vous aviez su qu'elle était vraiment une jeune dame respectable ?

Sa voix baissa d'un cran.

— J'ai honte d'avouer que je n'en sais rien, Monsieur. La paie est élevée.

Je tapotai le pommeau de ma canne.

— Si M. Horne était tellement généreux, et que c'est une si grande maison, pourquoi n'y a-t-il pas davantage de personnel ? Vous avez dit que vous avez une deuxième tâche en tant qu'aide-cuisinière.

Hetty haussa les épaules.

— Parfois, il y en a plus. Ils vont et viennent. La cuisinière et M. Bremer sont là depuis toujours. Après ça, c'est moi qui suis là depuis le plus longtemps, puis John, puis Grace, puis le valet de M. Horne, Marcel. Il est Français. Henry — c'est le garçon de courses — est ici depuis seulement six mois. Mais il ne va pas rester longtemps. Il n'aime pas ça.

Son visage se fit plus affligé.

— Mais nous avons tous perdu notre travail, n'est-ce pas, Monsieur ? Maintenant que le patron n'est plus. Il est vraiment mort ?

Je hochai brièvement la tête.

— Il est mort, sans aucun doute possible. Est-ce que quelqu'un est monté aujourd'hui dans les appartements du patron, Hetty ? Après qu'il ait donné l'ordre de ne pas être dérangé ?

Elle réfléchit un instant.

— M. Bremer et Grace. Ce sont les deux seuls qu'il autorise. Personne d'autre. Mais la plus grande partie de l'après-midi, j'étais dans les cuisines avec la cuisinière et Henry, donc je ne sais pas du tout qui montait et descendait à l'avant de la maison.

Donc, Bremer avait déjà menti. Il m'avait dit qu'il n'avait pas vu Horne après que Horne ait donné l'ordre de ne pas être dérangé.

— Mais il y a eu un visiteur un peu plus tôt dans la journée, dis-je. Un gentilhomme mince. Bremer l'a laissé entrer.

Hetty hocha la tête.

— Oui, Monsieur. Je lui ai servi du porto dans le salon du bas. M. Bremer l'a conduit à l'étage.

— Savez-vous qui était ce gentilhomme ?

— Oui, M. Bremer me l'a dit. C'était un gentilhomme appelé M. Denis. Un ami du maître, d'après ce qu'a dit M. Bremer.

Chapitre 8

— Enterrez-moi vivant, dit le policier dans un souffle. Regardez ce qu'ils ont fait à ce pauvre bougre.

L'agent de police du comté, un homme jeune au visage rond, forgeron de formation, se tenait dans l'embrasure de la porte du bureau et observait le carnage à l'intérieur de la pièce.

Je me tenais près du bureau, non loin de la fenêtre, parcourant la collection de cartes de visite de Horne. Pomeroy planta ses poings sur ses hanches et examina le cadavre, la mare de sang, et moi qui fouillais le bureau.

— C'est vous qui l'avez trouvé, capitaine ?

— C'est le majordome qui l'a trouvé. J'étais dans la salle de réception. Bremer s'est précipité en bas et est venu me chercher.

— Il s'agit du gentilhomme dont vous m'avez parlé, n'est-ce pas ? Un de vos amis ?

Je choisis mes mots avec soin.

— C'est l'ami d'un ami. J'ai demandé à lui présenter mes respects.

— Bien sûr. Et vous l'avez trouvé comme ça.

— Le majordome l'a trouvé, répétai-je. Il est venu me chercher et je l'ai suivi à l'étage. Horne était étendu au sol comme vous le voyez à présent.

Pomeroy avança jusqu'à l'extrémité de la tache, se frottant le menton de ses doigts boudinés.

— Il a saigné comme un cochon, n'est-ce pas ? Pourtant, cela a dû prendre un certain temps pour qu'une telle quantité sèche, vous ne pensez pas ? Les corbeaux devraient être sur lui, maintenant.

— Le majordome et le valet disent que M. Horne est venu ce matin dans cette pièce et a demandé à ne pas être dérangé, dis-je. Après cela…

J'écartai les mains, indiquant que n'importe quoi avait pu se passer après cela.

— Eh bien, je vais interroger le majordome et le valet, pour m'en assurer. Maintenant, si vous permettez, Monsieur, l'agent de police et moi-même prenons l'affaire en main.

Je m'emparai de la carte de M. James Denis, la glissai dans ma poche et refermai la boîte contenant les cartes.

— Poursuivez, sergent.

Je traversai la pièce en direction de la porte et sortis. L'agent de police se tenait dans le couloir, regardant le corps, son visage blafard luisant de sueur.

— Le valet peut aller vous chercher du cognac ou du porto, dis-je gentiment.

— Ce sont les boissons du diable, Monsieur.

Bon sang. Un agent de police londonien méthodiste. Je lui souhaitai bonne chance silencieusement.

Tandis que j'approchais de l'escalier, Hetty passa sa tête recouverte d'une charlotte hors de la chambre.

— Elle est réveillée, Monsieur. Je lui ai dit que le patron était mort. Elle est un peu abasourdie par tout ça.

Je me retournai et observai le bureau, mais Pomeroy et le policier ne me regardaient pas. La voix forte et enjouée de Pomeroy flottait dans le couloir. Je fis signe à Hetty de retourner dans la chambre, puis j'y entrai doucement et refermai la porte.

La jeune fille blonde me regardait depuis le lit, ses yeux sombres emplis de confusion.

— Aimee?

Sa voix ne fut qu'un vague murmure.

— Oui.

Je m'assis sur la chaise que j'avais placée près du lit, et elle tressaillit et ferma les yeux.

— Je ne vous ferai pas de mal, Aimee, dis-je de la voix la plus douce possible. J'ai été envoyé par les Thornton.

Le visage d'Aimee se détendit, et après deux ou trois secondes, elle rouvrit les yeux. Elle avait des yeux bruns, mais le brun était avalé par le noir de ses pupilles. J'y lus le choc et une souffrance tellement profonde que je ne pus l'atteindre.

— Je suis le capitaine Lacey, dis-je. Je suis venu pour vous retrouver, vous et Jane. Savez-vous où se trouve Jane?

Ses yeux se remplirent de larmes qui coulèrent silencieusement le long de ses joues.

— Non, Monsieur. Elle est partie. Il l'a envoyée ailleurs.

— Vous voulez dire Horne? Où l'a-t-il envoyée?

Aimee secoua la tête contre l'oreiller.

— Il ne me l'a jamais dit, Monsieur, même si je l'en ai imploré.

— Je vais la retrouver, dis-je.

Les yeux d'Aimee demeurèrent désespérés.

Je me mis soudainement à haïr Horne de toute mon âme. Je ne maudissais plus celui qui l'avait tué et je ressentais de la colère envers toutes ces personnes — le nerveux Bremer, l'insouciant John, la suffisante Hetty. Ils savaient qui était leur maître, ils étaient au courant pour Jane et Aimee, et malgré cela, ils étaient restés et n'avaient rien dit, acceptant en silence ce qu'il faisait.

— J'ai envoyé quelqu'un chercher Alice, dis-je. Vous souvenez-vous d'Alice, la bonne des Thornton ? Je vais rester jusqu'à ce qu'elle arrive.

Elle hocha faiblement la tête et ferma les yeux.

Je me levai, tremblant de colère et de frustration, me sentant désemparé. Hetty leva les yeux, mais je ne lui dis rien tandis que je quittais la pièce, fermant la porte sur la créature détruite qui était étendue sur le lit.

✳ ✳ ✳

Je partis encore une fois à la recherche de Bremer et le trouvai dans la salle des domestiques. Il s'était déplacé jusqu'à la longue table et tenait un verre de liquide clair entre ses mains tremblantes. Ses yeux étaient devenus troubles.

— Je n'ai jamais rien vu de pareil de toute mon existence.

J'avais vu pire dans l'armée, des actes atroces pas toujours perpétrés par l'ennemi, mais je ne lui en dis rien.

Je m'assis à côté de Bremer, notant que la pièce jouissait d'un feu agréable et d'un divan sous la fenêtre. J'avais découvert en quoi Horne avait dépensé son argent — des salaires élevés et des meubles confortables pour des domestiques qui resteraient à son service quel que soit le crime qu'il commettait.

— La jeune fille que j'ai trouvée dans l'armoire, dis-je. Je sais qui elle est.

Bremer exhala une grande bouffée d'air parfumé au gin.

— Elle n'est personne, Monsieur. C'est juste une femme de chambre.

Je résistai à l'envie de le pousser hors de sa chaise.

— Lorsque sa maîtresse est partie, elle est restée ici. L'autre fille, Lily, quand est-elle partie ?

Bremer chercha l'inspiration dans son verre.

— Cela fait maintenant trois semaines.

Je le regardai fixement.

— Trois semaines ? Comment se fait-il que John et Hetty ne se soient pas rendu compte qu'Aimee n'était pas partie avec sa maîtresse ? Aimee devait manger et devait dormir quelque part. Est-ce que vous prétendez que la moitié du personnel ne savait pas que votre maître avait gardé Aimee ici pendant trois semaines ?

Bremer haussa les épaules.

— Il la gardait dans une pièce du haut où personne n'est autorisé à aller, à part moi.

— Et Grace.

— Et Grace. M. Horne avait besoin de quelqu'un pour la servir. Donc, Grace lui apportait ses repas et prenait soin d'elle.

— Et elle n'en a parlé à personne ? Elle n'a jamais rien murmuré à Hetty ou à John ? Elle ne s'est pas amusée à leur dire qu'elle savait quelque chose qu'eux ne savaient pas ?

— En effet, non, Monsieur. Grace sait où est sa place. Il lui donne des suppléments de salaire. Et à moi.

— La cuisinière doit avoir su, dis-je. Elle devait préparer les repas.

Bremer secoua la tête.

— Grace était envoyée dehors pour aller chercher ses repas, et elle les lui montait. La porte de sa chambre était toujours fermée à clé, et seuls M. Horne et moi en avions la clé.

Maudit soit cet homme. J'avais été en colère contre Hetty, mais elle n'avait réellement pas été au courant de l'étendue des crimes de son maître. Bremer l'avait aidé ouvertement.

— Et Aimee n'a jamais poussé un cri de protestation ? Une jeune fille en bonne santé enfermée dans une pièce ferait du bruit. Elle cognerait la porte ou crierait par la fenêtre.

— M. Horne lui donnait de l'opium pour qu'elle reste calme.

Je me relevai d'un bond, incapable de demeurer assis plus longtemps. Bremer était là, bien au chaud près du feu avec un tapis épais sous les pieds, en train de boire dans un verre de cristal pendant que l'on administrait de l'opium à une jeune femme, qu'on la frappait et qu'on la violait.

— Pourquoi est-ce que Horne a renvoyé Lily ?

— Je ne sais pas, Monsieur.

— Vous le savez, bon sang. Dites-le-moi.

— Je crois qu'il en avait assez d'elle.

J'arrachai le verre des mains de Bremer et le fracassai contre le sol.

— Et vous êtes resté là. Vous saviez qui il était et ce qu'il faisait, et vous n'avez rien dit. Vous n'êtes pas allé parler à la famille de la jeune fille, ni aux juges, ni à qui que ce soit. Vous l'avez laissé détruire une fille ainsi que sa bonne, juste devant vos yeux.

Bremer s'étouffa.

— Il payait très bien, Monsieur.

J'attrapai Bremer par sa veste et le tirai jusque sur la table vernie.

— Au diable votre paie. Il a détruit une famille entière. J'espère que c'est *vous* qui l'avez tué, parce que cela prouverait que vous avez au moins une once de bonté humaine en vous.

— Je ne l'ai pas fait, suffoqua-t-il. Je ne l'ai pas fait.

— Mais vous savez qui l'a fait. Vous devez. Vous êtes le seul qui sait tout ce qui se passe dans cette maison.

— Non.

La voix de champ de bataille de Pomeroy flotta dans la pièce accompagnée de son pas lourd.

— Il n'y a pas grand-chose à voir là-haut. Juste un type bien mort sans ses couilles. Que faites-vous, capitaine ?

Je desserrai mes mains autour de la veste de Bremer, et le majordome s'affaissa de nouveau sur sa chaise, les yeux globuleux.

— Je m'entretenais tout simplement avec M. Bremer, dis-je.

— Ah, vraiment ? Je sais comment cela se déroule habituellement. Ne lui brisez pas le cou, Monsieur, je veux lui poser quelques questions. Qui était cette fille dans l'armoire ?

Bremer ouvrit la bouche, mais je lui lançai un regard noir pour lui ordonner le silence.

— Elle n'a rien à voir avec ceci. Je la ramène chez elle.

— S'agit-il de la jeune lady que vous recherchez ?

Pomeroy était toujours trop tenace pour son propre bien. L'agent de police nous observa, sa respiration peu profonde et rapide.

— Non, dis-je. Laissez-la tranquille. Elle a été traumatisée.

— D'accord, Monsieur, comme vous voulez. Mais elle pourrait avoir tué l'homme là-haut.

— Impossible. L'armoire était fermée à clé de l'extérieur et ses mains étaient attachées.

Pomeroy haussa les épaules, comme si de tels faits n'étaient que de simples désagréments.

— Si elle est malade, elle n'ira pas loin. Bien. Maintenant, Monsieur, je veux parler à ce majordome avant qu'il ne soit plus en état de répondre. J'espère que vous ne vous offenserez pas si je vous demande de partir. Votre tempérament est un peu violent, et il ne pourra me répondre si vous lui cassez toutes les dents. Merci, Monsieur. Je savais que je pouvais compter sur vous.

※ ※ ※

Je n'avais pas envie d'attendre Alice dans la chambre d'Aimee, parce que je ne pouvais supporter de regarder encore une fois ses yeux désespérés. Au lieu de cela, je me rendis dans les cuisines, que je trouvai vides. Le garçon, Henry, n'était pas encore revenu, et il n'y avait aucune trace de John.

La cuisinière entra dans la pièce en tapant des pieds. Elle jeta un sac sur la table couverte de farine et commença à y amasser des objets — des couteaux, des torchons, des cuillères. C'était une belle femme, grande, à l'ossature large et à la poitrine généreuse, une femme que j'aurais pu trouver séduisante dans d'autres circonstances. En cet instant, elle fronçait les sourcils d'indignation et ses lèvres tremblaient.

— De tels actes dans cette maison, aboya-t-elle. Je n'ai jamais rien entendu de pareil.

Je m'appuyai contre le buffet et croisai les bras.

— Je suppose que Bremer ou John vous ont parlé d'Aimee. Saviez-vous qu'elle n'était pas partie?

— Eh bien, comment aurais-je pu? Je travaille ici, en bas, jour et nuit, non? En train de préparer ses repas et de cuire son pain.

Contrariée, elle balaya la table du bras et fit valser la pâte et la farine sur le sol carrelé.

— Et Grace qui l'aidait comme une sainte. Je l'ai foutue à la porte, je peux vous le dire.

Je m'étais demandé où avait disparu Grace.

— Qu'en est-il de John? Où est-il?

Elle fourra une pile de torchons dans le sac.

— Comment le saurais-je? Avec ses copains, au pub, je suppose, en train de leur rebattre les oreilles avec cette histoire. Eh bien, très peu pour moi, merci beaucoup. Je peux aller chez mon frère et sa femme. Ils ont une auberge sur Hampstead Road, et ma belle-sœur est débordée parce qu'il a toujours été un rustre fainéant.

— L'agent de police voudra vous parler avant que vous ne partiez.

— Eh bien, je n'ai pas envie de lui parler. Ici, je suis dans cette cuisine toute la journée, en train de cuisiner de bons petits plats pour satisfaire l'appétit délicat du maître. Des plats que j'ai créés pour lui et lui seul. Certains soirs, il descendait cet escalier et venait me remercier, souriant ami-calement, puis il me prenait la main…

Elle s'interrompit.

— Et voilà qu'un jour, il y a eu une émeute devant la maison, et le lendemain, un meurtre dans la maison.

Elle s'empara du sac qui fit un bruit métallique.

— Je n'en veux pas davantage. Bonsoir, Monsieur.

Elle passa devant moi, les lèvres pincées, la tête haute et sortit par l'arrière-cuisine. Au bout d'un moment, je la vis gravir les marches à l'extérieur, sa jupe grise tournoyant et révélant des chevilles harmonieuses et de lourdes chaussures.

Je savais que j'aurais dû la suivre, au moins pour l'es-corter jusqu'à un endroit sûr. Une jeune femme qui mar-chait seule, peu importe qu'elle soit robuste, avait fort à craindre à Londres. Cependant, d'une manière ou d'une autre, je sentais que n'importe quel assaillant potentiel ferait une mauvaise affaire en la rencontrant ce soir-là.

Je la laissai donc partir, tout comme je laissai Bremer sangloter dans la salle des domestiques tandis que Pomeroy l'assaillait de questions, et je quittai cette maison.

Dehors, le brouillard m'enveloppa, épais et humide; je pris néanmoins une bouffée d'air comme si je me trouvais au Portugal par une nuit parfumée de printemps. Je m'ap-puyai contre la balustrade et laissai la pluie s'abattre sur moi, et j'étais encore là quand arriva Alice, l'inquiétude et le soulagement imprimés sur son visage usé par le travail, afin de ramener Aimee à la maison.

❉ ❉ ❉

La calèche de Grenville se trouvait dans le haut de l'avenue Grimpen quand j'arrivai chez moi. Les lumières de la voiture projetaient une lumière jaunâtre dans le brouillard et la pluie. Malgré le temps, mes voisins étaient sortis pour la reluquer, ainsi que les élégants chevaux qui la tiraient, mais cette image n'améliora pas mon humeur.

Grenville était assis dans la même bergère que Louisa avait occupée le soir précédent, avec quelque chose de friable et de brioché entre les mains. Il avait bien alimenté le feu, et la chaleur emplissait la pièce.

— Ah, Lacey, dit-il au moment où j'entrai. Votre Mme Beltan fait de délicieuses petites brioches. J'aimerais qu'elle soit ma fournisseuse exclusive, mais mon chef ne m'adresserait plus jamais la parole. Il pense qu'il est un génie en matière de pâtisserie.

Il m'examina.

— Bon sang, Lacey, que s'est-il passé ?

J'étais trempé jusqu'aux os et mon visage devait être aussi lugubre que celui d'un croque-mort. Je me dirigeai vers ma chambre et je commençai à me déshabiller.

J'entendis Grenville se lever et me suivre.

— Est-ce que vous allez bien ?

— Demandez à Mme Beltan de m'apporter un peu d'eau chaude, dis-je avant de lui claquer la porte au nez.

Chapitre 9

*J*e trempais dans l'eau fumante depuis une demi-heure, et la chaleur commençait doucement à s'infiltrer en moi. J'entendais Grenville et Mme Beltan qui parlaient de moi dans mon salon.

— Il est parfois comme ça, lui confia-t-elle. Il ne parle à personne. Je l'ai vu rester au lit deux jours d'affilée et ne même pas me regarder quand je suis venue voir s'il allait bien. On appelle cela la dépression.

— Que faites-vous ?

— Rien, Monsieur. Je m'assure qu'il va bien et je le laisse tranquille. Il en sort tout seul et en pleine forme.

Je les laissai bavarder, mais j'aurais pu dire à Mme Beltan que mon humeur n'était pas due à la dépression. Je voulais simplement me laver et débarrasser ma peau du mal qui régnait au numéro 22, place de Hanovre.

Je savais que le mal existait dans ce monde. J'avais vu des hommes, les yeux brûlants, enfoncer leur baïonnette dans le corps d'hommes qu'ils ne connaissaient même pas. J'avais vu des charognards affluer sur les champs de bataille pour dépouiller les morts, volant même les vestes qu'ils portaient. J'avais même vu un charognard pointer une arme sur la tête d'un soldat qui aurait pu survivre avec un peu d'aide et appuyer sur la gâchette, tout ça pour que le meurtrier puisse lui voler ses bottes. Cependant, je n'avais jamais rencontré ce mal moite et collant qui régnait dans la maisonnée de Horne, les secrets effroyables cachés derrière un masque de respectabilité. Le mal pendant la guerre avait au moins été commis ouvertement.

Les ombres grises de ma chambre à coucher se pourchassaient sur les colonnes sculptées de mon lit tandis que la nuit tombait et que l'eau me réchauffait. Les fleurs et feuilles en bois devenaient des yeux et des bouches, ouvertes et rondes.

Je me levai et sortis de mon bain, me séchai et m'habillai. Grenville était de nouveau seul quand j'émergeai.

— Horne est mort, dis-je avant qu'il ne puisse parler. Quelqu'un l'a assassiné.

Grenville me fixa du regard, la bouche grande ouverte d'étonnement.

— Mon Dieu. Ce n'est pas vous… Lacey, ce n'est pas vous qui l'avez tué, n'est-ce pas ?

— Non. J'en ai uniquement eu envie.

Je lui racontai tout. Nous étions assis dans la pièce de plus en plus sombre, les ombres du feu sur les poutres sculptées faisant ressembler la pièce à la caverne du diable. Je n'avais pas du tout eu envie de parler du meurtre de Horne, mais les paroles m'échappèrent, se frayant un passage comme si une autre entité faisait bouger mes lèvres.

— Pas étonnant que vous ayez l'air de vous être battu avec le diable, dit Grenville quand j'eus terminé. Est-ce que Pomeroy a arrêté quelqu'un ?

— Je ne sais pas. Je ne lui ai pas demandé.

— Et Aimee ? A-t-elle entendu quelque chose quand elle était à l'intérieur de l'armoire ?

Je soupirai, soudainement fatigué.

— Je ne lui ai pas demandé. Je voulais la laisser tranquille. Je porte plus d'intérêt au sort de Jane Thornton qu'au meurtrier de Horne.

Grenville se joignit les doigts.

— C'est peut-être lié. Vous avez dit que Denis lui a rendu visite aujourd'hui ?

— D'après la bonne.

— C'est étrange, parce qu'il rend rarement visite à qui que ce soit. Les gens se rendent chez lui. Uniquement avec sa permission.

Je haussai les épaules, ne m'en souciant guère.

— Une énigme, dit Grenville. Et qu'en est-il du majordome… Bremer ? Peut-être a-t-il été de plus en plus dégoûté de son patron et a-t-il décidé de le poignarder ?

— Je pourrais jurer que son choc en découvrant le corps était sincère. Mais chacun d'eux a eu le temps et l'opportunité de l'assassiner. Avec seulement cinq personnes pour entretenir une si grande maison, chacun d'eux aurait pu se retrouver seul avec lui pendant un moment au cours de la journée. Je n'ai pas pu parler au valet, parce que c'était son jour de congé.

Grenville plissa les lèvres.

— Il a pu y retourner, tuer Horne et repartir.

— Je suppose qu'il doit avoir une clé. Je suppose que Pomeroy a posé des questions à son sujet. Généralement, il est minutieux.

Il l'était de manière pesante et impitoyable. Pomeroy avait harcelé plus d'une pauvre âme jusqu'à la potence — coupables et innocents, indifféremment.

— Et l'autre bonne ? Grace ?

— Je ne lui ai pas parlé non plus. La cuisinière l'avait congédiée.

Il commença à dire quelque chose, puis il s'interrompit et me regarda fixement.

— Je sens un manque d'intérêt en vous, Lacey. Ou bien peut-être pensez-vous que Horne a mérité ce qu'il a eu.

— Personne ne mérite ce qui lui a été fait.

— Vous dites cela à voix haute. Mais est-ce ce que vous ressentez au fond de votre cœur ?

Je ne répondis pas.

Grenville pianota sur le bras du fauteuil.

— Eh bien, je ne vais pas insister. La raison pour laquelle je me suis permis de vous rendre visite aujourd'hui, c'est parce que j'ai reçu une réponse à l'une de vos annonces.

Il glissa la main dans sa poche et en extirpa une lettre.

Je me méfiai. Nous avions convenu que les réponses seraient envoyées au journal lui-même, mais j'avais été trop choqué par le meurtre de Horne et la découverte d'Aimee pour aller chercher les lettres ce soir.

— Quelqu'un a-t-il trouvé Jane Thornton ?

— Je ne sais pas. La lettre vient d'un homme qui s'appelle Beauchamp et qui vit à Hampstead. Il a vu les avis et l'annonce, et il a écrit pour dire qu'une jeune femme de son foyer avait aussi disparu dans d'étranges circonstances.

Je me rassis.

— Ce qui n'a peut-être rien à voir avec Jane Thornton.

— Peut-être pas. Mais j'aimerais me pencher sur la question. Il semble qu'une cousine de son épouse soit venue vivre avec eux, il y a un an. Sa famille vient du Somerset. Lorsque ses parents sont morts, elle n'avait plus aucun parent vivant à part les Beauchamp ; elle est donc venue à Hampstead pour vivre avec eux. Il y a deux mois, elle est sortie de la maison et n'est jamais revenue.

— À l'époque où Jane Thornton a également disparu.

— Exactement. Les deux incidents ne sont peut-être pas liés, mais encore une fois, peut-être que si. Cette jeune femme, Charlotte Morrison, a environ dix ans de plus que Jane.

— Denis se l'est peut-être procurée, elle aussi.

Grenville me lança un regard.

— Peut-être, Lacey. Peut-être. Il faut réunir des preuves. Vous sentez-vous assez en forme pour m'accompagner à Hampstead ?

Je n'avais pas assez d'énergie pour allumer une bougie, encore moins pour être traîné à Hampstead. Néanmoins, Grenville était prêt à s'y rendre lui-même et effraierait probablement au plus haut point cette famille inquiète.

— Vous n'avez pas à y aller. Je peux leur rendre visite tout seul.

— Je préfèrerais y aller. Je suis sacrément curieux. À moins que vous pensiez qu'ils seraient intimidés par la visite de Lucius Grenville ?

Je poussai un grognement.

— Ils n'ont probablement jamais entendu parler de vous.

Grenville parut offensé, puis il sourit.

— Touché. Vous leur rendrez visite et je vous suivrai comme un gentilhomme anonyme.

Je contemplai le feu, sans répondre. Grenville attendait et je sentais son impatience. Je levai les yeux et rencontrai ses yeux sombres posés sur moi. Quelque chose en eux avait perdu leur bienveillance.

— Très bien, dis-je. Rendons-nous à Hampstead.

✳ ✳ ✳

Après le départ de Grenville, je laissai mourir le feu. Il l'avait chargé avec une quantité de charbon équivalente à la consommation d'au moins une semaine — avec le zèle d'un homme qui n'avait jamais eu à penser au coût du combustible.

J'étais assis dans la bergère qu'il avait libérée et laissai retomber mollement mes mains de chaque côté. Je sentais la dépression, sombre, menaçante et aux aguets, prête à me sauter dessus. Je fermai les yeux et me forçai à la chasser. Quand elle me frappait, elle me maintenait souvent alité pendant plusieurs jours, me rendant incapable de bouger ou de manger. Mais j'avais besoin de toutes mes facultés en ce moment. Jane Thornton était toujours portée disparue, peut-être en danger, et je voulais la retrouver. Je pourrais me plonger dans le désespoir après cela.

Le meurtrier m'avait volé la possibilité d'arracher l'endroit où se trouvait Jane Thornton de la gorge de Horne. Mais le majordome, Bremer, devait en avoir connaissance, ou alors Grace, la bonne. Ils étaient les seuls autorisés à servir les deux jeunes filles, et un homme pouvait difficilement faire disparaître une jeune femme et en cacher une autre sans l'aide de son majordome, son valet ou son cocher.

Pomeroy malmènerait Bremer jusqu'à obtenir un maximum d'informations, mais je voulais encore faire une tentative avec le majordome filiforme. Pomeroy ne connaissait pas les bonnes questions à poser. Je m'étais emporté, aujourd'hui, mais j'aurais encore Bremer entre les mains et je l'interrogerais froidement. Il devait savoir quelque chose.

Le valet était un autre problème. J'attendrais que Pomeroy localise le valet — ce qu'il ferait —, puis j'interrogerais l'homme de façon directe. Grenville avait raison quand il disait que le valet avait très bien pu entrer dans la maison, assassiner son patron et ressortir sans que les autres domestiques le voient. Il devait savoir qui se trouvait à quel endroit de la maison, et il avait pu être dégoûté par les appétits de Horne. Ou bien il avait été jaloux et avait désiré garder Jane ou Aimee pour lui seul. Ou il se pouvait que le meurtre n'ait rien à voir du tout avec Jane et Aimee.

Quelqu'un frappa à ma porte, martelant ma tête à chaque coup. Une seule personne pouvait tambouriner à ma porte aussi tard.

Je criai :

— Allez-vous en Marianne. Je n'ai aucune bougie à vous donner.

Le silence fut la seule réponse. D'habitude, Marianne aurait proféré des remarques vulgaires à propos de mon avarice et serait quand même entrée.

Les coups à la porte cessèrent. Je pensai que je devais me lever et voir si quelqu'un se tenait dans l'escalier près de la porte, mais je n'en avais pas la force.

La poignée bougea et la porte s'ouvrit. Janet Clarke se trouvait maintenant sur le seuil.

Mes membres retrouvèrent d'un seul coup leur force. J'avais déjà quitté mon fauteuil et traversé la moitié de la pièce avant qu'elle n'entre.

Elle me sourit.

— Bonsoir, mon cher vieil ami.

Chapitre 10

Je pris les mains de Janet et la traînai pratiquement à l'intérieur. Elle inspira avant de parler, mais je l'attirai contre moi et l'étreignis fermement. Je ne savais pas si elle était venue me parler, me dire adieu, ou alors parler du bon vieux temps. Néanmoins, en cet instant, j'avais besoin d'elle, j'avais besoin qu'elle me ramène dans le passé, à l'époque où j'avais été heureux, pendant un bref instant.

Janet leva la tête au-dessus de mon épaule. Ses cheveux étaient décoiffés et ses joues étaient rouges, mais elle continuait à sourire.

— Vraiment content de me voir, n'est-ce pas ?

— Oui, dis-je d'une voix rauque.

Elle rajusta les revers de ma veste.

— Dans ce cas, je suis heureuse d'avoir demandé votre adresse à Mme Brandon. Elle a été très courtoise.

Je caressai les cheveux de Janet. Je n'avais pas le droit de la tenir ainsi, de la toucher, mais d'une certaine manière, je ne pouvais m'en empêcher.

— Mme Brandon est toujours courtoise.

— Elle m'a parlé de votre blessure. Cela vous fait mal, non ?

— La fracture n'a jamais guéri proprement, mais si je fais attention, je ne souffre pas trop.

Janet se détacha de mon étreinte et recula d'un pas, m'examinant d'un œil critique.

— Ce n'est pas ce que j'insinuais. Je me suis souvenue de cette nuit où j'avais été malade et où rien ne m'aurait davantage réconforté que du café. Vous en aviez cherché dans tout le camp, et il pleuvait tellement que je pensais que le ciel allait tomber. Vous aviez couru dans la pluie, tenant ce paquet de café sous votre veste comme s'il s'agissait de l'or le plus précieux. Je n'avais jamais vu un homme courir aussi vite, de toute ma vie. Mais vous l'avez fait, et vous riiez. Quelqu'un vous a ôté cette vivacité.

Elle toucha les cheveux sur ma tempe.

— Vous n'aviez pas non plus de cheveux gris quand nous nous sommes séparés.

— Je n'étais pas un vieil homme, à l'époque.

Janet s'assit sur l'une de mes chaises à dossier droit et entrelaça ses doigts avec les miens.

— Vous feriez mieux de commencer à tout me raconter, si c'est si long.

Je m'assis sur la chaise en face d'elle. Je fixai les flammes de la cheminée pendant un moment, décidant de ce que j'allais lui raconter.

Finalement, presque tout m'échappa. Je lui parlai de ce matin froid au cours duquel Brandon et moi nous étions retrouvés, nos pistolets dégainés, jusqu'à ce que Louisa et plusieurs autres officiers de notre régiment nous convainquent d'arranger nos différends et de nous serrer la main. J'avais pensé que le problème était réglé, même si le sujet de notre querelle demeurait gênant. Ensuite, il y avait eu la trahison de Brandon. Je lui parlai de la mission où il m'avait envoyé, s'attendant à ce que je n'en revienne pas, mais je ne m'attardai pas sur notre décision de laisser l'armée derrière nous afin d'éviter de nous déshonorer, nous ou Louisa, ou le régiment.

Une fois mon récit terminé, je demeurai assis en silence, aussi dépourvu que le jour où j'avais quitté l'Espagne pour rentrer en Angleterre. Je levai la main pour lisser mes cheveux humides et me rendis compte que mes doigts tremblaient.

Janet tendit le bras dans l'espace qui nous séparait et m'attrapa la main.

— Et que faites-vous, maintenant?

Je souris.

— Pas grand-chose.

— Le colonel Brandon devrait vous aider. Il devrait vous trouver un travail convenable.

Je haussai les épaules.

— Il essaie à tout prix de prétendre que rien de tout cela n'est jamais arrivé.

Une lueur de colère brilla dans ses yeux.

— Vous m'avez toujours dit à quel point vous le considériez comme un père, ou un frère. Vos années passées ensemble devraient compter.

— Il est difficile pour certaines personnes d'avouer une erreur.

Son visage se radoucit.

— Oh, Gabriel. Et vous l'aimez suffisamment pour le laisser faire.

Elle avait tort. Je le haïssais. Il m'avait enlevé un certain nombre de choses, et je ne lui pardonnerais pas facilement.

La colère devait se lire sur mon visage parce que Janet me pressa le bras.

— Je ne vais pas insister. Vous n'avez jamais su ce que vous avez au fond du cœur.

— Vous ne pensez pas ce que vous dites ?

Ses yeux bruns pétillèrent.

— Non, mon cher ami, je ne le pense pas. Votre tête est remplie d'un mélange d'honneur, de devoir et d'amour. C'est pour cette raison que je vous aime tant.

Je me penchai en avant et lui touchai le visage.

— Et je vous aime parce que vous n'êtes pas effrayée par la vérité.

— Je le suis parfois. Tout le monde l'est.

Nous échangeâmes un regard. Un bruit sourd se fit entendre à l'étage supérieur, comme si Marianne avait laissé tomber quelque chose sur le sol. Quelques éclats de plâtre s'affaissèrent et tombèrent dans les cheveux de Janet.

— Vous ne m'avez pas raconté votre histoire, dis-je. Que s'est-il passé après que je vous aie laissée partir en compagnie de mon lieutenant éperdu d'amour ?

Elle sourit.

— Votre lieutenant éperdu d'amour était un véritable gentilhomme. Il ne m'a fait que trois ou quatre propositions et l'a bien pris lorsque je l'ai éconduit.

— Pauvre bougre.

— Pas tout à fait. Nous nous sommes quittés bons amis au moment d'arriver en Angleterre. Je suis allée à Cambridge, et suis restée aux côtés de ma sœur jusqu'à son enterrement.

Elle hésita.

— J'ai rencontré un gentilhomme là-bas.

— M. Clarke, dis-je.

— C'était le voisin de ma sœur. Un homme bon. Il a succombé à la grippe il y a trois ans.

Je ressentis soudain de la honte à m'apitoyer sur mon sort et une réelle compassion pour elle. Janet se retrouvait, une nouvelle fois, seule.

— Je suis désolé.

Ses yeux s'adoucirent.

— Il a été gentil avec moi jusqu'à la fin. Il m'a laissé suffisamment pour m'en sortir. Et j'ai des amis.

— Comme le sergent-major Foster ?

— Je lui parle de temps en temps. Il fréquente un pub près du marché de Haymarket où j'achète ma bière.

— C'est un homme bien, dis-je. Et un bon sergent.

Le silence s'installa dans la pièce. Le vent grondait dans ma cheminée et, à l'étage, Marianne laissa tomber autre chose.

Janet se leva et s'approcha. Sa robe en coton avait une odeur de savon et de propreté.

— Je me souviens de la première fois que je vous ai vu. Vous étiez prêt à tuer ces soldats en train de disputer une partie de cartes dont le vainqueur me remporterait.

— Ils n'en avaient pas le droit.

— Vous n'aviez pas le droit d'interrompre la partie avant que je ne découvre le vainqueur.

Je gloussai. Elle se pencha et effleura mes lèvres avec les siennes.

J'enroulai mes bras autour de sa taille. Ma bouche se souvenait de la sienne, mes mains se souvenaient de son corps, et nous nous retrouvions comme si les sept années qui avaient séparé ce baiser du dernier que nous avions échangé n'avaient, en fait, été que sept jours.

Je l'emmenai dans ma chambre glaciale et y allumai le feu, abandonnant l'idée de conserver le reste de ma provision de charbon pour la semaine. Assis sur le lit, nous commençâmes à nous toucher et à nous embrasser, nos mains et nos lèvres redécouvrant ce que nous avions si bien connu autrefois. Je défis les attaches de sa robe, écartai sa chemise et glissai mes mains le long de son buste nu. Elle frotta son nez contre ma joue, et mon désir s'enflamma, repoussant ma tristesse.

Un peu plus tard, nous étions encore enlacés dans la lueur du feu qui s'étendait sur le lit et dont la chaleur réchauffait notre peau. Mes sens l'enveloppaient — l'odeur de ses cheveux, le bruit de sa respiration, le poids de son corps, le goût retrouvé de sa bouche. Je ne m'étais pas rendu compte à quel point j'avais besoin d'elle. Je restai longtemps allongé dans ses bras, parvenant enfin à ressentir un peu de paix dans cette chambre austère par une nuit d'avril.

✳ ✳ ✳

Les Beauchamp occupaient une petite maison sur une avenue non loin de Hampstead Heath, dans un quartier calme composé de maisons en briques avec de petits jardins. Le ciel de cet après-midi-là était chargé tandis que nous approchions de notre destination, mais un petit vent constant empêchait le brouillard de se former.

À notre arrivée devant la maison, la douce mélodie d'un piano s'échappait depuis la fenêtre sur la droite. Celle-ci cessa lorsque je fis retentir le heurtoir sur la porte peinte en noir. Un homme d'âge moyen, en uniforme de majordome, ouvrit et m'observa d'un air interrogateur. Je lui tendis ma carte.

— Qui est-ce ?

Une femme, petite et dodue comme les grives des marais de mon patelin d'East Anglia, apparut sur le seuil de la pièce où se trouvait le piano.

Le majordome approcha la carte de ses yeux.

— Capitaine Gabriel Lacey, Madame.

Elle sembla déconcertée. Grenville attrapa la lettre dans sa poche et la tendit.

— Nous sommes venus en réponse à la lettre de votre époux. Au sujet de Mlle Morrison.

— Ah.

Elle nous examina tous les deux.

— Oh, mon Dieu ! Cavendish, allez chercher M. Beauchamp. Dites-lui de venir dans la salle de musique. Si vous voulez bien me suivre, Messieurs ?

Je la suivis en boitant dans la salle de musique où prédominait le piano. Un violon et son archet reposaient sur le divan, et des partitions de musique jonchaient le sol, les tables et le dessus du piano.

— Je vous en prie, asseyez-vous. Mon époux sera là dans un moment. Je savais qu'il vous avait écrit, mais je ne m'attendais pas à une réponse aussi rapide.

Je déplaçai une feuille remplie de notes de musique sur le haut de laquelle était inscrit « Prélude en D ; Johann Christian Bach ».

— Nous étions impatients de vous parler, dit Grenville en s'asseyant dans un fauteuil et en lissant son pantalon.

Nous avons donc pensé qu'il était préférable de venir directement.

Je lui lançai un regard désapprobateur, mais je ne dis rien. Mme Beauchamp se précipita vers moi et se saisit du violon et des partitions de musique.

— Je vous prie de m'excuser. Nous sommes une famille très musicale, comme vous pouvez le voir.

— Je vous ai entendue jouer quand nous sommes arrivés, dis-je. Vous avez beaucoup de talent.

Elle rougit.

— Cela nous procure du plaisir. Charlotte — Mlle Morrison — joue très bien de la harpe. Très souvent, le soir, nous formions un trio ici, avec moi au piano, M. Beauchamp au violon et Charlotte là.

Elle fixa des yeux une harpe verticale couverte d'un tissu poussiéreux. Elle blêmit, se mordit la lèvre et se détourna.

— Messieurs.

M. Beauchamp se tenait sur le seuil. Il était petit et potelé, comme son épouse. Ils me faisaient penser à deux perdrix dans leur nid. Il s'approcha de Mme Beauchamp et déposa un baiser sur sa joue tendue, puis me tendit la main.

Les Beauchamp avaient, tous les deux, dépassé l'âge moyen, mais la beauté persistait encore dans les traits de Mme Beauchamp, et les yeux de M. Beauchamp contenaient le feu d'un homme qui n'était pas docile.

— Vous avez reçu ma lettre, dit Beauchamp sans préambule.

Il installa une chaise à mi-chemin entre le piano et moi, et s'assit.

— J'ai su que vous étiez à la recherche d'une autre jeune fille, et j'ai pensé que vous pouviez nous aider.

Grenville croisa les mains et eut l'air d'un magistrat attentif.

— Nous aidons une famille dont la fille a disparu. Elle s'est volatilisée dans Londres en de mystérieuses circonstances. Votre lettre laissait entendre que votre cousine, Mlle Morrison, a également disparu mystérieusement.

— Oui, elle a disparu, dit Mme Beauchamp.

Son visage rond était marqué par le désarroi.

— Elle est sortie pour aller au marché, un panier au bras, mais elle n'est jamais revenue.

— Quand était-ce ? demandai-je.

— Il y a deux mois. Le 20 février. Nous avons fait des recherches quand elle n'est pas rentrée, ce soir-là. Nous avons posé moult questions. Personne ne l'avait vue après qu'elle ait quitté notre maison. Personne ne savait quoi que ce soit.

Ses yeux se remplirent de larmes, et elle cligna des yeux pour les faire disparaître.

— Ne pouvait-il s'agir d'un accident ? N'a-t-elle pu partir pour rejoindre quelqu'un ?

— Qu'insinuez-vous, Monsieur ? grogna M. Beauchamp.

— Je n'insinue rien. Elle a pu avoir prévu de voir une amie, et peut-être quelque chose lui est-il arrivé en chemin pour ce rendez-vous.

— Elle m'en aurait parlé, dit Mme Beauchamp. Elle aurait parlé d'un rendez-vous, si elle en avait eu un. N'importe lequel.

— Elle ne connaissait pas bien les alentours de Hampstead, fit remarquer Beauchamp.

— Elle était ici depuis un an, d'après ce que vous avez indiqué dans votre lettre. Elle n'avait pas d'amis ici ?

— Elle nous avait.

Je me calmai. Je les avais mis en colère, et je ne savais pas pourquoi.

Grenville nous interrompit en douceur.

— Elle venait du Somerset, n'est-ce pas ?

— Oh, oui.

Mme Beauchamp semblait avide de parler même si son époux sembla sombrer dans un silence lugubre.

Charlotte Morrison avait vécu dans le Somerset toute sa vie. Deux ans plus tôt, ses deux parents âgés étaient tombés malades et elle les avait soignés jusqu'à ce qu'ils meurent. Elle avait correspondu régulièrement avec les Beauchamp, et quand Charlotte s'était retrouvée toute seule, Mme Beauchamp avait proposé qu'elle fasse le voyage jusqu'à Hampstead et qu'elle vive avec eux.

Charlotte s'était exécutée et était arrivée peu de temps après. Elle avait paru contente de vivre chez eux. Elle écrivait souvent à ses amis dans le Somerset, et c'était une jeune fille calme aux bonnes manières.

Je digérai cela en silence et avec une frustration grandissante. Charlotte ne connaissait personne, n'avait rejoint personne, et pourtant, un après-midi, elle s'était évanouie dans le brouillard. Je n'avais ni cocher à interroger, ni de M. Horne à poursuivre. Elle était simplement partie à pied.

— Avez-vous fait paraître une annonce ? demandai-je.

— Bien sûr que nous l'avons fait, dit M. Beauchamp. Et nous avons offert une récompense. Nous n'avons eu aucune réponse.

— Dans ce cas, pourquoi pensez-vous que nous puissions vous aider ?

Beauchamp changea de position.

— Parce que nous voulons, tous les deux, la même chose. Retrouver une jeune femme disparue. Peut-être que les deux disparitions sont liées, et si nous en retrouvons une, nous pourrons retrouver l'autre.

— C'est possible.

— Je ferais n'importe quoi pour ramener Charlotte, dit-il. Elle fait partie de cette maison.

Son épouse hocha la tête.

— Il n'était pas question qu'elle retourne dans le Somerset ? demanda Grenville.

— Pourquoi retournerait-elle dans le Somerset ? demanda Beauchamp. C'est ici, sa maison, maintenant.

— Elle aurait pu y aller sur un coup de tête, pour rendre visite à ses anciens amis, dit Grenville.

— Je vous l'ai dit, elle nous en aurait parlé, elle ne serait pas partie, dit Beauchamp. Pourquoi mettez-vous en doute sa nature ? Quelqu'un nous l'a enlevée et c'est tout.

Grenville leva les mains.

— Je vous prie de m'excuser, je ne voulais pas vous contrarier. J'essaie de définir les possibilités. Si vous m'assurez que Charlotte ne serait pas partie sans votre accord, je vous crois.

Je n'étais pas aussi optimiste, mais je ne dis rien.

Mme Beauchamp sembla pensive.

— Il y *a eu* quelque chose d'étrange.

Son époux la fusilla du regard.

— Étrange ? Que voulez-vous dire ? Je n'ai connaissance de rien d'étrange.

— Une semaine ou deux plus tôt, elle… elle avait semblé s'effacer un peu. Je ne suis pas capable d'en dire davantage, parce que je ne m'en étais pas rendu compte à l'époque, mais à plusieurs reprises, elle avait commencé à me raconter quelque chose, quelque chose qui la préoccupait, pour ensuite se reprendre et changer de sujet.

— Cela n'avait probablement rien à voir avec sa disparition, dit Beauchamp. Rien du tout.

Son visage était rouge et ses yeux brillaient.

— Pourtant, le Somerset lui manquait, dit Mme Beauchamp. Elle l'aimait. Les lettres qu'elle nous envoyait avant de venir ici étaient remplies des plaisirs du Somerset.

— Elle ne serait pas partie là-bas sans nous le dire.

Son épouse se tassa.

— Non.

Grenville intervint.

— Il faut vous préparer. L'autre jeune fille que nous cherchons a été abusée, nous le pensons, par un homme qui s'appelle Horne.

— Ou Denis, précisai-je.

Grenville m'adressa un regard d'avertissement.

Les Beauchamp demeurèrent tous les deux impassibles.

— Je n'ai jamais entendu aucun de ces deux noms, dit Beauchamp. Mais nous ne sommes pas souvent à Londres. Qui sont ces hommes ?

— Monsieur Horne vivait sur la place de Hanovre, dit Grenville. Il a détenu notre jeune lady pendant quelque temps et nous tentons de découvrir ce qu'elle est devenue. Le sort de Mlle Morrison pourrait être similaire.

Mme Beauchamp inclina la tête.

— J'y ai pensé, au fait qu'elle ait pu être déshonorée. Mais je veux simplement qu'elle revienne. Je veux seulement qu'elle soit en sécurité.

Beauchamp regarda son épouse pendant un moment, le visage indéchiffrable.

— Mon épouse et moi-même n'avons jamais eu la chance d'avoir des enfants. Nous nous occupions de Charlotte un peu comme si elle avait été notre fille. Aucun homme ne pourrait être plus fier de sa propre progéniture.

— Ni aucune femme.

Les yeux de Mme Beauchamp étaient remplis de larmes. J'eus l'impression d'être un imposteur. Je ne pouvais leur être d'aucune aide.

— Les lettres qu'elle a écrites, dis-je. Me permettriez-vous de les lire ?

Mme Beauchamp leva les yeux, l'espoir illuminant son visage.

— Bien entendu, oui, capitaine. Elle a écrit de belles lettres. C'était une fille douce et attachante.

Beauchamp ne semblait pas aussi ravi.

— Qu'est-ce que la lecture de ses lettres pourrait bien apporter ? Elle n'y a pas fait part de son intention de nous quitter.

— Elle pourrait avoir rejoint quelqu'un dont elle parle dans ses lettres, pourrait avoir connu une personne dans le Somerset avec qui elle serait partie.

— Je vous dis qu'il n'y avait personne.

Mme Beauchamp se leva.

— Non, je veux qu'il lise les lettres. Ainsi, il comprendra qui elle était. Et il pourrait voir quelque chose que nous avons manqué. On ne sait jamais.

Elle passa devant moi dans un bruissement de tissus et un effluve de savon démodé tandis que Grenville et moi nous levions poliment. M. Beauchamp se leva également, mais il traversa la pièce et se tint non loin de la fenêtre en nous tournant le dos. Devant lui, la pluie coulait le long des vitres grisâtres.

— Je ferai tout ce qui est en mon pouvoir pour découvrir ce qui est arrivé à Mlle Morrison, dis-je.

Beauchamp pivota, adoptant une posture de découragement.

— Je ne vais pas vous mentir, capitaine. Vous écrire était une idée de mon épouse. Elle garde un espoir démesuré. Elle ne pourrait même pas envisager la possibilité que nous ayons perdu Charlotte pour toujours. Pourtant, c'est ce que je pense.

— Vous pensez qu'elle est morte? demandai-je gentiment.

— Oui. Parce que, dans le cas contraire, elle nous aurait écrit. Nous sommes son unique famille. Pourquoi serait-elle partie? Elle nous l'aurait expliqué.

Des larmes passèrent dans ses yeux. Je me demandais vraiment ce qu'il ressentait réellement pour Charlotte — l'amour d'un père, ou bien quelque chose d'autre? Et le savait-il lui-même?

Mme Beauchamp, toute en émoi, entra dans la pièce et me tendit une boîte en bois laqué.

— J'ai gardé toutes les lettres qu'elle m'a envoyées l'année avant son arrivée chez nous. Elle a également recopié certaines lettres qu'elle a envoyées, depuis lors, à une amie dans le Somerset. Lisez-les, capitaine. Grâce à elles, vous allez apprendre à la connaître.

Je pris la boîte.

— Je vous les rendrai dès que possible.

— Prenez le temps qu'il vous plaira. Je vous demande uniquement de ne pas les perdre. Elles me sont chères.

— J'en prendrai grand soin, promis-je.

Ils trépignaient, mais je savais que l'entretien était terminé.

— Merci de nous avoir reçus, dis-je.

Ensuite, Grenville et moi fîmes une révérence, et nous en allâmes.

Tandis que nous nous en allions à bord de la calèche de Grenville, la boîte à mes côtés, je regardai en arrière. M. et Mme Beauchamp se tenaient derrière la large fenêtre du rez-de-chaussée et nous regardaient partir.

❈ ❈ ❈

Nous restâmes à Hampstead pour la nuit. Alors que nous parlions avec les Beauchamp, la pluie s'était accrue et formait à présent des trombes de pluie sombre, et le froid, en provenance de la lande, s'était levé. Ce fut l'idée de Grenville de trouver une auberge pour y passer le reste de la soirée et rentrer paisiblement à Londres dès le lendemain.

J'avais pensé que l'auberge serait trop rustique pour le fortuné Lucius Grenville, mais il rit et me dit qu'il avait dormi dans les contrées sauvages du Canada, dans certains endroits à côté desquels Hampstead semblait réellement somptueux.

Il obtint un appartement privé au dernier étage de l'auberge, qui s'avéra confortable. Au centre, un salon donnait, de chaque côté, sur une chambre ; c'était un logement luxueux en comparaison à ma vie quotidienne. La femme de l'aubergiste, une femme enjouée et mince, nous apporta un souper composé de poulet rôti, de soupe épaisse, de légumes, de crème et de pain. Après l'humidité pénétrante qui régnait à l'extérieur, nous nous ruâmes tous les deux avec appétit sur la nourriture.

La femme de l'aubergiste s'attarda, encline à discuter.

— Je suis désolée, ce sont les restes et la soupe est faite avec le bœuf et les légumes d'hier, mais cela vous remplira l'estomac. Je sais que les gentilshommes sont habitués à des mets plus délicats, mais vous ne trouverez pas mieux à Hampstead.

— Madame, c'est excellent, dit Grenville, la bouche pleine de poulet.

Elle le regarda d'un air modeste.

— Vous aurez des œufs frais demain matin. Je suppose que vous venez de Londres, Messieurs?

Nous répondîmes par l'affirmative.

— Vous êtes des journalistes? demanda-t-elle. Êtes-vous venus pour le meurtre?

Chapitre 11

Je faillis m'étouffer avec ma soupe. Je me mis à tousser et pressai mon mouchoir contre ma bouche, puis je saisis rapidement mon verre de bière.

Grenville continua à mâcher, puis avala sans rien laisser paraître sur son visage.

— Nous n'avons pas entendu parler de ce meurtre. Cela s'est-il produit ici ?

— Oh, oui, ils l'ont trouvée dans les bois, complètement déchiquetée, pauvre fille.

— Quand cela s'est-il passé ? demanda Grenville.

La femme s'appuya sur la table, les yeux brillants au milieu de son visage émacié.

— Cela fait une semaine, ou un peu plus. Peut-être deux semaines. Je ne m'en souviens pas. C'est à ce moment-là qu'ils l'ont trouvée. Un des gars de la forge était allé repérer un endroit pour pêcher. Cela ne l'a choqué qu'à moitié.

— Qui était cette fille ?

— C'est ce qui est étrange, Monsieur. Au début, ils n'en avaient aucune idée. Finalement, il semblerait qu'il s'agissait de la fille de cuisine de la grande maison de Lord

Sommerville. Elle avait disparu il y a quelque temps. Environ deux mois.

— Étaient-ils certains qu'il s'agissait de la fille de cuisine ? demandai-je.

Elle me regarda d'un air surpris.

— Oh, oui, Monsieur. Son frère est venu de Londres et a dit que c'était bien elle.

Je m'adossai à ma chaise, me demandant si l'on venait de découvrir où se trouvait Charlotte Morrison malgré l'identification du frère. Si elle était complètement déchiquetée, il se pouvait qu'il n'ait pas pu la reconnaitre.

La femme de l'aubergiste continua à papoter, appuyée sur ses mains, au point que des stries blanches se formaient de chaque côté de ses paumes.

— Ils ont dit qu'elle était morte depuis longtemps. Je ne suis pas allée assister à l'enquête criminelle, mais mon époux, lui, il aime les potins. Puis il s'est désintéressé. Comme tout le village. La pauvre gisait là depuis environ deux mois. Il ne restait plus grand-chose d'elle.

— Dans ce cas, pourquoi ont-ils pensé qu'il s'agissait d'un meurtre ? demanda Grenville. Elle aurait très bien pu tomber malade, ou être tombée, ou quelque chose comme ça.

La femme désigna sa nuque.

— L'arrière de son cou était défoncé. Ils ont dit que c'était la cause de sa mort. Elle a été tailladée ensuite et emmenée dans les bois. Je ne sais pas moi-même comment ils savent ce genre de choses.

— Pas de sang à l'endroit où ils l'ont trouvée, dis-je de marbre.

— Vraiment, Monsieur ? Moi, je dis que c'est horrible. Quelques journalistes sont venus. Mais pas beaucoup.

Elle semblait déçue.

— Ont-ils découvert qui était le meurtrier ? demanda Grenville.

Elle secoua la tête.

— Et cela nous fait trembler la nuit, sachant que cela s'est passé à moins de trois kilomètres de chez nous. Non, le jeune amant de la fille était à Londres au moment de sa disparition, et il peut le prouver. Elle s'était probablement enfuie avec un autre homme qui lui avait promis de l'argent ou des bijoux ou une sottise dans ce genre. Il l'a appâtée et l'a tuée. Depuis lors, nous sommes à l'affût des jeunes hommes étranges, mais nous n'en avons vu aucun.

Grenville fit preuve de compassion.

— Cela a dû réellement être quelque chose d'effrayant.

— Cela fait réfléchir. On ne peut pas lui reprocher grand-chose, à cette fille, à part son manque de jugeote. Elle ne méritait pas d'être tuée. Eh bien, Messieurs, je vous ai suffisamment retenus avec mon bavardage. J'espère que vous apprécierez ce repas, aussi frugal soit-il. Nous vous apporterons, Matthew ou moi-même, le petit déjeuner demain matin. Nous suivons l'horaire campagnard ici, donc vous voudrez bien aller vous coucher tôt, Messieurs.

En ayant fini de ses commérages, la femme de l'aubergiste déposa sur un plateau quelques assiettes sales qui s'entrechoquèrent et partit dans un bruissement et un claquement de porte.

Grenville haussa les sourcils.

— Pendant un moment, j'ai eu peur que nous soyons venus pour rien.

J'attrapai ma cuillère.

— Je me demande si la fille est une autre victime de M. Denis.

— C'est possible, bien sûr. Cette soupe, Lacey, est, à peu de choses près, excellente. Rappelez-moi de le dire à notre hôtesse à la langue bien pendue. Néanmoins, il faut savoir qu'il arrive fréquemment que les filles s'enfuient ou se laissent persuader par la ruse ; pourtant elles ne connaissent pas toutes un destin aussi tragique. Soit leurs familles ne peuvent rien leur donner, soit on leur dit qu'elles pourraient vivre dans le luxe, et donc, elles ne peuvent résister à l'envie d'aller voir si l'herbe est plus verte ailleurs. James Denis ne peut être tenu pour responsable pour toutes celles-là.

Je ne répondis pas, puisque j'étais en train de finir ma soupe avec la croûte de la miche de pain. Grenville avait peut-être raison — la fille était partie avec un prédateur qui l'avait assassinée. Un grand coup avait été porté à sa nuque, d'après ce qu'avait dit la femme de l'aubergiste. J'espérais qu'elle n'avait pas vu la mort venir.

Mon cœur bouillonnait de colère pour elle, tout comme pour Jane Thornton. Je me demandais avec hargne pourquoi l'Angleterre, un pays civilisé, était à ce point plus dangereuse pour une jeune femme que les champs de bataille de la péninsule l'avaient été pour des soldats comme moi.

※ ※ ※

J'emmenai les lettres de Charlotte Morrison dans ma chambre, me glissai sous la confortable couette, avec quelques briques chaudes pour me réchauffer les pieds et commençai à les lire. Je les triai par ordre chronologique et me mis à lire la vie qu'avait menée Charlotte au cours des deux dernières années.

Il semblait qu'elle avait été heureuse dans le Somerset, contente de jouir d'une vie familiale et d'un petit cercle d'amis. Elle décrivait, de façon poétique, ses voyages dans les landes et au Pays de Galles, dépeignant les landes sauvages qui étaient à la fois belles et désolées. Elle s'était inquiétée de ses parents malades et montrée désireuse de les soulager autant que possible. Elle faisait part de son inquiétude par rapport à ce qui lui arriverait quand ils seraient morts, mais elle le faisait sans se plaindre. Le vicaire, disait-elle, lui avait porté un certain intérêt, néanmoins une lettre ultérieure expliquait que cela n'avait abouti à rien. Le vicaire se sentait trop pauvre pour prendre une épouse.

Charlotte écrivit pour annoncer, avec tristesse, le décès de ses parents, puis son impatience de déménager vers son nouveau foyer à Hampstead. Elle expliquait qu'elle devait fermer la maison, vendre le bétail et préparer son voyage.

Les lettres s'arrêtaient au mois d'avril de l'année précédente. Après cela, il y avait des copies d'une demi-douzaine de lettres envoyées à Mademoiselle Géraldine Frazier dans le Somerset. Charlotte y décrivait son arrivée à Hampstead et sa gratitude envers les Beauchamp. Elle semblait aimer Hampstead, mais le caractère isolé du Somerset lui manquait. « Ici, il n'est jamais possible de se retrouver tout à fait seule. Il y a toujours des attelages et des chevaux dans les rues, ainsi que des familles venant de Londres pour pique-niquer dans les champs le dimanche. Mais les collines et les bois sont beaux, et mes cousins et moi, nous nous promenons souvent. Ce sont des personnes gentilles. »

Deux lettres, l'une datant du mois de novembre, et une autre, du mois de janvier, attirèrent mon attention. Charlotte y disait une chose curieuse :

« De grâce, ne prenez pas compte de l'incident dont je vous ai parlé dans ma lettre précédente, et je vous en prie, ne m'écrivez rien à ce sujet ! Il ne s'agit peut-être que de mon imagination, et je n'ai pas envie de faire preuve de médisance. On dit que lorsqu'on regarde dans les yeux, on met son âme à nu, mais quand je le fais, je me sens tout simplement perdue. Je ne suis pas capable de discerner les choses et de faire la différence entre ce que j'imagine et la réalité. »

Je cherchai, dans les lettres précédentes un incident curieux ou sinistre qu'elle aurait mentionné, mais si elle avait décrit un tel événement, elle n'avait pas recopié la lettre qui en faisait part.

La lettre suivante, datant du mois de janvier de cette année, s'y rapportait encore une fois :

« Je me réveille effrayée au milieu de la nuit. Peut-être que des pas perturbent mon sommeil, ou peut-être n'est-ce que mon imagination, mais mon cœur bat la chamade, et il s'écoule un long laps de temps avant que je ne m'assoupisse de nouveau. Non, je vous en prie, ne vous inquiétez pas et ne m'écrivez pas à ce sujet ; ma cousine trouverait étrange que je ne partage pas vos lettres. »

Elle n'en dit pas davantage. La lettre de janvier était la dernière.

Je les parcourus encore une fois, me demandant si j'avais laissé échapper quelque chose, mais je ne trouvai rien d'autre. Je repliai les lettres et les remis dans la boîte en bois que je déposai sur la table de chevet.

Je me demandais ce qui avait pu effrayer Charlotte et si cela avait quelque chose à voir avec Jane Thornton. Est-ce que Charlotte avait rencontré quelqu'un dont elle suspectait les sinistres projets envers elle ? Ou était-elle simplement peu accoutumée à vivre si près de Londres ?

Je voulais parler à l'amie à laquelle elle avait écrit ces lettres. Je lui écrirais, puisque la perspective de me rendre dans le Somerset ne m'enchantait guère. Ce serait long et coûteux, et ma jambe me faisait déjà souffrir à la suite de la petite excursion à Hampstead. Cela diminuerait également le temps que je pourrais consacrer à rechercher Jane Thornton, et je craignais que chaque jour puisse être son dernier.

J'éteignis les bougies, m'allongeai et tentai de trouver le sommeil. Cependant, la douleur dans ma jambe me garda éveillé, tout comme mes pensées. Je repensai à l'histoire que nous avait racontée la femme de l'aubergiste au sujet du meurtre de la fille dans les bois. Pour quelle raison avait-elle été tuée ? Une dispute avec un amant ? Ou avait-elle vu quelque chose — l'enlèvement de Charlotte Morrison, peut-être ?

Le sommeil ne viendrait pas. J'essayai de calmer mon esprit en pensant à Janet et à mon amour pour elle. Elle était réapparue pile au moment où j'avais besoin d'elle, et j'étais affreusement impatient de la revoir.

Mais l'image de son visage s'effaça, et je fus uniquement capable de me remémorer Horne baignant dans une mare de sang séché et Aimee enfermée dans le placard, le visage couvert d'ecchymoses.

Le calme qui régnait dans la pièce m'irritait. J'étais à présent habitué à la vie citadine, et même dans les coins les plus reculés du Portugal et de l'Espagne, j'avais vécu avec l'armée, au milieu du bruit et du chaos, sans intimité. Je remuai sous les couvertures pendant un certain temps, puis je finis par céder à mon impatience.

Je me levai, attrapai une bougie et marchai jusqu'au salon. La porte qui donnait sur la chambre de Grenville était ouverte. Je traversai la pièce pour la refermer, ne voulant pas le déranger avec mon agitation.

Je m'arrêtai net. Le lit de Grenville était vide. Les draps étaient lisses et n'avaient pas bougé. Ils avaient été ouverts par la femme de chambre, qui s'était exécutée à toute vitesse pendant que nous finissions notre repas. Grenville n'avait pas dormi là et il n'était visible nulle part.

※ ※ ※

Je retournai au lit et, malgré mon trouble par rapport à l'endroit où avait bien pu aller Grenville et les raisons qui l'avaient poussé à partir, je me rendormis.

Le lendemain matin, il apparut au petit déjeuner comme s'il avait toujours été là. Je faillis lui demander où il était allé, mais je décidai de ne pas me montrer indiscret. Je prétendrais, tout comme lui, qu'il n'était allé nulle part, à moins qu'il ne décide de me dire le contraire.

Nous décidâmes que je rendrais les lettres aux Beauchamp et que Grenville irait rendre visite à Lord Sommerville avant de rentrer à Londres. Grenville, connaissant le vieux vicomte, me dit qu'il poserait quelques questions au sujet de la fille de cuisine qui, selon les dires de l'épouse de l'aubergiste, avait été retrouvée morte dans les bois.

Après le petit déjeuner, le valet d'écurie me hissa sur une jument que Grenville avait louée. J'arrivais encore à monter à cheval, à condition qu'il s'agisse d'un animal calme et que quelqu'un me fasse monter sur cette satanée chose. Sa hauteur devait atteindre à peu près un mètre soixante-dix, et elle était un peu plus large que les chevaux sur lesquels j'avais l'habitude de porter l'assaut au sein de la cavalerie. Pour un canasson de la campagne, sa stature était étonnamment élégante, et sa démarche douce. Ses jarrets se pliaient et se soulevaient avec précision, elle avait le regard alerte et ses pas résonnaient.

J'avais monté de beaux chevaux au Portugal et en Espagne, mais je m'étais efforcé de ne pas m'y attacher. Les chevaux mouraient trois ou quatre fois davantage que les hommes, et même si je faisais attention, j'en perdis plus que ce que mon cœur aurait voulu. J'avais vu des officiers de la cavalerie fondre en larmes quand leurs chevaux, blessés et allongés sur le sol ensanglanté, creusaient des sillons sur la terre, enveloppés par l'odeur nauséabonde de la mort et de la peur. J'avais, plus d'une fois, abattu les pauvres animaux à leur place, puisque les officiers se tenaient là, démunis, dévastés par la peine et le chagrin. Des chevaux morts, entassés et entourés de corbeaux, jonchaient les champs de bataille. Le détachement, je m'en étais rendu compte, était préférable.

Je dirigeai la jument sur la route menant à la modeste demeure des Beauchamp. Les nuages étaient bas et la pluie menaçait encore. Je donnai un petit coup à ma monture pour l'encourager à accélérer le trot et abaissai mon chapeau un peu plus sur mon front tandis que tombaient les premières gouttes. Je traversai un champ, et la route descendait en pente.

Un jeune homme sortit brusquement de la haie qui bordait la route et attrapa la bride de mon cheval. Le cheval s'ébroua, trépigna et je glissai à moitié de la selle.

— Bon sang, qu'est-ce que… ?

Le jeune homme lâcha la bride, m'attrapa par le bras et m'arracha à la selle. Mon genou raide me tirailla, et j'atterris lourdement sur le sol compact.

Mon assaillant s'avança vers moi, les bras ouverts. Je m'efforçai de me relever et attendis. Il inspira profondément. Je me repliai sur moi-même, plongeai d'un côté et attrapai son bras tendu.

Il était fort, robuste, et avait de jeunes muscles bien fermes, mais il était inexpérimenté. Je tirai de toutes mes forces, le renversai et le fis tomber sur le dos.

Il laissa échapper un « ah ! » au moment où ses poumons recrachaient l'air qu'ils contenaient, et il resta immobile pendant un instant, tel un insecte sur le dos. Je parcourus, en courant, la distance qui me séparait du cheval désorienté. Je savais que je n'arriverais jamais à le remonter sans assistance, alors j'arrachai ma canne de la selle.

Je sortis brusquement l'épée qui se trouvait à l'intérieur juste au moment où, derrière moi, deux bras solides se refermèrent sur moi et où l'individu me souleva pratiquement. Je fis voltiger mon épée derrière moi en un arc de cercle et lui assénai un grand coup à la jambe.

Il poussa un cri perçant. Je frappai encore. Il relâcha son emprise. Je calai mon coude le long de mon corps et le projetai en arrière brusquement.

— Aah ! cria-t-il.

Je me dégageai de son emprise, me retournai brusquement et lui fis face, mon épée pointée sur son cœur.

— Étrange endroit pour un vol, ici, au milieu d'un champ dégagé, et en plein jour.

Il ne répondit pas. Il ouvrit et referma la bouche plusieurs fois, le visage empourpré au fur et à mesure qu'il reprenait son souffle. Ses yeux ne contenaient aucune agressivité, uniquement de l'étonnement, comme s'il ne s'était pas attendu à ce que sa victime se défende.

Le jeune homme observa mon épée pendant un moment, puis il se retourna brusquement et s'enfuit en direction du cheval.

— Enfer et damnation.

Je m'élançai à sa poursuite, aussi vite que je le pus. La jument, comme je m'en étais rendu compte, était un cheval placide qui n'avait pas peur des êtres humains. Elle s'écarta légèrement à l'approche du type costaud, mais elle l'autorisa à l'attraper. Au lieu de monter, le garçon enfouit la main dans la sacoche de selle, en ressortit la boîte laquée, relâcha le cheval et s'enfuit à travers champs.

Je poussai un nouveau juron, courus en boitillant, mon genou diffusant une douleur vive le long de ma colonne vertébrale. J'avais dit à Mme Beauchamp que je prendrais soin des lettres, et en cet instant, elles s'éloignaient de plus en plus de moi entre les mains potelées d'un inconnu.

— Lacey !

Je me retournai et vis Grenville galoper dans ma direction sur le dos de son cheval couleur bai.

— Que vous est-il arrivé ? Êtes-vous tombé ?

— Poursuivez-le.

Je désignai la silhouette du garçon qui s'enfonçait rapidement dans le brouillard et la pluie.

— Dépêchez-vous. Reprenez-lui la boîte.

Grenville hocha brièvement la tête, fit pivoter sa monture et s'éloigna au galop.

J'attrapai mon cheval et l'emmenai dans le sillage de Grenville. En portant mon poids, à la fois sur ma canne et sur la jument, je parvins à me hisser sur la selle sans me faire trop souffrir, même si le cheval tenta de mordre ma veste à plusieurs reprises.

J'arrivai à me soulever légèrement et regardai en contrebas de la pente qui menait à un étang grisâtre, rendu trouble par la pluie. L'individu fonçait droit sur celui-ci, Grenville à quelques foulées à peine derrière lui.

Un petit objet noir décrivit un arc de cercle depuis les mains du jeune homme pour atterrir dans l'eau qui éclaboussa silencieusement. L'homme sauta dans l'eau depuis la berge et la monture de Grenville recula devant la fontaine engendrée par l'impact. Le garçon parcourut en nageant la petite distance qui le séparait de l'autre berge, ressortit rapidement de l'autre côté et repartit en courant.

— Grenville ! criai-je, les mains en coupe. Prenez la boîte !

Grenville descendit de cheval, puis il s'immobilisa au milieu des roseaux, les mains sur les hanches. Je m'élançai, lâchant les rênes de mon cheval. La boîte flottait à la surface de l'eau, pas encore suffisamment gorgée d'eau pour couler.

Sur la berge, je me laissai glisser dans la boue et me repris juste à temps pour ne pas y tomber.

— Bon sang, que s'est-il passé ? demanda Grenville. Qui était-ce ?

— Je ne sais pas.

Je me penchai au-dessus de l'étang et tendis ma canne. La boîte flottait hors de ma portée.

— Tenez-moi.

— Bon sang, Lacey, vous allez tomber et ensuite, il faudra que je vienne vous repêcher.

— Faites-le !

Grenville me regarda d'un air exaspéré, mais il s'exécuta.

Je me baissai, allongé dans la boue jusqu'à la hauteur de mon estomac. Grenville agrippa mes chevilles tandis que j'avançais peu à peu en direction de la surface de l'eau. La boîte flottait, à moitié submergée et ondoyant sur la surface grisâtre. Je tendis brusquement ma canne dans sa direction. Le pommeau claqua sur l'eau et la boîte s'éloigna. Je rampai davantage, priant pour que Grenville me tienne fermement les jambes, et tendis encore une fois le bras.

Je touchai la boîte. L'extrémité de la canne trembla tandis que j'accrochais, avec précaution, le pommeau doré à l'un des bords. Je ramenai la boîte dans ma direction. Elle approcha, remorquée sur l'eau, des gouttes d'eau scintillant sur le dessus. Lorsque la boîte cogna la berge, je déposai ma canne sur le sol à mes côtés et plongeai les mains dans l'eau glacée pour remonter la boîte.

De l'eau s'écoula des jointures. Je me retournai, délogeant la poigne de Grenville et me dépêtrai pour m'assoir sur un sol plus ferme. J'étais là, assis, cette foutue boîte entre les mains, mon manteau et mon pantalon d'équitation couverts de boue. Je retournai la boîte dans mes mains, manœuvrai la serrure qui l'ouvrait et regardai, consterné, le désastre détrempé au fond de celle-ci.

— Y a-t-il quelque chose qui puisse être récupéré ? demanda Grenville.

— Je n'en ai aucune idée.

Je levai une feuille, la séparant doucement des autres. Ôtant ses gants couverts de boue, Grenville plongea une main longiligne dans la boîte et en extirpa une autre feuille. Je lui fis le récit de l'attaque-surprise du jeune homme et du vol de la boîte.

Grenville fronça les sourcils.

— Remarquez qu'il a jeté la boîte dans l'étang.

Je levai les yeux de la feuille trempée que je tenais dans les mains.

— Oui, j'avais remarqué.

— Je veux dire que s'il avait simplement eu peur d'être attrapé, il aurait pu directement se jeter sur la boîte et s'enfuir, ou la jeter de l'autre côté de la mare et la récupérer une fois de l'autre côté. C'est comme s'il avait voulu détruire les lettres plutôt que de risquer que vous les rendiez aux Beauchamp.

— Ou bien a-t-il pensé que nous nous arrêterions et tenterions de la récupérer, lui laissant le temps de s'enfuir. Pourquoi aurait-il voulu les lettres de Charlotte Morrison ?

— Pourquoi, en effet ?

Je le regardai, mais il avait de nouveau plié devant la tâche.

Grenville attrapa les chevaux tandis que je tamponnais les feuilles avec mon mouchoir. Je les repliai avec soin et les remis dans la boîte doublée, à présent, du mouchoir de

Grenville. Grenville me hissa sur mon cheval, replaça la boîte dans la sacoche de selle, puis il monta sur son propre cheval. Je ne pus m'empêcher d'observer avec circonspection les broussailles qui bordaient la route au moment de nous engager sur celle-ci.

— Je doute qu'il revienne, dit Grenville. Il s'attendait à plumer aisément son pigeon, et non à ce que vous le rouiez de coups et à ce que je le pourchasse.

Il gloussa.

— Je regrette de ne pas avoir assisté à la première partie.

Je ne pris pas la peine de répondre. J'avais froid, j'étais couvert de boue et énervé, et ma jambe me faisait diablement souffrir. Par contre, Grenville, même sous la pluie, paraissait sec, élégant et prêt à entrer dans un salon. Nous nous quittâmes de nouveau au carrefour, moi en route pour la maison des Beauchamp et Grenville pour celle de Lord Sommerville.

Je devais expliquer à Mme Beauchamp ce qui était arrivé aux lettres. Elle serra la boîte contre sa poitrine tout en m'écoutant, ses yeux bruns grands ouverts.

— Qui pourrait bien vouloir voler les lettres de Charlotte ?

— Il se peut qu'il n'ait pas su que les lettres s'y trouvaient, dis-je. Il a vu une jolie boîte et a pensé qu'elle contenait quelque chose de valeur.

Je savais que ce n'était pas la vérité. La boîte était hors de vue, dans la sacoche de selle. L'homme l'avait délibérément cherchée.

— Je suis vraiment désolée, capitaine. Merci de les avoir sauvées.

— J'aurais dû mieux en prendre soin.

— Vous ne pouvez pas vous en vouloir.

Elle voulait se montrer charitable. Elle m'offrit du thé chaud arrosé de porto et me laissa me sécher près du feu. Elle bavarda avec moi de la vie à Hampstead, de Charlotte et de leur vie ensemble.

Son époux m'aborda au moment de mon départ. Devant la maison, Beauchamp me saisit le bras et me regarda droit dans les yeux, son regard scintillant.

— Est-ce que les lettres vous ont aidées ?

— Cela reste à voir, dis-je. Vous avez peut-être raison en pensant qu'elle est morte.

— Si vous la retrouvez…

Sa voix s'étrangla. Il s'éclaircit la gorge.

— S'il vous plaît, ramenez-la-nous.

— Je le ferai.

Beauchamp ne me tendit pas la main, ni ne me dit adieu. Je me retournai vers mon cheval, laissai son valet de pied me hisser dessus et retournai à l'auberge pour y attendre Grenville.

❄ ❄ ❄

Le retour vers Londres fut plus calme et sec que l'aller ne l'avait été. Pendant la première partie du trajet, je racontai à Grenville ce qui était écrit dans les lettres de Charlotte, et il me décrivit sa visite à Lord Sommerville. Grenville avait réussi à évoquer la mort de la fille de cuisine. Lord Sommerville, en tant que juge local, avait été bouleversé qu'une telle chose puisse arriver à quelqu'un faisant partie de son personnel et avait fait une enquête, mais celle-ci n'avait abouti à rien. Le jeune homme avec qui elle avait l'habitude de partir se trouvait à Londres, la nuit en question, rendant visite à son frère et ses neveux. Selon les commérages des domestiques, la jeune fille, Matilda, cocufiait apparemment le jeune homme avec un nouveau prétendant, mais Lord Sommerville ne savait pas qui était ce nouveau prétendant. On avait fini par penser que la mort de Matilda était due à sa rencontre dans les bois avec un voleur.

Après le récit de Grenville, je somnolai, encore fatigué par mon aventure. Grenville demeura pensif et parla peu. La majorité du temps, il lut des journaux qui faisaient tous un compte-rendu macabre de la mort de Josiah Horne. Le *Times* spéculait sur la possibilité que ce crime brutal réintroduise l'éventualité de créer une réelle force de police anglaise, comme cela avait été fait en France.

Grenville ne me donna aucune explication quant à sa disparition de l'auberge, la nuit précédente, et je ne lui posai aucune question. Son cocher me laissa au bout de l'avenue Grimpen et je marchai jusque chez moi. Mes voisins sortirent encore une fois en masse pour reluquer la calèche de Grenville et ses élégants chevaux. Mme Beltan me tendit une pile de lettres qui étaient arrivées en mon absence. J'achetai un de ses petits pains à la levure et au beurre et me retirai à l'étage pour lire ma correspondance.

Au milieu des invitations, contraintes et polies, à des événements mondains, il y avait une lettre de Louisa Brandon m'informant qu'elle faisait ce qu'elle pouvait pour les Thornton. Elle mentionnait également qu'elle organisait un souper cette fin de semaine et me faisait comprendre qu'elle voulait que j'y assiste. Je mis la lettre de côté, mon esprit cherchant l'excuse que je pourrais soulever pour refuser son invitation.

Une autre lettre, sur laquelle je m'attardai un certain temps, venait de M. Denis en personne. Celui-ci me fixait rendez-vous chez lui dans la rue Carzon dans deux jours. Le ton de la lettre suggérait que la mort de Horne n'était qu'un inconvénient et qu'elle ne devrait pas mettre fin à une transaction commerciale. J'écrivis que je viendrais.

La dernière lettre était une feuille pliée en quatre avec mon nom inscrit dessus en lettres capitales. On pouvait lire sur le papier déplié : « J'ai arrêté le majordome. Le juge n'en a fait qu'une bouchée. Pomeroy. »

Chapitre 12

Je laissai tomber la lettre. Je m'étais lavé les mains de ce qui s'était passé chez Horne et de sa mort, mais je ne pensais pas que Bremer ait tué son maître. J'avais laissé tout cela aux bons soins de Pomeroy, qui s'était montré sans pitié, comme à son habitude.

Après m'être rasé et avoir terminé mon petit pain, je me rendis au tribunal de police dans la rue Bow. Dans les salles sinistres, les rebuts de la société arrêtés au cours de la nuit attendaient, allongés, de comparaître devant le juge. Je fus frappé par l'odeur des corps sales et l'ennui. Pour une raison quelconque, j'examinai rapidement les personnes présentes, à la recherche de Nancy, mais je ne la vis pas. La plupart des filles de joie soudoyaient les gardes pour qu'ils regardent ailleurs, mais parfois, il arrivait que l'une d'entre elles fasse les poches du mauvais gentilhomme ou soit impliquée dans une bagarre.

Le pâle huissier de justice m'accosta et me demanda la raison de ma présence. Je l'envoyai chercher Pomeroy. Pendant que je patientais, un homme de petite taille aux cheveux raides m'agrippa le poignet et entama un monologue à peine intelligible, me baignant de son haleine imbibée de gin.

— Je suis à vous, tonna Pomeroy.

Il empoigna l'homme, qui brailla et retrouva à toute vitesse sa place contre le mur.

— Capitaine. J'ai de bonnes nouvelles. J'ai arrêté le majordome. Il sera jugé dans cinq jours.

Il n'était pas possible de parler en privé dans cette salle. Je poussai Pomeroy pour nous écarter de la foule, mais je dus tout de même lever la voix pour être entendu.

— Pourquoi Bremer?

— Il est raisonnable de le penser coupable, non? Il est le dernier à avoir vu son maître. Il le poignarde, lui coupe les testicules, remet le couteau dans la blessure, quitte la pièce et dit à tout le monde que le maître a demandé à ce qu'il ne soit pas dérangé. Vous arrivez plus tard et n'allez pas partir, donc il remonte à l'étage et « découvre » le corps. Il n'y a rien de mystérieux dans tout cela.

— Mais pourquoi Bremer aurait-il tué Horne?

— Parce qu'aux dires de tous, Horne était un véritable salaud. Pourtant, le jury n'éprouvera aucune sympathie pour Bremer. Ils se demanderont si leurs propres domestiques en viendraient à *leur* couper les testicules.

Je campai sur mes positions.

— Horne payait des salaires très élevés. Rien que pour cela, Bremer aurait supporté un maître difficile. Ou aurait remis sa démission s'il détestait vraiment cet homme.

Pomeroy haussa les épaules.

— Je ne doute pas qu'il confessera ses motivations au cours du procès.

— Et pourquoi mutiler Horne? Pourquoi ne pas simplement le tuer?

— Bon sang, si seulement je le savais, capitaine. Je ne lui ai pas posé la question.

— Qu'a-t-il dit au juge ? demandai-je.

— Pas grand-chose. Il a continué à bafouiller qu'il n'avait rien fait. Le juge lui a demandé qui l'avait fait, dans ce cas, mais il n'a pas pu répondre. Il ne faisait que bredouiller.

Je secouai la tête.

— Réfléchissez, Pomeroy. La personne qui a tué Horne devait être plus forte que lui. Horne était plus jeune et plus costaud que Bremer. Cela n'a pas dû être facile de le poignarder.

— Même les personnes faibles et effrayées peuvent causer des dommages, lorsqu'elles sont suffisamment en colère.

Pomeroy me regarda patiemment.

— Le juge voulait un coupable. Je lui en ai donné un.

— Horne a eu la visite d'une autre personne, ce jour-là. Personne n'a vu Horne après le départ de ce visiteur, pas même le majordome.

— Ah oui ? Et qui était-ce ?

— M. James Denis.

Pomeroy pouffa de rire.

— Et je suis supposé lui courir après et l'arrêter, c'est ça ? C'est un aristocrate que personne n'osera toucher, encore moins quelqu'un comme moi. De plus, pourquoi aurait-il tué Horne ?

— Peut-être que Horne lui devait de l'argent et que Denis était furieux de ne pas avoir été payé. Il se peut que Horne lui ait manqué de respect. Ou peut-être que

Horne savait quelque chose que M. Denis voulait garder sous silence.

Pomeroy analysa tout cela.

— Tout cela aurait pu arriver. Cela revient au même, je n'arrêterai *pas* cet homme. Et vous feriez mieux de le laisser tranquille, capitaine. C'est une personne qui protège sa vie privée. Prétendez qu'il n'est jamais allé dans cette maison et que vous ne savez rien.

— J'ai déjà un rendez-vous pour parler à M. Denis.

Pomeroy me regarda de bas en haut avant de me parler lentement.

— Vous savez, capitaine, quand nous étions au front, il se disait dans les rangs que vous étiez l'un des officiers les plus courageux dans l'armée du roi. Le plus courageux et le meilleur. Cependant, parfois, nous pensions que vous alliez trop loin. Vous étiez trop téméraire, et vous vouliez aussi que nous le soyons tous. Comme donner l'assaut sur une colline investie par l'artillerie. Nous pensions qu'il aurait mieux valu vous ligoter et vous jeter dans les charriots à bagages. Sans vouloir vous manquer de respect, Monsieur.

Je le regardai droit dans les yeux.

— Nous avons gagné cette colline, sergent. Ce qui a permis à notre infanterie d'avancer.

— Cela ne fait pas de vous quelqu'un de moins fou. C'est une autre raison pour laquelle il faudrait vous ligoter, Monsieur. Ne vous mêlez pas des affaires de M. Denis. Vous le regretteriez amèrement. Laissez Bremer porter le chapeau. C'est plus facile ainsi pour tout le monde.

Sauf pour Bremer, pensai-je. Je changeai de sujet.

— Que savez-vous du meurtre d'une jeune femme à Hampstead.

Les yeux de Pomeroy s'illuminèrent.

— Une autre personne a été tuée ?

— Le corps a été trouvé dans les bois, il y a une semaine, ou quelque chose comme ça. Une jeune femme. Elle est restée là un bout de temps.

— Mmh, je crois me souvenir d'en avoir entendu parler. Une bonne ou quelque chose dans ce genre ?

— Une fille de cuisine de Lord Sommerville. Son nom était Matilda. J'aimerais connaître son nom de famille et aussi le nom de son frère, qui est allé à Hampstead afin d'identifier son corps.

— Pourquoi voulez-vous savoir tout cela ?

— Cela m'intéresse. Ainsi que toute information au sujet d'une femme qui s'appelle Charlotte Morrison et qui a disparu à peu près au moment du meurtre de la jeune fille.

— Oh oh. Vous pensez que les deux disparitions sont liées.

— C'est peut-être le cas. Je n'en ai aucune idée. Est-ce que vous avez des pistes au sujet de Jane Thornton ?

— Je n'ai rien entendu, mais je vais encore tendre l'oreille. J'ai vu vos annonces. Moi-même, je ne serais pas contre une récompense de dix guinées. Offrez-vous également une récompense pour des informations sur les deux autres jeunes filles ?

— Pas pour le moment. Si vous entendez quoi que ce soit, envoyez-moi un mot, dis-je en commençant à m'en aller.

— Je ne suis plus votre sergent, capitaine. Je ne reçois plus d'ordres de votre part, vous savez.

Je me retournai vivement.

— Mais je suis fou, vous vous en souvenez ? On ne sait jamais ce qui peut me passer par la tête.

Je l'abandonnai alors tandis qu'il marmonnait, pas vraiment dans sa barbe, à propos de ces salauds d'officiers qui aimaient faire un enfer de la vie des autres.

※ ※ ※

Je retournai chez les Thornton, sur la rue Strand. Aimee était la seule personne qui avait été présente lors du meurtre de Horne. J'avais voulu la laisser tranquille, pour la laisser tourner le dos à Horne et à sa maison, mais le destin de Bremer pouvait dépendre de ses réponses à mes questions.

Alice me salua et m'informa que M. Thornton était toujours vivant. Il avait repris connaissance la veille, mais il s'était de nouveau endormi, calmé par le laudanum. Cela m'encouragea, mais je ne cédai pas face à l'espoir. Il pouvait encore mourir très facilement.

Je demandai à voir Aimee. Alice parut surprise, puis me dit qu'elle était partie vivre chez sa tante, une femme qui s'appelait Josette Martin. Elle me donna l'adresse, après quoi je me rendis dans l'est à bord d'un fiacre, passant par la rue Strand, la rue Fleet, traversant la City jusqu'à une petite pension à côté du cimetière Saint-Paul.

— Capitaine.

Josette Martin me reçut dans un salon bien soigné, quoique défraîchi, et me serra la main. Des mèches grises striaient ses cheveux bruns, qui étaient tressés et enroulés en de jolies torsades. Son visage était carré et son nez retroussé, mais ses yeux étaient grands et écartés, bordés de longs cils noirs.

— Mme Martin.

— Vous êtes le gentilhomme qui a ramené Aimee à la maison ?

Elle parlait un anglais impeccable, mais avec un accent français prononcé.

Je reconnus que c'était bien moi.

Elle me fit signe de m'assoir sur le fauteuil et s'installa sur un sofa non loin de moi.

— C'était gentil de votre part de lui venir en aide. Comment l'avez-vous retrouvée ? Elle ne se rappelle pas grand-chose.

Même si elle exprimait de la gratitude, son regard restait méfiant. Elle devait s'être demandé ce que je faisais dans la maison dans laquelle sa nièce avait été gardée captive.

— Vivra-t-elle avec vous, dorénavant ? demandai-je.

Elle hocha la tête, la lueur de la bougie se reflétant dans sa chevelure brillante.

— J'ai élevé Aimee après la mort de ses parents, en France. Je l'ai instruite afin qu'elle puisse devenir la femme de chambre d'une lady, tout comme moi. Mais je pense que nous n'allons pas rester en Angleterre. Nous allons retourner en France quand elle se sentira mieux.

— Comment va-t-elle ?

— C'est gentil de le demander. Aimee va s'en remettre, du moins physiquement. Il a été très cruel avec elle. L'homme est mort ?

— Mort, sans aucun doute possible.

Le regard de Josette se durcit.

— Bien. Dans ce cas, Dieu a exercé sa vengeance. Trouvez-vous que ce soit méchant de ma part de penser cela ?

— D'être heureuse que le monstre qui a fait souffrir votre nièce soit mort ? Je ressens la même chose.

Cela sembla la satisfaire.

— J'ai d'abord pensé que c'était le juge qui vous avait envoyé. Pour l'interroger.

Je gardai une voix douce, même si l'impatience me piquait.

— J'aimerais lui poser quelques questions, si elle se sent suffisamment en forme pour me parler. J'essaie de savoir ce qui est arrivé à sa maîtresse.

— Mlle Thornton ? Je suis inquiète pour elle aussi. Les Thornton sont des gens modestes. Aimee travaillait en tant que femme de chambre à l'étage supérieur et s'occupait à la fois de Mlle Thornton et de sa mère, mais ils étaient très gentils avec elle. C'était une bonne place.

— Puis-je lui parler ?

— Je n'en suis pas certaine. Elle était déprimée, ce matin, mais elle acceptera peut-être de vous parler. Elle vous est tellement reconnaissante pour ce que vous avez fait.

Josette se leva. Je me levai poliment à mon tour et me dirigeai vers la porte afin de la lui tenir ouverte. Elle me gratifia d'un petit sourire en passant, dévoilant des dents régulières et blanches.

Cela faisait non loin d'un quart d'heure que j'attendais son retour. J'essayais de rester patient, mais je m'en voulais de ne pas avoir interrogé Aimee dès le départ. J'aurais pu empêcher l'arrestation de Bremer. Non seulement je ne croyais pas que le majordome ait tué son maître, mais je voulais également avoir Bremer entre les mains afin de découvrir ce qui était arrivé à Jane. La pitié m'avait poussé à ne pas déranger Aimee, mais cela pourrait coûter la vie à Jane.

Josette finit par revenir pour me dire qu'Aimee acceptait de me voir, mais qu'elle était très fatiguée. Je promis de ne poser que quelques questions à Aimee, après quoi elle me conduisit le long d'un couloir jusqu'à une petite chambre à l'arrière de la maison.

La pièce se trouvait dans l'obscurité, et les rideaux étaient fermés. Aimee était assise sur le lit, enveloppée dans un châle et les pieds recouverts d'une couverture. Elle me regarda avec ses énormes yeux sombres, le visage blême.

Josette s'approcha de la fenêtre afin d'arranger les rideaux et de laisser entrer un peu plus de lumière, puis elle installa une chaise près du feu, prit son matériel de couture dans un panier qui se trouvait à côté de celui-ci et commença à coudre. Je tirai une chaise à dossier droit qui se trouvait contre le mur et m'assis près du lit et d'Aimee.

Durant la guerre, j'avais vu des femmes et des hommes qui avaient été brutalisés par des soldats avoir le même regard de pure peur que celui qu'Aimee avait à ce moment-là. Leur confiance avait été brisée, leur paix détruite.

J'adoptai une voix calme.

— Aimee, vous souvenez-vous de moi ?

Aimee hocha la tête, ses cheveux blonds balayant mollement les oreillers.

— Dans la maison.

— Comment allez-vous ? demandai-je.

Aimee tourna la tête et regarda en direction de la fenêtre, où un léger rayon de soleil essayait de percer à travers les nuages.

— Alice et la maîtresse ont été gentilles avec moi. Et Mme Brandon.

Elle parlait d'une voix empesée, et je notai qu'elle ne répondait pas à ma question.

— Je suis venu vous parler parce que je veux retrouver Jane Thornton. Tout ce que vous pourrez me dire, quoi que ce soit sur la façon dont vous êtes arrivées chez M. Horne et comment elle en est repartie, m'aidera.

Aimee avait fermé les yeux pendant mon discours. En cet instant, elle les rouvrit en effilochant la frange du châle.

— Je ne me souviens pas de grand-chose.

— Dites-moi ce dont vous vous souvenez, dis-je. Je veux retrouver Jane et la ramener chez elle.

Son regard me survola brièvement, puis m'évita.

— Alice m'a dit combien vous aviez été gentil. Mais je ne sais pas si je pourrai vous être d'une grande aide. Ils me donnaient de l'opium pour que je dorme et ne voulaient pas que je reste auprès de Mlle Jane. À présent, j'ai tout le temps envie d'opium, et cela me fait mal quand je ne peux pas en obtenir. C'est drôle, n'est-ce pas ?

Je ne trouvais pas le moins du monde que c'était drôle.

— Savez-vous comment vous êtes arrivée dans la maison de M. Horne ?

— Pas très bien.

Sa voix s'éteignit pour former un chuchotement.

— Je me souviens que ma jeune lady et moi étions allées sur la rue Strand pour attendre la calèche. Il y a avait énormément de monde, ce jour-là, et je ne savais pas comment le cocher allait faire pour nous trouver. Une femme s'est approchée de nous et a demandé à Mlle Jane de l'aider. Ses vêtements étaient en lambeaux, et elle pleurait et implorait Mlle Jane de l'accompagner.

— Et Mlle Thornton l'a suivie ?

— Mlle Thornton avait bon cœur. Elle avait peur que la femme soit malade ou qu'elle ait des ennuis ; elle l'a donc suivie. La mendiante nous a emmenées dans une petite cour un peu plus bas dans la rue, et ensuite, je ne me souviens de rien. Il se peut qu'une personne m'ait frappée, je ne sais pas. Je me suis réveillée dans un grenier et j'étais effrayée, mais Mlle Jane était là et m'a réconfortée.

— Est-ce que ce grenier se trouvait dans la maison de M. Horne ?

— Non. Je ne sais pas où nous nous trouvions. Nous étions sur le sol, au milieu de la pièce, les pieds et poings liés, et nous ne pouvions nous détacher. Quand il a fait nuit noire, des gens sont venus et nous ont donné quelque chose à boire. Je savais que c'était de l'opium, mais ils nous ont forcées à le boire. Lorsque je me suis réveillée, je me trouvais dans un autre grenier, mais dans un lit, cette fois, et Mlle Jane était là, avec lui.

— Avec M. Horne ?

Elle hocha la tête, ses yeux se remplissant de larmes.

— Il a dit à Mlle Jane qu'il me ferait du mal si elle ne faisait pas ce qu'il lui disait. Je l'ai implorée de ne pas l'écouter, de s'enfuir, mais elle l'a suivi. Elle a toujours fait ce qu'il disait.

— Elle n'a pas essayé de s'enfuir, ni de trouver un policier, ni de rentrer chez elle ?

Aimee secoua la tête sur les oreillers.

— Il n'était pas nécessaire qu'il la retienne avec un verrou ou une porte. Elle avait tellement honte de ce qu'elle était devenue, même si ce n'était pas sa faute. Je lui ai dit de s'en aller, que cela ne ferait aucune différence pour moi, mais elle ne voulait pas. Et ensuite, il l'a renvoyée. Toute seule, sans rien. Il a brisé son âme, puis il s'en est débarrassée d'elle comme d'un déchet.

Pour la première fois depuis que j'étais entré dans la pièce, Aimee me regarda directement. Ses grands yeux bruns renfermaient une peine profonde et incontestable, ainsi qu'une vive fureur.

— L'a-t-il envoyée quelque part ?

— Je ne sais pas. Un matin, elle n'était plus là, et il ne m'a pas dit où elle était partie, même si je le lui ai demandé à maintes reprises.

J'hésitai un long moment avant de continuer, tentant de formuler mes questions de manière à ne pas la blesser.

— Vous étiez dans l'armoire de son bureau le jour où il est mort, dis-je. Il vous a enfermée là.

— Oui.

— Quand ?

Elle fronça ses sourcils blonds.

— Que voulez-vous dire ?

— Vous y a-t-il enfermée ce matin-là, ou bien un peu plus tard, après le départ de son visiteur ?

Le corps d'Aimee s'affaissa.

— Je ne sais pas. J'ai essayé de me souvenir. Mais j'avais très mal et j'étais très fatiguée.

— Vous souvenez-vous du visiteur ?

— Je me souviens que M. Bremer est venu dans le bureau et a dit qu'un visiteur était là. M. Horne s'est fâché contre lui. Mais ensuite, il a dit à M. Bremer de le laisser monter. Je ne sais pas qui c'était ; M. Bremer parlait tellement bas. Quand M. Bremer est parti, M. Horne m'a emmenée jusqu'à l'armoire. J'ai pleuré et l'ai imploré de me laisser remonter dans le grenier pour que je puisse me reposer, mais il m'y a poussée et a verrouillé la porte.

— Pouviez-vous entendre, à travers la porte, ce que se disaient les deux gentlemen ?

— Je n'arrive pas à me souvenir si je les ai entendus ou non. Les portes étaient épaisses et j'étais somnolente.

Je décidai de tenter une autre approche.

— Après le départ de l'autre gentilhomme, est-ce que M. Horne a rouvert l'armoire ?

Elle resta un instant silencieuse, ses yeux reflétant la souffrance.

— Je ne pense pas qu'il l'ait fait, Monsieur. J'étais vraiment profondément endormie, après cela, et je ne me souviens de rien.

Je m'adossai à la chaise. Si Horne n'avait pas rouvert l'armoire, cela pouvait vouloir dire qu'il était mort quand son visiteur, Denis, l'avait quitté. Cependant, il se pouvait que Horne ait simplement décidé de laisser Aimee là. Quelqu'un d'autre avait pu venir dans le bureau et le tuer pendant qu'elle dormait.

— Le majordome, Bremer, a été arrêté pour le meurtre de M. Horne, dis-je.

Aimee écarquilla les yeux.

— M. Bremer, Monsieur ? Ce n'est pas lui. Il n'aurait pas pu.

— Il se peut qu'il l'ait fait. Après le départ de M. Denis — c'est le nom du visiteur de Horne —, Bremer a pu entrer et poignarder M. Horne sans savoir que vous vous trouviez dans l'armoire.

— Oh, non, Monsieur, pas M. Bremer.

— Pourquoi pas ? Vous avez dit que vous n'aviez rien entendu.

Elle secoua la tête, désormais attentive. Josette leva les yeux de son travail de couture.

— M. Bremer est un vieil homme stupide et faible, dit Aimee. Il avait peur de *lui*. Il n'aurait jamais pu faire une chose pareille.

— Vous ne pensez pas que même un homme âgé, intimidé et effrayé, aurait pu le tuer dans un sursaut de terreur ?

Ses lèvres pâlirent.

— Je ne sais pas.

— Qu'en est-il du reste du personnel ? Est-ce que l'un d'entre eux aurait pu le tuer ?

— Je n'ai jamais vu les autres. Sauf Grace.

— Et Grace ?

Aimee fronça les sourcils.

— Je pense… Je ne me souviens pas. Je ne l'ai pas vue, ce jour-là, je ne pense pas.

Ses yeux perdirent leur éclat, et elle porta la main à son cou.

— Je suis désolée, Monsieur. Je suis très fatiguée.

Josette mit sa couture de côté et se leva.

— Aimee devrait se reposer, maintenant, Monsieur.

La déception me piqua, mais je me levai. J'avais espéré qu'Aimee me dise tout ce que j'avais besoin de savoir, mais je ne pouvais attendre d'une femme malade et tourmentée qu'elle ait les réponses à toutes mes questions.

Je voulus adresser des paroles de réconfort à Aimee, l'aider avec de belles phrases, mais je n'avais rien à lui donner. Son âme et son corps avaient été brisés, et il lui faudrait beaucoup de temps pour reprendre des forces. Peut-être qu'elle ne le ferait jamais complètement.

Josette m'accompagna dans la pièce de devant, sa démarche raidie par la désapprobation.

— Pardonnez-moi, dis-je. Je ne voulais pas la contrarier.

Josette me regarda avec sympathie. Elle avait vraiment de beaux yeux.

— Vous n'y êtes pour rien, Monsieur. Vous deviez savoir.

— Je vais rechercher Jane. Je la trouverai.

— Oui, Monsieur. Je sais que vous le ferez. Merci d'avoir été gentil avec Aimee.

Je pris la main de Josette pour lui dire adieu. Quelque chose brilla dans ses yeux, quelque chose qui se cachait derrière la gratitude, la colère, la tristesse, quelque chose que je ne compris pas. Elle me regarda encore une fois, déconcertée, puis je relâchai sa main et m'en allai.

✵ ✵ ✵

Ce soir-là, je commençai à chercher Jane Thornton dans les maisons closes. Je commençai par celles qui étaient connues près de la place de Hanovre et déployai mes recherches à partir de là.

Les gens pleins d'esprit appelaient de telles maisons des couvents ou des écoles de Vénus, et ils donnaient aux femmes qui les dirigeaient le nom d'abbesses. Cependant, ce n'était rien de plus que des maisons paillardes où des gentilshommes pouvaient acheter la compagnie d'une femme pour une heure ou pour la nuit. Beaucoup de maisons plus près de Mayfair hébergeaient des femmes raffinées, qui avaient pu commencer leur vie en tant que filles de gentilshommes. Les dandies se pressaient autour de ces femmes de haute volée pour entretenir des conversations intéressantes autant que pour s'offrir des plaisirs plus basiques.

Plus je m'éloignais vers l'est, plus les maisons devenaient vulgaires, et moins les filles étaient propres. Dans chacune d'elles, je demandai une jeune femme nommée Jane ou Lily.

Je ne récoltai que des menaces et des bousculades sur le pas des portes, et je fus presque passé à tabac par les brutes qui surveillaient la porte. Quand les abbesses découvraient que je n'avais pas d'argent, elles me considéraient comme une nuisance et voulaient se débarrasser de moi. Je dus, une ou deux fois, montrer la lame de mon épée avant que leurs brutes ne me laissent m'en aller. Ils devaient s'être passé le mot, parce que certains étaient déjà prêts à m'accueillir avant même mon arrivée.

Je visitai les bordels proches de chez moi plus tard, une fois la nuit tombée, afin d'être minutieux. Aucun ne fut plus enchanté de ma visite que ne l'avaient été ceux de Mayfair.

Alors que je marchais en trainant les pieds sur Long Acre, Black Nancy s'approcha furtivement de moi et glissa la main dans le creux de mon bras.

— Si vous avez tant envie d'une fille de joie, capitaine, vous pouvez simplement venir me chercher.

Je la regardai sévèrement, pas vraiment d'humeur pour son badinage.

— Je cherche une jeune femme qui ne devrait pas se trouver dans un bordel. Ce n'est pas sa place.

— Vous êtes tellement déconcertant, capitaine. De quoi parlez-vous sans cesse ?

— La famille d'une jeune lady la cherche. Je veux la retrouver et la ramener chez elle.

Nancy fit une grimace.

— Et si elle n'a pas envie de rentrer ? Des réformateurs essaient constamment de me renvoyer chez moi. Stupides casse-pieds. Le foyer de mon père est pire que tous les endroits où j'ai pu vivre.

Nancy m'avait un jour raconté que son père la battait, et j'avais vu les bleus sur son visage qu'elle essayait de dissimuler sous le maquillage et la poudre.

— Je pense que je n'aime pas beaucoup ton père, dis-je.

Elle gloussa.

— Cela me va. Moi non plus, je ne l'aime pas.

Je flânai jusqu'à Covent Garden, et elle resta collée à moi comme un chien suivant son maître.

— Quel est le nom de cette fille ? Peut-être que je la connais.

— Je ne suis pas certain du nom qu'elle se donne. Peut-être Jane. Ou Lily.

Elle plissa les lèvres.

— Je connais beaucoup de Jane. Pas de Lily.

Je baissai les yeux sur elle.

— Est-ce que de nouvelles filles sont arrivées dans les rues, ces derniers temps ? Une qui semble ne pas être à sa place ?

— Il y a tout le temps des nouvelles filles. Elles ne durent pas. Est-ce qu'elle pourrait travailler à Covent Garden ?

Je secouai la tête, déprimé.

— Est-ce que tu en connais qui s'appellent Charlotte ? risquai-je.

— Combien de femmes voulez-vous, capitaine ? Non, je ne connais pas de Charlotte. Pourquoi ne voulez-vous pas d'une Nancy ?

J'étudiai le visage pâle à côté de moi.

— J'en ai davantage que je ne suis capable de supporter pour le moment.

Ses lèvres écarlates formèrent un large sourire.

— N'êtes-vous pas flatté que je vous aime bien ? Parce que je vais vous dire quelque chose, capitaine. J'ai trouvé votre cocher.

Chapitre 13

Je m'arrêtai brusquement et la regardai, abasourdi. Un homme trapu buta contre moi, puis passa devant moi en jurant.

— Pourquoi ne me l'as-tu pas dit avant? demandai-je.

— Vous ne me l'avez pas demandé. Vous étiez occupé à me parler de vos Jane, Lily et Charlotte.

— Où est-il?

— Soyez patient, capitaine. Ou plutôt, non. Je parie que vous êtes séduisant quand vous perdez patience.

— Si tu n'es capable que de bredouiller des bêtises, je vais rentrer chez moi et garder mes shillings.

Nancy s'accrocha à mon bras.

— Attendez un peu, je ne fais que vous taquiner. J'ai fait ce que vous m'avez demandé. J'ai observé les riches arriver au théâtre. J'ai sans cesse posé des questions à propos de personnes qui s'appellent Carstairs jusqu'à ce que je trouve leur calèche. Mais ils avaient un nouveau cocher. Cela ne fait que quelques semaines qu'il travaille pour les Carstairs. L'ancien cocher a donné sa démission, voyez-vous, et il est parti.

— Bon sang!

Ashley Gardner

Elle se mit à rire et me secoua le bras.

— Ne vous tracassez pas, capitaine. Je n'ai pas arrêté de le harceler jusqu'à ce qu'il me dise où était allé le dernier cocher. Il travaille pour un type qui s'appelle Barnstable, ou un truc du genre. Mais je l'ai trouvé. Ce Barnstable va à l'opéra, lui aussi. On est amis, maintenant, Jemmy et moi.

— Jemmy, c'est le cocher?

— Eh bien, ça ne peut être M. Barnstable, n'est-ce pas?

Elle pouffa de rire.

— Donc, je l'ai retrouvé pour vous. Où sont mes deux shillings?

— Je voulais qu'il me rende visite.

— Eh bien, Jemmy ne veut pas. Pourquoi aurait-il envie d'aller chez un gentilhomme? Non, je l'ai amené dans un pub. Je lui ai dit que j'irais vous chercher.

— Très bien, dans ce cas, je te donnerai l'argent quand je lui aurai parlé.

— Vous êtes près de vos sous. Allons-y, alors. Ce n'est pas loin.

Elle me ramena vers le marché de Covent Garden, qui était fermé, à présent, et me fit traverser la place pour atteindre une petite rue étroite. Un pub portant une enseigne avec un cheval cabré se trouvait à mi-chemin de la vieille ruelle, et Nancy m'y fit entrer.

Le pub était bondé, avec un flot de gens qui entraient et sortaient. Des hommes costauds en livrée, qui étaient probablement des valets, se trouvaient là pour prendre une bière pendant que leurs maîtres et leurs maîtresses étaient au théâtre afin d'assister à une pièce ou à un opéra. Ils risquaient leur place en faisant cela — leur maîtres ou

178

maîtresses pouvaient avoir besoin d'eux à tout moment —, mais ils paraissaient contents de tenter leur chance.

Des hommes et des femmes appartenant à la classe ouvrière et au personnel de maison s'attardaient joyeusement, parlant d'une voix forte avec leurs amis et riant de certaines anecdotes. Dans le salon à l'arrière, une serveuse entonnait une chanson entraînante. Nancy m'emmena près d'un banc à dossier installé près d'une table. Elle sourit à l'homme qui y était assis avant de se blottir contre lui et de lui plaquer un baiser sur la joue.

— Voici Jemmy. Je t'ai amené le capitaine.

Je me glissai sur le banc en face d'eux. Jemmy n'était pas un homme grand ; debout, il devait probablement faire une demi-tête de moins que Nancy, mais son manteau noir, brillant à force d'avoir été porté, collait à ses larges épaules et ses muscles saillants. Ses cheveux bruns étaient gras et tombaient mollement sur son front. Un grand sourire à l'attention de Nancy s'afficha sur son visage large, révélant des canines aux pointes élimées.

Jemmy tendit la main, et une odeur de transpiration et de bière me submergea.

— Eh bien, me voilà, capitaine. Que me voulez-vous ?

Une serveuse potelée déposa une chope de bière chaude devant moi. Elle me sourit, dévoilant deux dents manquantes, ignora le cocher et Nancy, et repartit.

— Garce, murmura Jemmy.

— Oh, Jemmy, tu n'as pas besoin d'elle. Tu m'as *moi*.

Nancy se glissa sous son bras. Il encercla ses épaules, laissant reposer ses doigts à quelques centimètres de ses seins.

J'avais prévu de questionner Jemmy de manière subtile, mais je n'étais pas doué pour ce qui n'était pas la vérité flagrante. De plus, la façon dont il touchait Nancy m'irritait au plus haut point.

— Vous étiez le cocher de la famille Carstairs, dis-je sans préliminaire.

— Ouais. Et alors ?

— Vous êtes un jour allé chercher Mlle Jane Thornton et sa femme de chambre, sur la rue Strand, pour qu'elles passent l'après-midi à faire les magasins avec la jeune Mlle Carstairs.

Il hésita un long moment.

— Qui vous a dit ça ?

— Je le sais. Beaucoup de gens le savent.

Une lueur d'inquiétude brilla dans ses yeux.

— Ils m'envoyaient faire toutes sortes de courses pour cette petite garce gâtée. Je ne me souviens pas de chacune d'elles. Je lui tournais le dos et je l'accompagnais.

Je poursuivis impitoyablement.

— Ce jour-là, vous êtes allé chercher Mlle Thornton et sa femme de chambre, mais quand vous êtes arrivé à la maison des Carstairs, elles n'étaient plus là.

Son regard se fit méfiant.

— Je sais ça. Elles sont montées, mais il n'y avait aucun signe d'elles au moment où j'ai ouvert la porte devant la maison sur la rue Henrietta. J'en suis tombé des nues.

— Vous ne l'avez jamais vue descendre de la voiture ?

— Qui ?

Sa bouche se pinça.

— Mlle Thornton.

— Oh, elle. Avez-vous déjà conduit une voiture, capitaine ? Il faut diriger l'attelage et faire attention aux autres voitures et chariots qui n'ont pas le droit de se trouver dans les rues. Ils bloquent vos roues et vous êtes fait. Je n'ai pas le temps de surveiller ce que font mes passagers.

— Ou les passagers ne sont peut-être pas montés dès le départ.

Sa bouche se durcit.

— Qui vous a dit cela ? C'est un tissu de mensonges.

Je me penchai vers lui, la vapeur de ma bière éventée m'enveloppant. Je ne faisais que des suppositions, je ne faisais que rassembler ce que m'avaient dit Aimee et la vendeuse d'oranges sur la rue Strand, mais il fallait que je tente ma chance.

— Quelqu'un vous a payé pour regarder ailleurs, ce jour-là. Pour aller sur la rue Strand, attendre quelques minutes, puis repartir. Vous deviez retourner à la rue Henrietta et prétendre que vous ne saviez pas ce qui était arrivé. Il se peut que vous ayez été payé pour y retourner, ce soir-là, pour aller chercher les jeunes femmes, pour de bon cette fois-ci, et les conduire sur la place de Hanovre.

— Je n'ai jamais fait ça. Ce sont des mensonges.

— Si ce n'est pas la vérité, en tout cas, c'en est proche.

Jemmy repoussa son verre. De la bière gicla sur la table criblée de trous et de taches.

— Qui dit ça ? Vous allez m'emmener devant les juges ? Pour leur dire quoi ? Il n'y a plus personne pour le prouver.

— Non, songeai-je. Horne est mort, et Mlle Thornton est partie. Est-ce M. Carstairs qui vous a demandé de partir ? Je parie qu'il n'a pas aimé que des gens lui posent des questions lorsque Mlle Thornton a disparu. Ou il se peut que votre réel employeur ait décidé que vous deviez quitter la maison avant que qui que ce soit ne devienne suspicieux.

— Je ne sais pas de quoi vous parlez. Je suis un cocher. Je conduis des voitures pour les aristocrates.

— Cela doit être lucratif, dis-je d'un ton ferme, mais difficile de travailler pour M. Denis.

Jemmy rougit de manière intense et soudaine, et ses yeux se remplirent de frayeur et de haine.

— C'est pour ça que vous êtes venu, pour me balancer des mensonges ? C'est pour ça que vous m'avez envoyé votre pute pour se lier avec moi ?

Il repoussa Nancy.

— Fous le camp. Je ne veux pas de toi.

— Oh, Jemmy…

— Fous le camp. Je ne veux pas te voir, compris ?

Les lèvres de Nancy tremblèrent.

— Jemmy, je ne savais pas.

— Va-t'en et emmène ton ami avec toi.

Nancy le regarda, consternée et blessée. Je me levai et lui pris le bras, la forçant gentiment à se lever, et je l'emmenai. La serveuse rougeaude me fit un large sourire et je lui jetai quelques pièces pour la bière. Elle me fit un clin d'œil et glissa l'argent dans son corsage.

Je conduisis une Nancy abattue hors du pub et dans les rues sombres.

— Ne le pleure pas, Nancy. Je suis très content que tu en sois débarrassée. Je n'aimais pas la façon dont il posait les mains sur toi.

Son visage s'illumina, même si des larmes y brillaient.

— Êtes-vous jaloux ?

— Plutôt dégoûté.

Elle s'arrêta.

— Vous trouvez que je suis dégoûtante?

— Je n'ai pas dit ça.

— Vous le pensez. C'est pour ça que vous me rejetez tout le temps.

Une autre larme coula sur sa joue.

Je lui attrapai le bras et la poussai contre le mur en briques d'une maison, à l'écart de la circulation.

— Je te prie de ne pas m'attribuer des paroles. J'ai trouvé ton cocher dégoûtant. Je ne trouve pas que tu le sois, et je suis content que tu en sois débarrassée.

— Oh.

Elle m'observa longuement.

— J'ai pris un bain. Je me suis lavée complètement.

— Vraiment? demandai-je, médusé.

— Parce que vous aimez les filles qui se lavent. Ce n'était pas un savon raffiné, mais je sens le propre, n'est-ce pas?

Elle agita la main sous mon nez. Je la repoussai.

— Nancy.

— Vous ne devrez pas me payer pour ça. Ni pour avoir trouvé Jemmy, parce qu'il s'est avéré être un vrai salaud.

Elle fit glisser le doigt le long du revers de ma veste.

— Vous me plaisez, vous savez. C'est pour cela que je n'arrête pas de vous taquiner.

Je n'arriverais jamais à lui faire comprendre. Nous n'étions pas du même monde, même si les frontières se touchaient de temps en temps.

— Nous avions un marché. Deux shillings pour retrouver le cocher pour moi. Voilà.

Je déposai les pièces dans sa main.

— Rentre chez toi et passes-y le reste de la nuit.

— Et me faire frapper par mon père pour être rentrée trop tôt ? Mais vous vous en fichez royalement.

— Je me fais du souci.

— Si c'était le cas, vous me prendriez pour vôtre.

Son regard brun se mesura au mien. Je le soutins, désireux de pouvoir l'aider — pas de la façon qu'elle désirait, mais de façon à ce qu'il ne lui arrive rien de mal. Néanoins, un homme sans argent est impuissant à Londres. Je détournai les yeux.

— Pas pour deux sous, dit-elle. Je me fiche de *vos* grands airs. Vous ne valez pas mieux qu'eux. Et à cause de vous, j'ai aussi perdu Jemmy.

Elle se dégagea de mon poignet et s'enfuit.

— Attends.

Je pourrais emmener Nancy chez Louisa. Louisa n'était pas une fleur craintive. Elle pourrait faire quelque chose pour elle, la former, lui donner une personnalité, lui trouver un travail.

Nancy m'ignora et continua à courir. Je me lançai à sa poursuite. Un chariot bruyant, conduit par un cinglé, surgit entre nous deux. Une fois passé, Nancy était déjà très loin, se faufilant entre les groupes de gens pressés. Je ne la rattraperais jamais. Avec ma jambe boiteuse, je ne faisais pas le poids contre une jeune fille en bonne santé.

Je rentrai chez moi. Je la reverrais. Le marché de Covent Garden et les rues alentour étaient les lieux de prédilection de Nancy ; nos routes se croiseraient rapidement.

Si j'avais su en quelle circonstance je la reverrais, je me serais lancé à sa poursuite sur-le-champ, envoyant au diable ma jambe et les rues de Londres. Mais personne ne s'attend à ce que la vie soit aussi capricieuse.

Chapitre 14

Le lendemain matin, je retournai sur la place de Hanovre. Le numéro 22 semblait fermé : les rideaux étaient tirés et le seuil de la porte non balayé. Les jolies maisons de chaque côté irradiaient leur désapprobation. Le fait qu'un meurtre, qui plus est un meurtre de cette sorte, avait eu lieu en leur sein était une chose intolérable.

J'avais écrit à Grenville pour lui demander qui était l'héritier de Horne, et j'avais trouvé la réponse à la fois dans sa lettre et dans les journaux. Le cousin de Horne, un dénommé Mulverton, était arrivé en ville pour enterrer Horne. Je me demandais s'il s'empresserait de vendre la maison et s'il connaissait les circonstances de la mort de son cousin. Je me demandais s'il s'agissait d'un homme pauvre qui se débarrasserait avec joie de son cousin afin d'hériter d'une élégante maison dans Mayfair et de tous les revenus qui allaient avec.

Je frappai à la porte. Personne ne vint. Les maisons voisines m'observaient dans un silence pesant. Je me penchai au-dessus de la rambarde et scrutai la porte de l'arrière-cuisine. Dans l'obscurité, je sentis un mouvement, même s'il était possible que ce ne soit qu'un chat.

Je descendis l'escalier rendu glissant par la bruine. Je ne vis personne, mais j'entendis un faible clic, comme si un loquet avait été fermé.

Je frappai à la porte épaisse de l'arrière-cuisine. Ici même, sous la rue, l'odeur de poisson et d'eaux sales flottait perceptiblement dans l'air humide.

La porte s'entrouvrit et les yeux effrayés du jeune valet, John, apparurent.

Il expira.

— Oh, c'est vous, Monsieur. Je pensais que c'étaient les policiers qui revenaient pour moi.

— Pourquoi le feraient-ils ?

John ouvrit la porte, puis j'enlevai mon chapeau et entrai dans la cuisine glaciale.

— Ils pourraient m'arrêter moi aussi. M. Bremer leur a peut-être dit que j'ai tué le maître.

— Et l'avez-vous fait ?

Ses yeux s'arrondirent.

— Non !

— Je ne pense pas non plus que Bremer l'ait fait.

La table de la cuisine était encombrée de boîtes, de sacs, de bols et de cuillères en cuivre. Le reste gisait sur le sol crasseux à la suite du départ précipité de la cuisinière.

— Pourquoi l'ont-ils arrêté, alors ? demanda John en refermant la porte.

— Parce qu'ils n'avaient personne d'autre à arrêter. Où se trouve le reste des domestiques ? Pourquoi êtes-vous encore là ?

Il cligna des yeux, et je compris que je lui avais posé trop de questions à la fois.

— Le nouveau propriétaire, le cousin du maître, est venu aujourd'hui prendre possession de la maison. Il m'a demandé de tout emballer et de tout déblayer afin qu'il puisse vendre la maison. Il n'aime pas les biens de M. Horne.

Je ne pouvais l'en blâmer. Le mobilier sinistre, les mauvais tableaux et les frises égyptiennes m'auraient aussi tapé sur les nerfs.

J'appuyai ma hanche contre le buffet et l'observai reprendre son travail sur la table.

— Quand est arrivé le cousin ?

— Hier, Monsieur.

— Est-il présent ?

— Non, Monsieur. Il était là et est reparti.

— Où est-il allé ? Rentré chez lui ? Ou loge-t-il en ville ?

John déposa des cuillères en cuivre qui s'entrechoquèrent dans une caisse et déposa un plateau par-dessus.

— Il n'a rien dit. Non, un instant, c'est faux. Il a dit qu'il avait pris une chambre. Au Saint-James.

Il laissa échapper un long soupir.

— Il veut vendre la maison au plus vite. Dès que j'aurai fini ici, je n'aurai plus de travail. C'était un bon travail, en plus.

Je croisai les bras.

— Et les autres bonnes, Grace et Hetty ? Où sont-elles allées ?

— Je n'en sais rien, Monsieur. Hetty est partie le lendemain du meurtre. Elle a dit qu'elle allait chez sa mère. Je n'ai pas vu Gracie.

— Est-ce que Grace a de la famille ou des amis chez qui elle aurait pu aller ?

— Elle a une sœur.

Je sentis grandir mon impatience.

— Savez-vous où elle vit ?

— Près de Covent Garden. Je l'ai ramenée chez elle, un jour. Une rue qui s'appelle l'avenue Rose.

Je sentis une pointe d'irritation. L'avenue Rose se trouvait une rue plus loin que l'avenue Grimpen. La fille se trouvait sous mon nez depuis plusieurs jours.

— Et le valet ? demandai-je.

John grommela.

— Marcel ? Le monsieur d'à côté l'a engagé. Il avait un œil sur Marcel depuis son arrivée ici, il y a trois mois. Dès qu'il a entendu que notre maître était mort, Marcel est parti, enjoué, et a pris son nouveau poste le soir même.

Le monsieur d'à côté devait avoir fait à Marcel une offre qui ne se refusait pas. Je me demandai si le valet s'était dépêché de se dissocier du crime ou s'il avait simplement sauté sur une offre de travail lucrative. John avait raison, il était difficile pour les domestiques de trouver de bonnes places. Cependant, si Marcel avait quelque chose à voir avec le meurtre de Horne, pourquoi n'était-il pas parti plus loin que la porte d'à côté ?

— Quel est le nom de ce monsieur ? demandai-je.

— C'est un noble. Lord Berring. Un vicomte, ou quelque chose du genre.

— Sur la droite ou sur la gauche ?

— Monsieur ?

— Quelle maison ? La maison de droite ou de gauche quand vous êtes face à elles ?

John cligna des yeux pendant un instant, puis il tendit la main en direction du mur qui se trouvait au sud. Celle de gauche.

— Et qui habite dans la maison de droite?

John me fixa un moment, puis à ma surprise, il m'adressa un large sourire.

— Un monsieur dénommé Preston. Jamais à la maison. Mais son fils est là, par contre.

Je me souvenais de la première fois que je m'étais tenu devant le numéro 22, tandis que Thornton était en train de jeter des briques contre la maison et de crier son désespoir. Le rideau de la fenêtre au premier étage du numéro 23 avait bougé, la personne se trouvant derrière celle-ci s'intéressant davantage à ce qui se passait à l'extérieur qu'à sa propre sécurité.

— Qui est le fils? demandai-je.

John gloussa.

— Le jeune Maître Philip. Il aime bavarder, Monsieur, chaque fois que je passe. Il n'a pas beaucoup de gens à qui parler, pauvre bougre.

J'emmagasinai cette information, me disant qu'un homme qui aimait regarder par la fenêtre pourrait s'avérer utile.

— Merci, dis-je, et je pivotai pour repartir.

— N'êtes-vous pas à la recherche d'un valet? demanda John avec mélancolie. Je sais m'occuper de plusieurs tâches. Sauf le jardin.

Je secouai la tête.

— Si j'entends quelque chose, où puis-je vous contacter?

— Oh, je retourne également auprès de ma mère. Sur Haymarket. Elle voulait tellement que je travaille. Elle pense que je suis un voyou inutile. Elle a peut-être raison.

Il s'arrêta quelques instants.

— Qu'est-il arrivé à la jeune fille, Monsieur? Celle qui s'appelle Aimee.

Je levai les sourcils.

— Aimee est partie vivre chez sa tante.

John soupira et déposa un sac bien rempli dans la caisse.

— Je lui ai dit que si elle voulait de moi, elle n'aurait qu'à m'envoyer un mot. Elle ne l'a jamais fait.

Je n'en fus pas surpris. Aimee voulait certainement laisser loin derrière elle tout ce qui était associé à la maison de Horne.

— Elle a besoin de temps pour guérir, suggérai-je. Quand elle se sera reposée et guérie, elle se souviendra peut-être de vous.

J'en doutais fortement, mais il avait vraiment besoin des miettes que je lui offrais.

Le visage de John s'illumina.

— C'est possible, Monsieur. Je peux patienter.

Je me demandai, pendant une fraction de seconde, si John avait tué son maître par jalousie et par colère pour Aimee. C'était un jeune homme grand et fort qui aurait pu facilement maîtriser Horne, qui était plus petit, et le poignarder d'un coup rapide.

Mes spéculations en restèrent là. Je ne pouvais pas imaginer John attendre calmement que le corps soit découvert, ni attendre encore davantage avant que l'on ne retrouve Aimee. Il aurait pu fracasser la porte de l'armoire et l'emmener au milieu de la nuit.

Je lui dis au revoir et quittai la cuisine par l'arrière. Alors que je fermais la porte, John déposait une brassée de tasses dans une caisse où elles atterrirent dans un fracas de porcelaine. Il posa brusquement un pot en cuivre sur le tas.

Je remontai vers la rue. La pluie tombait plus fort et les nuages bas obscurcissaient la journée. Je marchai jusqu'à la maison de gauche, les épaules recroquevillées pour me protéger de la pluie.

Je ne connaissais pas le vicomte Berring, et lui rendre visite sans avoir été présenté ou sans rendez-vous, en particulier à cause de son titre de noblesse, serait réellement impoli. Il me verrait comme un rustre grossier, mais je devais faire fi de l'étiquette afin de poursuivre mon enquête.

Son valet, qui semblait avoir un peu plus de jugeote que John, prit ma carte, me conduisit dans un salon et disparut.

Cette maison était identique à celle de Horne du point de vue de la disposition des pièces — un bel escalier d'un côté de la maison et deux grandes pièces de l'autre —, mais la similitude s'arrêtait là. Berring avait décoré sa maison avec des tableaux de goût et des meubles confortables et élégants. Je sentais une touche féminine dans la décoration, évidente dans les coussins brodés et les tons pastel, le tout formant un ensemble chaleureux.

Le valet réapparut et, à ma grande surprise, m'invita à le suivre.

Tout en haut, sur le palier du dernier étage de la maison, une petite fille, une autre légèrement plus âgée et une femme, certainement leur mère, m'observaient avec une curiosité non dissimulée. Je les saluai, et les deux petites filles gloussèrent. La femme m'adressa un léger sourire.

Une vague de solitude, non recherchée et presque accablante, me submergea. La vision d'une très petite fille, vue il y a bien longtemps, m'apparut, et je fus ramené dans le passé pendant quelques instants. Je sentis la chaleur du soleil sur mon visage, aperçus l'éclat de l'or dans les cheveux de ma fille, puis la vit me sourire et me tendre ses petites mains.

L'obscurité glaciale de Londres me ramena dans le présent. Cette froideur se moquait de moi, me rappelant tout ce que j'avais perdu. Je détournai rapidement les yeux et suivis le valet dans le couloir du premier étage.

Le vicomte Berring me reçut dans une pièce lumineuse qui donnait sur la place. C'était un homme d'âge moyen, mince et droit, qui avait les cheveux gris. Il me tendit la main.

— Capitaine Lacey? J'ai entendu parler de vous.

Je lui serrai poliment la main.

— Je vous prie de m'excuser pour cette intrusion, dis-je. C'est en fait votre valet, Marcel, que je suis venu voir.

Berring me regarda avec une lueur d'étonnement et d'inquiétude dans les yeux.

— Ne me dites pas que M. Grenville vous a envoyé pour le persuader de me quitter. Je paie très bien cet homme — c'est un brillant valet —, mais je ne pourrais jamais lui offrir la même distinction qu'il aurait en travaillant pour M. Grenville.

— Grenville n'a pas besoin de valet, pour autant que je sache. Je voulais interroger Marcel au sujet de son précédent maître, M. Horne.

Berring fit une grimace.

— C'est une sale affaire. Ce soir-là, mes valets de pied ont dû repousser les journalistes à bras-le-corps. Des gens irrespectueux. Qu'avez-vous à voir là-dedans?

— J'essaie de découvrir qui l'a tué.

Il leva les sourcils.

— Pourquoi donc? N'est-ce pas à cela que servent les policiers et les agents de la rue Bow? Oh, admettez-le, ils peuvent le faire. Mais vous devez déjà savoir que le majordome de Horne a été arrêté. Marcel m'a tout raconté. Il n'y a rien de plus à découvrir.

— Cependant, je pense que Bremer ne l'a pas tué. Et que le meurtrier n'a pas été trouvé.

— Bon sang !

Berring regarda ses coussins comme si le meurtrier pouvait se cacher derrière ceux-ci.

— En êtes-vous certain ?

— Presque certain, dis-je. Si je peux trouver un autre coupable, je pourrai convaincre les juges.

— Mais vous n'êtes certainement pas obligé de vous occuper vous-même de cette affaire, n'est-ce pas ?

Je comprenais ce qu'il voulait dire. Un gentilhomme ne se salissait pas les mains à poursuivre des criminels ou à résoudre des crimes.

— J'ai bien peur que personne d'autre ne s'en occupe. Le jour de la mort de Horne, auriez-vous remarqué quelqu'un rentrer ou sortir de la maison ?

Il secoua la tête.

— Nous n'étions pas là, ce jour-là, ce qui est une bénédiction. Nous étions partis à Windsor pour rendre visite à la famille de mon épouse. Son père a une excellente cave à vins.

— Mais vous êtes rentrés ce soir-là.

— Très tard. Il y avait un véritable boucan dans la maison d'à côté. Mon valet est revenu en vitesse pour m'apprendre le meurtre, et je nous ai enfermés, mes filles, mon épouse et moi-même, à double tour, je dois vous l'avouer.

— Après avoir envoyé quelqu'un chercher le valet de Horne.

Deux taches rouges marquèrent ses joues.

— J'avais un œil sur cet homme depuis que mon propre valet était parti afin de se marier. Les talents de Marcel étaient inutiles avec un homme tel que Horne. Je ne voyais pas pourquoi je ne pourrais pas l'engager sur-le-champ.

— Mais il aurait pu avoir tué Horne.

— Non, non, non. Impossible. Il avait été absent toute la journée, m'a-t-il dit. Il est arrivé chez Horne une heure après notre arrivée et a retrouvé son maître mort. Il a immédiatement accepté mon offre.

J'envisageai un instant la possibilité que Lord Berring ait tué Horne pour son valet, puis j'écartai cette idée.

— Je me demandais si vous m'autoriseriez à parler à Marcel.

Berring parut surpris.

— Lui parler ? Il ne peut vous en dire davantage que moi-même.

— J'aimerais quand même lui poser une ou deux questions.

— Très bien. Je suppose que cela ne peut pas faire de mal.

Il se leva et tira sur la corde de la cloche, son expression reflétant la perplexité.

— Désirez-vous un peu de porto en attendant ?

Marcel était un Français, jeune, grand et mince, avec un long nez étroit et des yeux bruns écartés. Il me regarda d'un air strict et poli, son maintien parfait révélant à peine un soupçon de curiosité.

— Oui, Monsieur ?

Berring fit un signe de la main dans ma direction.

— Voici le capitaine Lacey. Il veut vous poser quelques questions.

Marcel pivota de quarante-cinq degrés et me fit face.

— Oui, Monsieur ?

J'avais espéré parler à Marcel en privé, mais Berring me tendit un verre de porto, puis s'installa dans le fauteuil et nous regarda avec intérêt. Je devrais m'en contenter.

— Le jour où votre ancien maître est mort, commençai-je, vous étiez absent.

— Oui, Monsieur.

Marcel avait un accent très léger et prononçait parfaitement l'anglais.

— J'étais absent toute la journée. Je suis arrivé à la maison à vingt et une heures, et j'ai appris qu'il avait été tué. Le personnel était complètement ébranlé.

— Et qu'avez-vous fait ?

— Je suis monté à l'étage, j'ai fait mes bagages et je suis venu ici. Monsieur m'avait gentiment offert une place au cas où je quitterais M. Horne, et je suis venu ici pour lui demander s'il voulait toujours de mes services. C'était le cas, et j'ai immédiatement pris mon poste.

— Vous avez été rapide.

Marcel fit un geste d'indifférence.

— M. Horne était mort, que pouvais-je faire ?

— Est-ce que les policiers vous ont interrogé ?

— Bien sûr. L'homme, le détective, était assez dur. Il m'a posé un tas de questions sur l'endroit où j'étais allé et ce que j'avais fait.

— Et que lui avez-vous dit ?

— Que ce que je faisais pendant mon jour de congé ne regardait que moi, mais que je n'étais pas rentré à la maison. Comment aurais-je pu savoir ce qui s'était passé ?

— Vous n'êtes pas revenu de toute la journée ?

— Non, Monsieur. J'étais parti à Hampstead. Je suis rentré très tard. J'avais peur que M. Horne soit en colère.

— Était-il souvent en colère contre vous?

— Non, Monsieur. Il se mettait rarement en colère. Mais il avait ses habitudes et n'aimait pas en changer. À dix heures, il aimait que je lui serve un verre de porto et que je l'aide à se déshabiller.

— Tous les soirs? Ne sortait-il pas?

— Pas souvent, Monsieur. Il aimait rester à la maison.

— Vous étiez donc au courant pour Lily et Aimee.

Marcel devint blême, puis le rouge lui monta aux joues, mais il garda son calme.

— Oui, j'étais au courant pour elles.

Je sentis monter en moi un accès de rage. Comme le reste du personnel, Marcel avait su et avait cautionné ce qui se passait en silence.

— Et pourtant, vous n'avez rien dit?

Marcel me regarda droit dans les yeux.

— Si vous voulez que je sois franc, Monsieur, c'est ce que je vais faire. Je trouvais M. Horne dégoûtant. Je préfère de loin être le valet de Monsieur. Mais M. Horne me payait pour regarder ailleurs; je regardais donc ailleurs.

Je me tapotai les doigts.

— Avez-vous été surpris que quelqu'un ait tué M. Horne?

— J'ai été très surpris, Monsieur. Ce n'était pas un gentilhomme des plus raffinés, mais beaucoup d'hommes ne le sont pas. Je ne voyais pas en quoi ce serait une raison de le tuer. Tuer quelqu'un demande une grande colère ou une grande haine. Seul un fou en aurait en suffisance pour être capable de tuer.

— Vous pensez que le meurtrier devait être fou ?

— Il devait l'être, Monsieur.

Berring leva les yeux qui exprimaient la peine.

— En avez-vous terminé, capitaine ? Cette conversation à propos de meurtre me rend vraiment malade.

— Encore une question, Marcel. Est-ce que M. Denis lui rendait souvent visite ?

Marcel cligna des yeux pendant quelques secondes.

— M. Denis ? Non, Monsieur, il ne venait jamais lui rendre visite. Quand il voulait communiquer avec M. Horne, il envoyait quelqu'un. Je crois que M. Horne lui devait une grosse somme d'argent.

— Il est venu, ce matin-là. Avant que M. Horne ne soit assassiné.

Marcel écarquilla les yeux.

— Vraiment, Monsieur ? C'est très surprenant.

Je le regardai silencieusement pendant un moment. Marcel enfouissait ses émotions, mais il ne les camouflait pas. J'étais certain que Pomeroy avait fait des vérifications concernant les endroits où était allé Marcel à Hampstead, question de s'assurer que l'homme était réellement allé là où il l'avait dit.

— Je vous remercie d'avoir répondu à mes questions, terminai-je.

Lord Berring fit un signe de tête à Marcel, qui s'inclina et s'en alla.

Je me décourageai en me rendant compte que Marcel n'en savait pas beaucoup plus que moi. Dommage que la famille de Lord Berring soit allée à Windsor, ce jour-là. Le groupe de curieuses que j'avais vues en haut de l'escalier aurait certainement vu les allées et venues dans la maison d'à côté. Cependant, je doutais que M. Berring me laisse interroger son épouse et ses filles, qu'elles aient été ou non chez elles à l'heure du meurtre.

— Merci, dis-je à Berring. Je ne prendrai pas davantage de votre temps.

Lord Berring me fit signe de me rasseoir.

— Ne dites pas de sottises, cher ami. C'est un jour ennuyeux. Prenez encore un peu de porto et restez un peu pour bavarder. Mais ne parlons plus du meurtre, voulez-vous ? Cela aggrave horriblement ma dyspepsie.

Chapitre 15

Après trois quarts d'heure de conversation ininté-ressante avec Lord Berring, je m'en allai. J'avais essayé de lui soutirer la moindre information concernant Jane Thornton et Aimee, mais il m'avait regardé d'un air perplexe et m'avait dit qu'il ne savait rien à propos de tout cela. Il se pouvait qu'il soit un acteur talentueux, mais j'en doutais.

Avant de quitter la place de Hanovre, je tentai ma chance et frappai à la porte du numéro 23. Un valet répondit :

— M. Preston n'est pas à la maison, Monsieur.

— Je suis venu voir Maître Philip, répondis-je.

Je lui tendis ma carte.

Le valet l'étudia avec curiosité, puis m'examina.

— Maître Philip n'est pas là non plus, Monsieur. Il est sorti en voiture pour prendre l'air.

Je chassai une pointe d'impatience, mais je ne pouvais pas faire grand-chose. Je ne connaissais pas la famille et je pouvais difficilement forcer le passage afin d'attendre à l'in-térieur. Je me forçai à hocher la tête.

— Je vous prie de dire à Maître Philipe que je suis venu lui rendre visite et que je lui écrirai pour prendre rendez-vous.

Le valet me regarda d'un air sceptique, mais il hocha la tête.

— Oui, Monsieur.

Ensuite, je repris la route pour rentrer chez moi, ayant l'intention de recommencer à chercher Jane et de planifier la façon dont j'arriverais à être présenté au cousin de Horne, Mulverton. Ensuite, il faudrait également décortiquer l'affaire Charlotte Morrison. Néanmoins, la voiture de Grenville se trouvait rue Russel, dans le haut de l'avenue Grimpen, et son valet m'informa poliment que Grenville m'attendait à son club.

Les convocations arbitraires de Grenville commençaient à m'agacer, mais il pourrait me fournir des informations au sujet de Mulverton. Je laissai le valet m'aider à monter dans la voiture. Le moyen de transport était réellement luxueux, avec des parois somptueuses et tuftées, et était garni de coussins moelleux. Il était tellement bien matelassé que les pavés durs de Londres me secouaient beaucoup moins que dans n'importe quel autre fiacre. Je reposai mon pied sur le siège rembourré et me laissai aller à profiter de ce confortable voyage.

Je descendis rue Saint James et me frayai un chemin au milieu de la pluie et du brouillard bas jusqu'au club Brooks. Très peu de gentilshommes y étaient présents aussi tôt dans l'après-midi. Le club se remplirait et serait plein à craquer plus tard dans la soirée, quand des hommes viendraient risquer leur fortune, leurs domaines et la réputation de leur famille sur une partie de cartes. Même à cette heure-ci, les plus fervents joueurs étaient assis dans la salle de jeu, penchés au-dessus de tables au tapis vert et tentaient leur chance au macao ou au whist.

Je demandai à voir Grenville, et l'on me désigna l'un des petits salons. Trois gentilshommes, la nuque cachée par un col blanc amidonné, se tenaient devant la fenêtre et émettaient des commentaires sur les personnes qui passaient plus bas. Grenville trônait sur une bergère, près du feu, face à deux jeunes dandies avides, un jeune lord et M. Gossington, une commère de première qui ne s'intéressait qu'à ses habits et au sport.

— … gilet vert citron, entendis-je dire Gossington en m'approchant. Et son pantalon était tellement bouffant qu'il devait se mettre de côté pour entrer dans une pièce. Franchement.

Grenville m'aperçut et leva la main pour l'interrompre.

— Veuillez m'excuser, Monsieur. Je dois parler affaires avec le capitaine Lacey.

Son audience me lança des regards froids. Gossington leva son verre d'un air narquois et m'examina au travers de celui-ci, de la tête aux pieds.

Grenville se leva, me salua et me conduisit dans une pièce vide derrière le petit salon. Il ferma la porte.

— Gossington s'imagine qu'il est le spécialiste de la mode quand Brummel est hors de portée de voix, mais il en est loin. Pourtant, Brummel est sur le point de se retrouver dans la Fleet.

Je ne m'intéressais pas, à ce moment-là, à ce dandy criblé de dettes, puisque je ne pouvais pas savoir qu'un mois plus tard, George Brummell quitterait tranquillement l'Angleterre et ses créanciers et ne serait plus jamais vu à Londres.

Grenville me fit face.

— Vous ne m'avez pas tenu informé de ce que vous faites. Quel est notre plan d'action ?

Je n'avais pas compris que nous avions décidé d'en avoir un. Je lui racontai que j'avais commencé à écumer les bordels à la recherche de la moindre trace de Jane Thornton, ce que j'avais appris du valet et de John, ainsi que mon projet de parler à Mulverton.

Grenville secoua la tête.

— Mulverton pourrait l'avoir assassiné pour l'héritage, mais il ne sait probablement rien de Mlle Thornton. Non, je parie que nous devrons compter sur la récompense.

J'en convins en silence.

— Avons-nous reçu d'autres réponses à notre annonce ?

— Un bon paquet. Aucune n'avait une idée de l'endroit où peut se trouver Jane. Ils ont senti la récompense, c'est tout.

— Donc, c'était une perte de temps, dis-je platement.

— Pas nécessairement. Je garde espoir. Nous avons découvert la disparition simultanée de Charlotte Morrison. Que devrions-nous faire de cette affaire ?

Je repensai au contenu des lettres de Charlotte. Nous en avions un peu parlé sur le trajet du retour de Hampstead, mais nous n'en avions tiré aucune conclusion.

— Cela vaudrait peut-être la peine de contacter cette Geraldine Frazier dans le Somerset, dis-je. Charlotte lui a peut-être révélé quelque chose d'important dans les lettres qu'elle n'a pas recopiées.

Grenville se tapota les doigts.

— L'un de nous devrait aller dans le Somerset et lui parler en personne. Je pourrais me charger de cette tâche pendant que vous restez à Londres et continuez à chercher Mlle Thornton.

— Il se pourrait que tout cela ne soit qu'un faux espoir, une mauvaise piste. Vous pourriez faire tout ce voyage jusque dans le Somerset pour rien du tout.

Grenville haussa les épaules, écartant les mains.

— Charlotte est peut-être allée là-bas elle-même. Ou bien les gens qui la connaissaient — des amis, des villageois — pourraient avoir une idée de l'endroit où elle irait si elle devait s'enfuir.

— Et si ce n'est pas ce qu'elle a fait ?

— Dans ce cas, nous continuerons à chercher.

Je me calai sur mon siège, fronçant les sourcils.

— Vous semblez avoir hâte de traverser l'Angleterre sur la base d'une simple possibilité.

— Je ne tiens pas en place. Londres a perdu de son attrait.

J'écarquillai les yeux.

— Vous n'êtes en ville que depuis janvier. Cela fait quoi, quatre mois ?

— Moquez-vous de moi si vous voulez. Je vous ai dit pourquoi je voulais vous aider.

— Oui, votre grande lassitude de la vie.

Grenville se releva brusquement.

— Bon sang, Lacey. Je pourrais vraiment découvrir quelque chose d'utile. Peut-être que je me rachèterais à vos yeux si je le faisais.

Je clignai des yeux.

— Que voulez-vous dire par là, bon sang ?

— Je veux dire que vous me désapprouvez. Je suis frivole et trop riche, et les gens de Londres m'adulent démesurément. Je suis d'accord avec vous. Je veux vous prouver que vous avez tort.

Je le regardai, ébahi.

— Je n'ai jamais rien dit de tel.

— Vous n'avez pas à le faire. Cela se lit sur votre visage chaque fois que vous me regardez.

— Je pense peut-être à la femme qui vit au-dessus de chez moi, qui doit couper chaque penny en deux et qui doit même se résoudre à me chaparder du charbon et des bougies.

— Alors que je m'achète une paire de bottes à cinquante livres.

— Quelque chose dans le genre.

Grenville resta un long moment silencieux. Quand il me regarda, je vis une nouvelle expression dans ses yeux, mais je n'étais pas certain de savoir ce qu'elle signifiait.

— Si je lui offrais cinquante livres, demanda-t-il, les accepterait-elle ?

Je pensai à Marianne, à ses beaux sourires et à ses yeux avides.

— Elle est cupide et avide, mais c'est la vie qui l'a rendue ainsi. Je serais prudent. Elle pourrait penser que vous voulez devenir son protecteur.

Grenville sembla affligé.

— Je lui ferai peut-être un don anonyme et me donnerai le nom de philanthrope secret. Mais il y a une autre raison pour laquelle je veux vous aider.

— Quelle est-elle ?

Il sourit, ses lèvres s'affaissant pour retrouver leur courbe ironique naturelle.

— J'ai parié une somme plutôt importante sur le fait que vous résoudriez le meurtre de Horne et que vous retrouveriez Jane. Si je perds ce pari, je ne pourrai plus faire de dons à votre voisine du dessus. Il est donc de mon intérêt de vous aider autant que possible.

✳ ✳ ✳

Je quittai le Brooks et ressortis sous la pluie. Je devais admettre que le voyage de Grenville serait d'une grande aide. J'aspirais moi-même à interroger les amis de Charlotte, mais je pouvais difficilement me permettre de traverser l'Angleterre simplement pour parler à quelqu'un. Si Grenville voulait y accorder du temps et de l'argent, je ne l'en empêcherais pas. De plus, son départ coïnciderait avec mon rendez-vous le lendemain avec Denis. Je n'avais pas pris la peine d'en parler à Grenville. Il ne ferait que décaler son voyage, et je voulais rencontrer Denis sans lui.

Le Guard's club, qui se trouvait dans la rue Saint James, avait été fondé par les membres de la Garde à pied. Les hommes de la cavalerie, pour ne pas être en reste, se retrouvaient dans un café, derrière le coin. Je me retrouvai devant le café avant même d'avoir décidé de ce que je ferais ensuite, et je plongeai dans l'intérieur sombre.

Je parcourus les pièces du regard. Le lieutenant Gale ou son commandant pouvaient s'être arrêtés ici pour prendre une bière chaude ou du café, et je voulais demander, encore une fois, qui avait ordonné à Gale de mettre fin aux troubles sur la place de Hanovre. J'arriverais peut-être à tirer les vers du nez de l'un d'eux.

Ma colère due au coup de feu sur Thornton et à l'enlèvement de Jane n'avait pas encore faibli. L'impuissance de cette famille et la souffrance réelle d'Alice, leur bonne, hantaient mes nuits. Ils étaient abattus et oubliés. Même si les juges s'intéressaient énormément au meurtre de l'ignoble Josiah Horne, personne ne se souciait que la fille d'un simple employé ait été déshonorée et violée par ce même Josiah Horne. Gale et le jeune cornette Weddington, après avoir ajouté davantage de souffrance dans la famille Thornton, s'en étaient lavé les mains et étaient repartis. Si je devais revoir un jour le cornette Weddington, je pourrais me montrer violent.

Heureusement pour Gale, Weddington et mon tempérament, aucun des deux ne se trouvait à l'intérieur. Par contre, je tombai sur Aloysius Brandon.

Le mari de Louisa Brandon avait cinq ans de plus que moi et avait été mon officier commandant depuis l'époque où j'étais un jeune homme inexpérimenté. Ses cheveux foncés commençaient seulement à être parsemés de cheveux blancs, mais ses yeux bleu clair renfermaient encore le même feu que celui qui m'avait poussé à le suivre, il y a bien longtemps, le jour où il m'avait convaincu de quitter ma vie infructueuse et de m'aventurer avec lui dans l'inconnu.

Ces jours-ci, il paraissait nerveux, ce qui était dû aux incidents entre nous, à sa lassitude dans la vie civile et au fait qu'il n'avait pas d'enfant, ce qui revenait à dire que sa fortune et sa jolie demeure reviendraient à un cousin dissipé qu'il méprisait.

À cause de son corps bien bâti et de la beauté des traits de son visage, des serveuses dans tout Londres rivalisaient pour obtenir ses faveurs, mais il n'y prêtait pas attention. Brandon ne manifestait pas ouvertement son amour pour sa femme, mais il était en lui, brûlant et profond. J'avais découvert un jour, en Espagne, à quel point il l'aimait, et je crois qu'il avait lui-même prit conscience de l'étendue de son amour ce même jour.

Avant ce moment fatidique, nous avions partagé des guerres et des marches épuisantes, des joies et des peines, et nous avions, autrefois, été aussi proches que deux frères. Nous étions, à présent, d'implacables ennemis, prétendant, en public, être encore des amis.

Nous nous regardâmes dans un silence tendu. On pouvait lire dans les yeux de Brandon de l'appréhension, de la colère et de l'impatience.

— Lacey.

— Monsieur.

Trois hommes faisant partie de nos connaissances s'arrêtèrent à ce moment-là pour nous saluer. Le soulagement de Brandon fut palpable lorsqu'il se tourna pour leur parler. Quand ils nous dirent au revoir et s'en allèrent, le silence se fit de nouveau pesant.

Brandon fit un signe en direction de la chaise à ses côtés.

— Installez-vous et prenez un peu de porto avec moi.

Sa main trembla, puis se calma. Il voulait que je refuse, que je m'en aille et retourne dans la ruelle grisâtre.

Je décidai de le punir. Je m'assis.

— Merci. Avec plaisir.

Brandon sursauta une fraction de seconde, puis commanda à voix haute du porto et de l'eau. Nous restâmes sans parler jusqu'à ce qu'un serveur apporte une carafe, un petit bol et un saupoudreur rempli de sucre. Je pris mon vin pur, avec seulement un peu d'eau, mais Brandon tamisa une grande quantité de sucre dans son verre et versa le liquide foncé par-dessus.

Il prit une gorgée de la décoction et me regarda d'un air désapprobateur.

— Donc, vous vous êtes mêlé du meurtre sur la place de Hanovre. Le sergent Pomeroy m'en a parlé. Il m'a dit que vous lui aviez posé un nombre incalculable de questions à propos de ce Horne, puis que vous en étiez venu à découvrir son meurtre.

Je laissai courir mon doigt sur le bord de mon verre.

— Je m'intéresse à cette affaire, oui.

— Pourquoi ? Connaissiez-vous cet homme ?

— Non.

Brandon me regarda froidement.

— Dans ce cas, je ne comprends pas pourquoi vous vous en mêlez.

— Il s'avère que j'étais présent. Bien sûr que cela m'intéresse.

— Louisa m'a parlé de la fille qu'il a enlevée. Est-ce vous qui l'avez tué ?

Un gentilhomme qui passait devant nous entendit la question et nous fixa d'un air ébahi. Brandon lui lança un regard noir jusqu'à ce qu'il s'en aille rapidement.

— Croyez-moi, Monsieur, dis-je calmement, j'y ai pensé.

— Je trouve écœurant ce que Louisa m'a raconté. Je peux difficilement vous blâmer pour votre colère, cette fois-ci. Mais une personne n'a-t-elle pas été arrêtée pour le meurtre ?

— Le majordome. Mais je ne pense pas que ce soit le meurtrier.

— Et pourquoi pas, bon sang ?

Je haussai les épaules, feignant qu'être assis à ses côtés ne me rendait pas aussi tendu que la corde d'un violon.

— Un sentiment, un instinct, je ne suis pas sûr de ce que c'est. Cela m'énerve aussi que tout le monde soit content qu'il porte le chapeau, que l'énigme soit résolue.

— Les explications simples sont les meilleures, Lacey. Vous voulez toujours que les choses soient compliquées.

Je pris une gorgée de porto.

— L'explication simple n'est pas toujours la bonne.

— Mais c'est souvent le cas, non ?

Je savais que Brandon ne parlait plus de Bremer, le majordome. Il avait toujours pensé que j'avais menti à propos de Louisa, qui m'avait fait remarquer que malgré ses discours sur l'honneur, il ne comprenait pas réellement ce que cela signifiait.

Je ne pris pas la peine de répondre. J'avais tourné la page sur ce qui s'était passé. C'était fini et enterré.

Brandon me fixa longuement, puis finit par détourner les yeux et étudia son verre de vin sucré.

— J'admets que votre goût pour les ennuis s'est révélé bénéfique par le passé. Vous avez trouvé cet assassin en herbe tandis que le reste d'entre nous cherchait au mauvais endroit.

Il était vrai que j'avais déjoué un complot d'assassinat contre Wellington grâce à une remarque entendue, par chance, autour d'une barrique de brandy dérobée par un officier français. Certains m'avaient admiré pour cela ; d'autres m'avaient accusé d'avoir cherché à m'attirer des privilèges. Cet acte ne m'avait pas valu de promotion, et les accusations avaient fini par s'arrêter.

Cependant, malgré le fait que la proximité de Brandon m'irrite au point de me faire grincer les dents, je ne pouvais pas rater l'occasion de lui soutirer des informations.

— Connaissez-vous l'officier commandant du lieutenant Gale ? demandai-je.

— Oui. Le colonel Franklin. Que lui voulez-vous ?

Je contemplai le porto rouge dans mon verre.

— Je me demandais pourquoi cinq hommes de la cavalerie ont été envoyés pour mettre fin à l'émeute sur la place de Hanovre, l'autre jour. D'habitude, les militaires ne sont appelés que si les choses sont vraiment hors de contrôle. Il ne s'agissait que d'une poignée de gens qui jetaient des pierres sur une maison.

— Ils ont peut-être pris leurs précautions.

Je levai les sourcils d'un air sceptique.

— Demandez-le-lui vous-même, grogna Brandon.

— Je ne le connais pas suffisamment pour l'entraîner dans une conversation injustifiée.

Quelque chose brilla dans les yeux de Brandon.

— Il sait que vous avez descendu Gale en flammes pour cette histoire. Il n'aura certainement pas envie de me parler, à moi non plus.

Je lui assénai un regard contrarié.

— Si jamais il en parle…

— Je vous écrirai.

Nous nous regardâmes en silence. Je remarquai que Brandon prit soin de ne pas me demander la raison pour laquelle j'avais été vu en compagnie de Louisa à l'opéra, quelques jours auparavant. Cependant, ses yeux étaient glacials et son cou était rouge.

Un jour, quand j'étais venu pour la première fois à Londres, Brandon avait essayé de s'excuser. Je ne l'avais pas laissé faire. Il n'avait plus jamais essayé. Il voulait mon pardon, mais il ne voulait pas m'accorder le même pardon, et cela, je le savais.

On en resta là. Nous finîmes notre porto. Brandon feignit s'intéresser au billard, et je déclinai son offre. Il savait que c'était ce que je ferais. Je sentis son regard dans mon dos alors que je m'en allais. Je n'aurais jamais pu imaginer, quand j'avais vingt ans, que l'amour pouvait virer, de manière brutale et totale, à la haine.

✳ ✳ ✳

Je pris un fiacre pour rentrer chez moi. Je descendis sur l'avenue Grimpen et m'aventurai jusqu'à l'avenue Rose, me demandant où commencer à chercher Grace, l'ancienne bonne de Horne. John n'avait pas dit précisément où elle habitait.

Je commençai simplement à cogner aux portes pour interroger les gens. À la troisième porte, je tombai sur une bonne qui portait une charlotte sur la tête et qui semblait tout savoir sur ce qui se passait dans la rue. Elle m'indiqua la maison de la sœur de Grace, m'informant que Grace avait récemment travaillé dans une maison dont le maître avait été assassiné, imaginez-vous.

Je remerciai la femme loquace, me rendis trois maisons plus loin et frappai à la porte.

Grace vint ouvrir en personne et elle écarquilla les yeux en me voyant, étonnée.

— C'est vous. Vous feriez mieux d'entrer, Monsieur.

Chapitre 16

Elle ouvrit la porte et me laissa entrer dans un couloir étroit qui sentait les légumes bouillis.

— Vous étiez un ami de M. Horne, je le savais. Ce qui
est arrivé est horrible.

Ses grands yeux se remplirent de larmes, et elle extirpa
un mouchoir de sa poche.

Je la suivis jusqu'à un minuscule salon obscur, à l'avant
de la maison, et nous nous assîmes face à face.

— J'essaie de découvrir qui l'a tué, dis-je.

Elle renifla dans son mouchoir.

— C'est M. Bremer qui l'a fait, Monsieur. Ils l'ont arrêté.

— Mais je ne pense pas que ce soit lui qui l'ait tué.

Elle baissa le mouchoir.

— Pour être honnête, Monsieur, je ne le pense pas non
plus. Le maître a été poignardé avec violence, et Bremer
n'aurait pas pu faire cela avec une telle force. Il devait
demander à John de monter les plateaux à sa place.

— Dans ce cas, selon vous, qui pourrait l'avoir fait?

Ses yeux étaient immenses dans son visage baigné de
larmes.

— Je ne sais pas. John en aurait eu la force. Ou la cuisinière.

— L'avez-vous trouvé?

Elle sursauta.

— Quoi?

— M. Horne. Quand je suis monté ce jour-là, vous étiez sur le seuil du bureau de votre maître. Vous étiez en train de pleurer. Vous en souvenez-vous?

— Oui, Monsieur. Je ne pouvais pas en croire mes yeux. Le pauvre maître était là.

— L'avez-vous trouvé? Avez-vous ouvert la porte pour ensuite le découvrir ainsi?

Elle secoua la tête avec énergie.

— Je ne serais jamais entrée sans sa permission. J'aurais d'abord frappé à la porte. Non, Bremer a ouvert la porte, et j'ai regardé à l'intérieur.

— Pourquoi vous trouviez-vous à l'étage, en fait?

La main qui tenait le mouchoir se crispa. Ses yeux me survolèrent pour ensuite se poser sur moi, et elle se mouilla les lèvres.

L'explication logique aurait été qu'elle vaquait à ses tâches. Mais elle passa encore une fois la langue sur ses lèvres et répliqua sèchement :

— J'apportais quelque chose. Pour Bremer. Quand il est venu ouvrir la porte, j'ai regardé à l'intérieur de la pièce.

Je fis semblant de la croire.

— Est-ce que vous appréciiez votre maître?

Elle se détendit.

— Oh, oui, bien sûr, Monsieur. C'était un homme aimable, il offrait toujours des cadeaux et des choses semblables, et il nous donnait davantage de jours de congé que la plupart des gens. J'aurais tout fait pour lui.

— Comme enfermer une jeune fille dans un grenier et lui donner de l'opium pour qu'elle reste tranquille ?

Son mouchoir s'affaissa.

— Aimee pleurnichait et faisait des histoires simplement parce que le maître aimait jouer un peu. Lily se comportait davantage comme une lady. Elle faisait toujours ce qu'on lui demandait.

C'était comme si une lame acérée venait de me transpercer la gorge.

— Savez-vous ce qu'est devenue Lily ?

— Le maître l'a renvoyée. Pas étonnant, en fait. Il l'avait joliment et proprement installée, mais elle n'appréciait pas cela du tout. Sale ingrate.

— Vous avez dit qu'elle faisait toujours ce qu'on lui demandait.

— Oh, en effet. Mais elle le faisait en prenant de grands airs. Comme si le maître abusait d'elle, au lieu de la privilégier. J'aurais tout donné pour avoir les faveurs du maître.

J'en eus la nausée. Au moins, Bremer s'était montré honteux.

— Le jour où M. Horne est mort, cela faisait combien de temps que vous étiez en haut ?

— Pourquoi voulez-vous savoir ça, Monsieur ? demanda-t-elle derrière son mouchoir.

— Étiez-vous là quand M. Denis est parti ?

Elle écarquilla les yeux.

— M. Denis était là ?

— Oui. Il lui a rendu visite pendant un moment.

— Oh. Je ne le savais pas. J'étais sortie faire des achats pour la cuisinière jusqu'à ce que... Pourquoi a-t-il voulu venir ? Pour ennuyer le maître pour des questions d'argent, je parie. Il écrivait tout le temps des lettres au maître, et ce dernier se mettait vraiment en rogne quand il les recevait. Mais c'était beaucoup plus sûr pour lui de ne pas venir. Vous savez cela.

— Je ne travaille pas pour M. Denis, Grace.

Elle me regarda d'un air perplexe.

— Ah non ? Mais je pensais...

— Vous pensiez que j'étais un intermédiaire. Pourquoi pensiez-vous cela ?

— Dans ce cas, pour qui travaillez-vous ? Les juges ?

— Non. Je travaille pour Aimee et pour Lily, qui était en réalité une jeune lady du nom de Jane Thornton.

Elle m'adressa un regard confus, signe qu'elle se demandait pour quelle raison je voudrais faire quelque chose pour elles.

— Je pensais que vous étiez avec M. Denis. Il envoyait à chaque fois une personne différente. Plus sûr, non ? C'est méchant de m'avoir laissé penser que vous veniez de sa part.

— À quelle heure êtes-vous rentrée de vos courses, ce jour-là ?

— Je ne sais pas. Peut-être vers trois heures.

Denis devait être parti, à cette heure-là ; si John m'avait dit la vérité, il avait laissé sortir l'homme à deux heures trente.

— Et vous êtes montée ?

— J'ai apporté les achats à la cuisinière, et je l'ai écoutée faire des commentaires sur les achats en grognant. Je suis montée pour lui échapper.

— Que deviez-vous apporter à Bremer?

Grace sursauta.

— Quoi?

Elle avait déjà oublié son mensonge. Je me penchai en avant.

— Qu'est-ce que Bremer vous a demandé de lui apporter?

Elle rougit.

— Oh. Je ne m'en souviens pas.

— Vous êtes montée de votre propre chef. Bremer n'avait rien avoir là-dedans. Pourquoi?

Elle me regarda d'un air perplexe.

— Pourquoi dites-vous cela?

— Parce que vous avez eu assez de temps pour vous précipiter en haut, entrer dans le bureau de votre maître, le poignarder en plein cœur, puis prétendre que vous vaquiez à vos tâches quand Bremer est venu et l'a découvert.

Grace parut outrée.

— Je n'aurais jamais fait ça. Je n'aurais jamais fait de mal à M. Horne. Jamais de la vie.

— Dans ce cas, que faisiez-vous en haut?

— Cela ne vous regarde pas, Monsieur.

— Vous allez me dire la vérité, ou je vous traînerai jusque devant le juge et vous répondrez à ses questions. Je vous tirerai par l'oreille, s'il le faut.

— Mais je ne l'ai pas tué.

— Je me fiche de savoir si vous l'avez tué ou non. Je suis capable de faire en sorte qu'un juge le croie, puis vous irez à Newgate et Bremer rentrera chez lui. Allez-vous me le dire, ou devrons-nous aller voir le juge ?

Ce que Grace lut dans mes yeux la fit pâlir. Elle jeta des coups d'œil autour d'elle comme si elle cherchait de l'aide, mais elle n'en trouva aucune.

— D'accord, je vais vous le dire. J'écoutais à la porte.

— Pourquoi ?

Elle tordit son mouchoir.

— Je le faisais tout le temps. Quand il était avec elle. Au cas où il aurait besoin de mon aide.

— Pour quoi ?

Un haussement d'épaules.

— N'importe quoi. Parfois, elle se débattait et je l'aidais à la calmer. Stupide fille. Je n'aurais pas lutté contre lui. Jamais.

— Donc, vous étiez à votre poste, à écouter, ce jour-là, attendant que Horne vous appelle. Qu'avez-vous entendu ?

— Rien.

— Rien du tout ?

Grace secoua la tête, déçue.

— Rien. Mais parfois, je ne pouvais rien entendre, peu importe à quel point je tendais l'oreille. La porte est un peu épaisse.

— Combien de temps êtes-vous restée là ?

— Jusqu'à ce que j'entende Bremer monter. Ensuite, je me suis cachée jusqu'à ce qu'il ouvre la porte.

Je restai silencieux. Aurait-elle entendu le meurtre avoir lieu au travers de la lourde porte en bois ? Est-ce que le meurtrier aurait pu fuir entre le moment où elle avait fui et le moment où Bremer avait ouvert la porte ? Ou bien Denis l'avait-il laissé mort, énervé que l'homme ne lui paie pas ce qu'il lui devait pour Aimee et Jane ? Peut-être que cela n'avait rien à voir avec l'argent. Horne n'arrivait peut-être tout simplement pas à être discret.

Je bouillonnais de colère. Aucun employé de Horne ne se souciait des deux jeunes femmes enlevées, sauf peut-être John, qui s'était amouraché d'Aimee. La seule chose qui leur importait, c'était d'avoir une bonne place, une paie élevée, ou alors les infâmes attentions de Horne, regardant de l'autre côté face à tout ce que faisait le monstre.

Je me penchai de nouveau vers Grace.

— Où se trouve Jane Thornton ?

Elle fronça les sourcils.

— Qui ?

— Je viens de vous le dire. La jeune femme appelée Lily. Où se trouve-t-elle ? Qu'est-ce que Horne a fait d'elle ?

— Comment pourrais-je le savoir ? Un jour elle était là, et le lendemain, elle était partie. Bon vent, je dis.

— L'a-t-il emmenée quelque part ?

— Je n'en sais rien, répéta Grace d'une voix forte. Je ne l'ai jamais demandé. C'était mieux qu'elle soit partie.

— Elle a disparu et il ne vous est pas venu à l'esprit de vous renseigner.

— Pourquoi diable aurais-je dû le faire ? Je ne l'ai jamais aimée. Pourquoi le maître l'aimait bien, ça, je ne l'ai jamais compris. Une demoiselle tellement insipide. Pas étonnant qu'elle ait été fichue dehors à la fin.

Je parvins, tant bien que mal, à contenir ma colère.

— C'était une jeune femme respectable appartenant à une famille respectable.

— Alors pourquoi n'est-elle pas rentrée chez elle?

Je me levai.

— Je n'écarte pas encore la possibilité que *vous* ayez assassiné M. Horne, Grace. Vous en avez eu le temps et l'opportunité. Et vous étiez jalouse.

Elle se leva d'un bond, ses yeux lançant des flammes.

— Comment osez-vous me dire cela? Comme si j'avais pu lui faire du mal. Ils ont arrêté Bremer, non? Pas moi.

— Mais vous étiez seule à l'étage, en train d'écouter à la porte, et vous n'aimiez pas qu'il porte son attention sur Aimee et Jane.

Grace écarquilla les yeux, sa voix s'élevant sous l'effet de l'hystérie.

— Vous ne pouvez pas le prouver. Un juge ne vous croirait jamais.

Cependant, un juge en serait certainement capable, et c'est ce qu'il ferait. Vu la terreur qui se lisait dans ses yeux, elle le savait.

— Je ne l'ai pas tué, répéta-t-elle à bout de souffle. Je ne l'aurais jamais fait.

Je la laissai au milieu du miteux petit salon, la bouche grande ouverte de peur et d'indignation. J'ouvris la porte et sortis dans la pluie sombre.

※ ※ ※

Mon logement sur l'avenue Grimpen m'accueillit froidement et tristement. Le feu s'était éteint, et des éclats de plâtre tombèrent quand je claquai la porte. Je boitillai jusque devant la cheminée, tremblant, m'agenouillai et entrepris fastidieusement d'enflammer le charbon en frappant pour créer des étincelles.

Tandis que la petite flamme léchait le charbon noir éteint, je demeurai agenouillé. À Londres, il faisait sacrément froid, humide et gris comparé à la chaleur et à la luminosité de l'Inde, du Portugal et de l'Espagne. Au sein de l'armée de Wellington, je m'étais battu pour rester en vie, et j'avais vu des hommes mourir, enduré la maladie, la chaleur et la folie causée par le chagrin qui guettait.

Mais j'avais vécu. Chaque jour, j'avais vécu, comme Grenville l'avait dit. Ici, je ne faisais simplement qu'exister. Je ne trouvais pas ma place à Londres, et Londres ne savait pas quoi faire de moi. Une carrière demandait de l'argent, des relations et de l'influence, et je n'avais aucune de ces choses-là. Le mariage demandait les mêmes choses. Beaucoup d'hommes qui ne possédaient pas de fortune ou qui ne venaient pas d'une bonne famille prenaient un bateau jusque dans les colonies de Jamaïque ou d'Antigua, mais là-bas, les plantations étaient construites sur le dos des esclaves, et je ne voulais pas faire partie de ce procédé répugnant.

Je posai mon visage au creux de mes mains et me mis à penser à l'Espagne, aux longues journées et semaines pendant lesquelles nous avions, petit à petit, repoussé Bonaparte en France. Les nuits d'été avaient été chaudes, là-bas, et douces. J'avais connu une femme espagnole, la jeune épouse d'un fermier. Elle n'était pas belle, mais le bol d'eau qu'elle m'avait apporté m'avait ramené à la vie.

Elle et ses deux jeunes enfants avaient pris soin de moi, dans une toute petite ferme au milieu de nulle part. Son mari avait été tué par des soldats français, et elle vivait de ce qui restait de la ferme dissimulée loin du front.

Après réflexion, j'aurais dû rester là-bas. L'armée, Brandon et Wellington m'auraient cru mort. Il aurait été facile de le leur laisser croire, et j'aurais fini ma vie dans cette ferme espagnole avec Olietta et ses deux petits garçons. Mais j'avais eu hâte de retrouver mon régiment, de rassurer tout le monde en leur montrant que j'étais en vie.

Je me demandai si Olietta m'accueillerait une nouvelle fois si je retournais en Espagne pour la retrouver. Il était quasi certain qu'elle avait dû trouver un homme espagnol de retour de la guerre, heureux de partager sa vie et sa ferme avec elle.

Je lui envoyai un bonjour silencieux tandis que la flamme commençait à s'élever en dansant.

Quelqu'un frappa à la porte. Une particule de plâtre jaune lumineux, la couleur du soleil d'Espagne, atterrit sur mon doigt.

— Entrez, dis-je.

La porte s'ouvrit et se referma derrière moi, mais je continuai à fixer le feu. Parfois, la dépression s'emparait de moi de cette façon, de manière soudaine, me rendant incapable de bouger.

J'entendis un bruissement de soie et sentis l'odeur du parfum de Janet, puis elle s'agenouilla à côté de moi et me caressa le front.

— Bonjour, mon ami. Vous êtes encore sous l'emprise de vos vieux démons ?

Je tournai la tête et déposai un baiser sur la paume de sa main.

— Comme toujours.

— Vous souvenez-vous de la façon dont je chassais vos démons ?

Je m'en souvenais. Elle m'embrassa. Je glissai les mains autour de sa taille. Une onde de chaleur provenant du charbon en flammes qui se battait contre le froid me toucha.

J'allongeai Janet devant la cheminée, et nous fîmes l'amour sur le sol dur et taché de suie. Pas élégant, mais nous avions partagé des couchettes moins confortables par le passé. Des flammes jaunes recouvrirent le charbon, qui se mit à rougeoyer, faisant picoter notre peau sous l'effet de la chaleur.

Nous fîmes l'amour avec passion, nos bouches et nos mains éperdues de désir. En lui faisant l'amour, je me souvins de tout, des rires, de la légèreté, de la chaleur implacable de l'été, de l'époque brève et intense pendant laquelle elle avait été tout pour moi.

Après l'amour, je la serrai contre moi.

— J'étais en train de penser à l'Espagne.

— Je pensais au Portugal.

Ses yeux brillèrent.

— À la façon dont je vous avais dit, le premier soir, que je pouvais aussi bien dormir dans votre tente puisque je n'avais pas d'autre endroit où aller.

— Et dans mon lit, puisqu'il n'y en avait qu'un seul.

— Exactement.

Elle se blottit contre mon épaule, sa chevelure auburn serpentant sur mon torse.

— Je n'aurais jamais pensé que suivre le tambour me manquerait.

— Nous ne savions pas à quoi ressemblait le monde.

— Et ce que certains devaient faire pour survivre.

— Non, dis-je sincèrement.

Nous restâmes allongés là pendant un bon moment tandis que le feu nous réchauffait le corps. Je respirai son parfum, tentant d'oublier le monde sinistre à l'extérieur et le froid au-delà de notre cercle de chaleur.

Une demi-heure s'écoula. Elle se rassit et attrapa ses vêtements.

Je lui passai les bras autour de la taille et déposai un baiser sur son ventre.

— Restez.

— Je ne peux pas, mon vieil ami.

— Mon lit n'est pas très confortable, mais je vous l'offre quand même.

Elle pressa les doigts contre mes lèvres.

— Je ne peux vraiment pas, Gabriel. Je suis désolée.

Je lui léchai les doigts.

Elle les retira et rougit.

— J'aurais dû vous le dire immédiatement. Le sergent-major Foster a trouvé une maison, dans le Surrey. Il veut que je l'accompagne et que j'aille vivre là-bas avec lui. Je suis venue aujourd'hui avec l'intention de vous dire au revoir.

Chapitre 17

— Vous êtes rapide pour anéantir les espoirs d'un homme, dis-je en essayant de garder un ton léger.

Nous nous trouvions dans la cage d'escalier glaciale, tous les deux habillés, Janet fixant sur sa tête un chapeau de paille jaune garni d'une plume bleue.

— Je voulais vous le dire immédiatement. C'est ce que je voulais, sincèrement.

Je croisai les bras et m'appuyai contre le chambranle de la porte, mon cœur battant la chamade.

— Dans ce cas, vous auriez dû le faire. Avant d'avoir pitié d'un homme dépressif.

Elle rougit.

— Je vous en prie, ne soyez pas en colère contre moi, Gabriel. Je suis venue ici dans le but de vous dire que je ne pouvais plus vous voir. Mais je me suis rendue compte que j'en étais incapable. Pas d'une manière aussi brutale.

Je la regardai fixement.

— Vous n'en avez pas été capable autrefois non plus, vous vous en souvenez ? Quand vous m'avez quitté pour rentrer en Angleterre ? Pas de promesses, aviez-vous dit, pas d'espoirs.

— C'est mieux ainsi, non?

— Je ne trouve pas.

Elle m'étudia, les yeux fixes.

— Je pensais que vous comprendriez.

— Que vous préféreriez vivre avec un homme qui a touché de l'argent? Avez-vous décidé cela après avoir vu l'état de mon logement, ma pauvreté…

— Il m'a proposé de vivre avec lui il y a déjà plusieurs mois, quand il aurait trouvé une maison qui lui plairait. Il pourrait même m'épouser.

Je pinçai les lèvres.

— Dans ce cas, pourquoi étiez-vous tellement impatiente de me revoir, si vous saviez déjà que vous aviez de meilleures choses en perspective?

— Parce que quand je vous ai vu…

Janet s'interrompit, ses yeux se remplissant de larmes.

— Comment pouvez-vous me demander cela? Quand vous m'avez regardée et que j'ai compris que vous ne m'aviez pas oubliée, j'ai pris conscience à quel point vous m'aviez réellement manqué.

Je hochai la tête, la gorge serrée.

— Et vous m'avez assuré que Foster n'était qu'une simple connaissance.

— Je ne mentais pas. Je ne le vois vraiment qu'au pub. Je n'ai jamais pensé qu'il trouverait une maison. Je pensais qu'il ne faisait que parler. Mais aujourd'hui, il m'a demandé de l'accompagner.

— Vous auriez dû me dire que vous attendiez une telle offre. J'aurais pu en faire une meilleure.

Elle secoua la tête, faisant voler la plume d'un côté à l'autre.

— Je n'ai jamais rien attendu de votre part. Je ne vous demanderais rien. Je pensais que nous allions simplement nous retrouver et parler du bon vieux temps, c'est tout.

Je formai des dessins sur l'encadrement de la porte.

— Peut-être ai-je envie que vous me demandiez quelque chose.

Elle baissa et détourna les yeux.

— Mme Brandon m'a dit ce que vous étiez devenu. Je ne veux pas être une charge pour vous, Gabriel. Je ne veux pas. C'est déjà assez difficile pour vous tout seul.

Je restai immobile, la colère montant en moi.

— *Ce que je suis devenu ?* Bon sang, que vous a-t-elle dit ?

— Que vous êtes blessé. Que vous êtes brisé.

— Donc, vous êtes venue par pitié, c'est ça ? Allez au diable. Pourquoi n'êtes-vous pas simplement restée loin de moi ?

Ses yeux étincelèrent en réponse à ma colère.

— Je ne suis pas venue vous voir par pitié. Je vous le jure. Je suis venue pour retrouver l'homme que j'avais quitté sur la péninsule.

— Cet homme est mort, Janet. Je vois sur votre visage que vous l'avez compris. Et l'homme que je suis devenu n'est pas celui que vous désirez, n'est-ce pas ?

— Gabriel, je vous en prie, ne dites pas ça.

Je pris son menton, levant son visage dans ma direction.

— Vous ne comprenez pas ?

Je lus dans ses yeux qu'elle ne comprenait pas.

Je me penchai et l'embrassai passionnément ; des larmes perlèrent sur le bord de ses cils.

— Je suis désolée, murmura-t-elle.

Je m'attardai, la buvant et désirant ardemment pouvoir l'acheter avec des maisons dans le Surrey et traverser un camp, trempé par la pluie, simplement pour lui ramener du café.

Je la relâchai.

— Ne vous inquiétez pas, Janet. Je sais quand j'ai perdu.

— J'ai mes raisons. Je vous promets qu'un jour, je vous raconterai l'histoire de ma vie et nous en rirons bien.

— Nous en rirons. Est-ce ce que nous sommes en train de faire en ce moment ?

Janet me regarda furtivement.

— Vous avez toujours su comment blesser, Gabriel. Vous avez une cruauté, en vous, une cruauté qui m'effraie.

— C'est peut-être grâce à cela qu'on ne me prend pas en pitié.

— Que Dieu vienne en aide à ceux qui ont pitié de vous.

Je soupirai. Quand je repris la parole, je m'efforçai de garder une voix douce, bien que la colère ne m'ait pas quitté.

— Vous perdre, encore une fois, si vite après vous avoir retrouvée, est dur à supporter, Janet.

Elle me toucha la joue.

— Vous ne me perdrez jamais. Vous ne pouvez imaginer à quel point je vous aime, mon vieil ami.

Je lui saisis le poignet et y déposai un baiser.

Et ensuite, en dépit de mon orgueil et de mon tempérament, je la laissai s'en aller. Elle m'adressa un sourire en coin, le sourire chaleureux de Janet, puis se retourna et descendit l'escalier. Ses pas résonnèrent dans la froide cage d'escalier, puis plus rien.

Je m'adossai au mur où était peinte une bergère et fermai les yeux. Je n'avais rien eu à lui offrir, aucune raison de m'attendre à ce que Janet reste. J'avais su, lorsqu'elle m'avait quitté en Espagne, que nous nous retrouverions et que nous nous séparerions encore une fois, sans attache, sans promesse. Mais je ne voulais plus de cela. Je voulais davantage.

Mon esprit blessé me poussait à la suivre et à l'implorer de rester ; mon orgueil et ma colère m'en empêchèrent. Alors que j'étais adossé, je repensai à une autre perte, il y a de nombreuses années, qui m'avait réduit en miettes, au point où j'en étais presque devenu fou de chagrin. Seule la voix douce de Louisa et sa main dans la mienne m'avaient sauvé la vie à cette époque. Je me dis, avec un petit rire ironique, qu'en comparaison, cette perte était facile à supporter.

Des bruits de pas retentirent au-dessus de moi. J'ouvris les yeux pour apercevoir Marianne Simmons descendre lourdement l'escalier, un journal plié entre les mains. Elle m'examina dans l'obscurité, ses boucles blondes formant un halo doré autour de son visage joliment arrondi.

— Bon sang, Lacey, j'ai pensé qu'elle ne partirait jamais. Qui était-ce ?

Je me redressai.

— Une personne que j'ai connue, il y a longtemps.

Marianne m'observa d'un air cynique.

— C'est ce que j'avais compris de votre querelle. D'après moi, c'est mieux que vous en soyez débarrassé. Ce genre de femme veut être protégée et a peur de se retrouver seule. Elle aurait vraiment été un poids pour vous. Vous avez besoin d'une femme avec plus de cran. Une femme qui n'a pas besoin de vous.

Je dégageai les cheveux de mon front, essayant de calmer ma colère.

— Mes histoires privées ne regardent que moi, Marianne.

Elle haussa les épaules.

— Dans ce cas, il vaudrait mieux ne pas en parler ouvertement dans une cage d'escalier. Mais ce n'est pas la raison pour laquelle je suis descendue. Est-ce que c'est vous qui avez mis cette annonce dans le journal ?

Elle tenait un exemplaire du *Times*.

— Où avez-vous trouvé dix guinées ?

— C'est Grenville qui les donne.

— Ah, le fameux M. Grenville. Mais il se peut que je puisse vous aider.

— M'aider comment ? Que voulez-vous dire ?

— Il se peut que je sache où est allée la jeune femme. Était-elle enceinte ?

Je hochai la tête, m'efforçant de ne pas me faire de faux espoirs. Je connaissais suffisamment Marianne pour ne pas prendre tout ce qu'elle disait pour de l'argent comptant, tout particulièrement quand il était question d'argent.

— Très probablement.

— Très bien, alors. Je connais un endroit où elle aurait pu aller.

— Où ?

— Montrez-moi les dix guinées.

Je grognai d'impatience.

— Grenville payera cette somme.

— Allons rendre visite à Grenville, dans ce cas.

— Il est parti pour le Somerset, dis-je.

— Alors j'attendrai.

Je fis un pas rapide dans sa direction. Marianne recula, serrant le journal dans ses mains.

— Si vous me frappez, Lacey, je ne vous dirai rien.

— Je ne vais pas vous frapper.

Peut-être pas.

— Le père de la jeune femme est mourant. Chaque jour qui passe sans que je la retrouve pourrait être son dernier. Si vous savez où elle se trouve, je vous jure sur mon honneur que vous recevrez vos dix guinées au retour de Grenville.

Marianne plissa sa bouche enfantine et pencha la tête de côté. J'imaginais que lorsqu'elle regardait les riches dandies de cette manière, ils se mettaient en quatre pour lui plaire.

— Je suppose que si j'ai votre parole, vous la respecterez.

— La parole d'un gentilhomme est son honneur.

Elle me lança un regard compatissant.

— Vous n'avez pas rencontré certains des gentilshommes que je connais. Très bien. Y allons-nous ?

※ ※ ※

Je louai un fiacre à un arrêt et emmenai d'abord Marianne avec moi dans la rue Strand, où je demandai à Alice de nous accompagner. Je ne savais pas à quoi ressemblait Jane Thornton et ne faisais pas confiance à Marianne. Elle pourrait très bien me jouer un tour dans la perspective éblouissante de récolter dix guinées.

Marianne nous conduisit jusqu'à Long Acre, puis nous passâmes l'avenue Drury jusqu'à High Holborn. Après avoir continué sur cette artère pendant quelques minutes, nous bifurquâmes sur une avenue étroite jusqu'à arriver à une petite maison qui ne paraissait pas différente des maisons en briques sombres qui l'entouraient. Je levai la main pour actionner le heurtoir, mais Marianne passa devant moi et le saisit.

La porte s'ouvrit sur une bonne à l'air renfrogné, aux cheveux gras et portant un tablier propre.

— Que voulez-vous ? dit-elle pour nous accueillir.

Marianne entra directement.

— Je cherche ma sœur.

La bonne nous lança un regard noir, à Alice et à moi.

— Qui sont-ils ?

— Mon frère et ma femme de chambre.

Le regard de la femme me fit comprendre qu'elle ne la croyait pas davantage que si elle avait dit que le mois de juillet était arrivé de manière soudaine. Mais elle se poussa de côté et nous laissa entrer.

La maison avait paru calme de l'extérieur, mais l'intérieur était bruyant. Des voix venaient du haut de l'escalier, des voix de femmes : des rires, des pleurs, des cris, des injures, des chants. Une tirade colérique s'éleva dans le couloir à l'étage :

— Rends-moi ça, sale voleuse !

Une porte claqua, coupant le reste de la querelle.

Cette maison n'était pas un bordel. Il n'y avait pas de confortable petit salon à l'avant de la maison où les gentilshommes pouvaient se rassembler pour jouer aux cartes ou parler de sport avant de chercher un autre genre de sport à l'étage. Aucune dame ou abbesse ne vint à notre rencontre en se frottant les mains pour me proposer ce qu'elle avait de meilleur — ou appeler ses portiers quand elle se rendrait compte qu'elle n'obtiendrait pas d'argent de ma part. Cependant, ce n'était pas une pension non plus. Cela y ressemblait, mais l'ambiance n'était pas celle qui convenait.

— Quel est cet endroit ? demandai-je à Marianne.

La bonne était repartie en empruntant l'escalier de service.

— C'est une maison où les jeunes femmes viennent pour se reposer. Ou pour se faire oublier. Ou pour accoucher. La plupart du temps pour cette raison.

Je tendis le cou et regardai en haut de l'escalier sombre et poussiéreux.

— Qui est le bienfaiteur qui leur permet de rester ?

— Il n'y a pas de bienfaiteur. Elles payent pour rester ici, comme dans n'importe quelle pension. Neuf pence par semaine pour le lit et le couvert.

— Vous pensez que Jane aurait pu atterrir ici ?

— Cela se pourrait. Une fille m'a dit hier, au théâtre, qu'une lady logeait ici depuis un bon moment. Elle est arrivée de la même manière que les autres filles de la rue, mais ce n'est pas une fille de la rue. Elle parle de façon distinguée et, apparemment, elle est bien née et a été bien élevée. Cependant, elle est détruite, comme toutes les autres. Elle aide les autres filles à accoucher et leur parle lorsqu'elles sont déprimées. Elles l'appellent Lady, pas par un autre nom.

Mon cœur se mit à battre plus vite.

— Puis-je la voir ?

— Prenez votre mal en patience dans le salon, Lacey. Je vais la trouver.

Alice et moi nous rendîmes dans le petit salon poussiéreux tandis que Marianne survolait rapidement l'escalier.

— Pensez-vous que ce soit elle, Monsieur ? demanda Alice. C'est justement ce que ferait ma lady. Peu importe ses propres problèmes, elle aiderait les autres.

— Nous le saurons bien assez tôt, dis-je, bien que mon impatience caractéristique m'envahisse et m'empêche de rester assis.

Je faisais les cent pas tandis qu'Alice me regardait, n'osant pas espérer.

Après ce qui me parut une éternité, j'entendis Marianne revenir. D'autres pas s'imbriquaient dans les siens. Je me retournai et Alice bondit sur ses pieds à côté de moi.

Marianne entra dans la pièce avec une petite jeune femme au dos droit et aux grands yeux bruns, pareils à ceux d'une biche, mais dotés d'une douce sérénité. Un fichu de coton blanc se croisait sur ses épaules et était attaché à sa taille, et elle le toucha légèrement, comme si cela la réconfortait.

Les yeux noirs d'Alice se remplirent de larmes.

— Ce n'est pas elle. Ce n'est pas Mlle Jane.

— Vous cherchez quelqu'un ?

La voix de la jeune femme était polie, mais son ton restait prudent.

— Une jeune femme qui s'appelle Jane Thornton, dis-je. Ou elle aurait pu utiliser le nom de Lily.

— Êtes-vous son frère ?

Je secouai la tête.

— Sa famille la cherche. Je les aide.

La femme me jaugea pendant un instant, puis elle se détendit légèrement, comme si j'avais passé une sorte de test.

— Si elle est venue ici, Monsieur, dans ce cas, elle est réellement perdue.

Alice se rassit brusquement.

— Vous ne l'avez pas vue? demandai-je à la jeune femme.

Elle secoua la tête.

— Je vis ici depuis l'épiphanie et n'ai rencontré personne qui porte un de ces noms. Elle aurait pu utiliser un autre nom, bien sûr.

— Vous aidez les filles ici?

Lady inclina la tête.

— Je suis l'une d'entre elles. J'aide comme je peux. J'aime être utile. Moi aussi, je suis perdue.

Ma curiosité fut piquée malgré ma déception.

— Vous êtes venue trouver refuge ici?

— Je suis venue ici pour mon accouchement. J'ai décidé de rester, puisque je n'avais nulle part ailleurs où aller.

Lady rencontra mon regard. Ses yeux étaient calmes et forts, mais je pus y lire le chagrin. Il n'y avait pas de traces ou de cris d'enfants, ici. Si son enfant n'était pas mort à la naissance, elle l'avait laissé aux bons soins d'une autre personne. Je vis en elle que la décision avait été pénible.

Devant son consentement, ma colère s'embrasa.

— Et quel est le nom de l'ordure à cause de laquelle vous avez été obligée de venir dans cet endroit?

Je fus surpris de voir Lady sourire.

— Je vais garder cela pour moi, Monsieur. Le péché ne vient pas que de son côté, et j'ai été punie.

Avait-*il* été puni? J'aurais voulu de tout mon cœur qu'elle me donne son nom pour que je puisse lui briser le cou. J'avais besoin de corriger les erreurs d'au moins une personne.

Je lui tendis l'une de mes cartes de visite.

— Si vous entendez parler d'une jeune fille nommée Jane Thornton, ou Lily, ou si elle vient ici, s'il vous plaît, envoyez quelqu'un me chercher. Sa famille est inquiète.

Elle prit ma carte, la lut et parut amusée par quelque chose.

— Je vous enverrai un mot, bien sûr, capitaine.

Je la remerciai et nous partîmes. Une autre dispute éclata à l'étage au moment où nous quittâmes cette maison, déçus et découragés. Je regardai en arrière encore une fois avant de monter dans le fiacre, et je vis la silhouette de Lady à la fenêtre du salon, son fichu blanc éblouissant au milieu des carreaux sombres. Elle me rendit mon regard, mais ne leva pas la main, ni ne hocha la tête en signe d'adieu.

Nous fîmes le trajet inverse depuis l'avenue Drury jusqu'à la rue Strand. Des calèches en provenance de Mayfair se rendaient au Théâtre Royal. Les voitures somptueuses et les personnes étincelantes contrastaient vivement avec les malheureux qui se précipitaient pour éviter leur passage. Des mendiants tendaient leurs mains devant les ladies élégantes aux cheveux parsemés de diamants jusqu'à ce que des valets en livrée chassent les mendiants. De l'autre côté de la rue, des filles de joie se pavanaient de long en large et appelaient les hommes. Deux gentilshommes bien habillés s'éloignèrent pour aller leur parler, sans se soucier des ladies respectables qui se trouvaient à moins d'un mètre d'eux.

Je n'aperçus pas la voiture de Brandon aux alentours du théâtre, et Grenville n'était pas en ville. Par contre, Lady Aline Carrington était là dans toute sa puissance. En passant, je vis M. Gossington, cette commère, en sa compagnie.

Nous étions, à nous trois, un peu à l'étroit dans notre fiacre à un seul siège. Alice, coincée entre Marianne et moi, reniflait dans un mouchoir, et Marianne croisait les bras en regardant par la fenêtre, ne prenant pas la peine de cacher sa déception. Quand nous arrivâmes sur la rue Strand, je descendis pour aider Alice à sortir au bout de l'avenue où habitaient les Thornton.

Marianne ne me parla pas tandis que nous roulions dans la rue Southampton, traversions Covent Garden jusqu'à la rue Russel et enfin, arrivions sur l'avenue Grimpen. Je payai la course et rattrapai Marianne, qui m'attendait à l'étage devant ma porte. Elle se retourna au moment où j'atteignis le palier.

— Et mes dix guinées ?

Mon humeur s'était considérablement gâtée.

— Nous n'avons pas trouvé Mlle Thornton.

— Je sais, mais je vous ai conduit à un bon endroit. Si elle est enceinte, il y a beaucoup de chances qu'elle atterrisse là-bas. Si je peux être franche.

— Au diable vos dix guinées, Marianne.

Elle rougit.

— C'est la meilleure ! Je sors pour vous aider, et vous m'injuriez.

J'entrai dans mon salon et le traversai jusqu'à mon écritoire. Je griffonnai l'adresse de Grenville sur le dos de l'une de mes cartes, retournai dans le couloir et lui tendis la carte.

— Laissez le temps à Grenville de rentrer du Somerset, ensuite allez lui demander vos dix guinées. Dites-lui que c'est moi qui vous envoie.

Je fermai la porte devant son air abasourdi. L'image de la tête que ferait Grenville en la trouvant sur le pas de sa porte s'infiltra au cœur de ma tristesse, et pendant quelques secondes, je me sentis amusé.

※ ※ ※

L'après-midi suivant, je pris un fiacre jusqu'à la rue Curzon, en plein cœur de Mayfair, m'arrêtant, pile sur le coup de trois heures, devant la maison que m'avait indiquée James Denis.

La maison me faisait grandement penser à celle de Grenville. L'extérieur était simple, sans ostentation ; l'intérieur était élégant, de bon goût, calme et onéreux. Je m'arrêtai sur le palier devant un tableau qui représentait une jeune femme debout près d'une fenêtre, versant de l'eau d'une cruche. Les jaunes lumineux, les bleus et les verts étaient étonnants. Je reconnus le peintre. Il appartenait à l'école flamande de la fin du dix-septième siècle. Le tableau était sublime, spécial, authentique.

La toux sèche du valet me poussa à m'en détourner, et je le suivis en haut de l'escalier lustré. On ne pouvait imaginer un contraste plus saisissant avec le foyer de Horne. Ici, tout reflétait le raffinement d'une personne qui connaissait la valeur des choses et ce qui les rendait précieuses.

Le valet ouvrit une double porte en noyer massif et me fit entrer dans une bibliothèque. La pièce avait l'odeur des livres, du bois et du feu de cheminée qui embaumait. Mes bottes s'enfoncèrent silencieusement dans un tapis oriental rouge et noir.

M. Denis était assis derrière un large bureau dépourvu de tout, mis à part une petite pile de feuilles vierges, un flacon d'encre et un stylo. Il était beaucoup plus jeune que ce à quoi je m'attendais ; je lui donnais la fin de la vingtaine, tout au plus. Ses cheveux étaient bruns, coupés courts et bouclaient naturellement, et ses yeux, sous des sourcils noirs, étaient petits. Sa bouche était droite et large, sa tête carrée. Il se leva au moment où les portes se refermèrent derrière moi et me fit signe de m'approcher.

Alors que j'avançais en boitillant, je remarquai l'homme bien bâti qui se tenait, aussi immobile qu'une statue, à côté de la fenêtre. Ses bras étaient croisés sur son large torse, et il m'observait derrière ses paupières lourdes, comme s'il était à moitié endormi.

Denis contourna le bureau et me serra la main. Nous avions la même taille. On pouvait dire qu'il avait de beaux traits, mais quand je regardai au fond de ses sombres yeux bleus, je ne vis rien. Aucune émotion, aucune spéculation, aucune prévenance. Rien. Si les yeux étaient une fenêtre sur l'âme, les volets de James Denis étaient résolument clos.

— Je vous en prie, asseyez-vous, capitaine.

Denis retourna à son bureau et posa ses mains sur la surface nue devant lui, comme s'il s'attendait complètement à être obéi.

Deux chaises damassées attendaient au milieu du tapis. Je m'avançai vers l'un d'elle et m'assis.

Denis m'examina quelques instants de ses yeux impassibles.

— Pourriez-vous éclairer un point pour moi ? Êtes-vous une connaissance de M. Grenville ou de M. Horne ? Il est peu probable pour un gentilhomme de connaître les deux.

— Je suis une connaissance de M. Grenville, répondis-je. J'ai rencontré Horne par hasard.

— Et vous avez persuadé Horne de m'écrire pour demander un rendez-vous. Pourquoi?

— Il m'a dit que vous obteniez des choses pour les gentilshommes.

Denis inclina furtivement la tête.

— J'ai, par le passé, fourni une certaine aide à des personnes que je connais. Je ne vous connais pas. Que voudriez-vous que je trouve pour vous?

Je bougeai, mal à l'aise, mais j'étais déterminé à la jouer au culot.

— Une jeune lady.

— Je vois. Pour quelle raison?

— Pour quelle raison? Quelle est la raison que vous imaginez?

— Vous pourriez avoir un côté philanthrope et adopter une jeune femme orpheline pour l'élever comme la vôtre. Ou vous pourriez vouloir une compagne afin de partager, avec un peu de chance, le reste de votre longue vie. Ou bien vous pourriez simplement vouloir quelqu'un avec qui soulager votre appétit sexuel.

Un filet de sueur coula le long de mon dos.

— J'ai bien peur que ce soit la dernière.

Denis m'observa longuement. Quand il prit la parole, sa voix était encore plus terne, comme s'il me regardait avec dégoût.

— Vous pourriez trouver cela par vous-même. Londres regorge malheureusement d'innombrables femmes qui offrent cela.

— Je ne veux pas d'une fille de la rue. Je veux… une jeune lady.

J'eus des difficultés à faire sortir ces mots de ma bouche.

— Et vous pensez que je peux en trouver une pour vous.

— Comme vous l'avez fait pour M. Horne.

Dans le silence, du bois vert éclata dans la cheminée, et quelques étincelles crépitèrent.

— Il vous l'a dit ?

— Pas avec des mots. J'en ai tiré la conclusion.

Denis m'étudia longuement, d'un air toujours impassible. Il finit par prendre la parole, comme s'il avait mis fin à un débat intérieur.

— Ce que j'ai obtenu pour M. Horne lui a coûté une très grosse somme d'argent. Une telle chose était difficile, dangereuse, et je dois l'admettre, répugnante. Vous ne pouvez pas vous offrir cela, capitaine.

— Non, dis-je. Mais Grenville le peut.

Sa bouche s'affaissa brièvement.

— Je vois difficilement M. Grenville vous prêter de l'argent afin que vous puissiez étancher votre soif avec une jeune vierge. Il est prudent avec ses fréquentations et n'est pas du genre à entretenir des relations amicales avec un homme aux goûts écœurants.

Je fis un geste de conspirateur.

— Il n'a pas besoin de le savoir.

— Il sait tout de vous, dit Denis, son regard bleu plongé dans le mien. Tout comme moi. Je suggère, capitaine, que vous laissiez tomber le masque.

Chapitre 18

— J'ai toujours très mal menti, dis-je calmement.

Denis s'adossa et posa les mains sur le bureau, les paumes vers le bas.

— Oui, votre habilité est remarquablement mauvaise. De quoi êtes-vous réellement venu me parler ?

Je le regardai droit dans les yeux.

— Mlle Jane Thornton et sa femme de chambre.

Rien, pas même une lueur dans ses yeux.

— Qui sont-elles et qu'ai-je à voir avec elles ?

Mon pouls s'accéléra.

— Vous les avez fournies à M. Horne. Feu M. Horne.

— J'ai appris la mort regrettable de M. Horne par le journal. Londres est une ville sombre et violente, capitaine.

— Vous avez détruit une famille entière, bon sang. Pour un prix dérisoire.

Les doigts lisses de Denis se crispèrent instinctivement.

— Si j'avais fait ce dont vous m'accusez, le prix n'aurait pas été dérisoire, je vous l'assure.

Je ne pris plus la peine de réfréner ma colère. J'en avais assez de ces gens qui n'en avaient rien à faire de la disparition de Jane, ou alors de celle d'Aimee, effrayée et détruite. Je me levai.

— Vous la lui avez procurée, vous l'avez vendue, tout comme vous avez vendu le tableau à Grenville et à son ami.

Je sentis un mouvement derrière mon épaule droite. L'homme près de la fenêtre ne paraissait plus à moitié endormi. Il était maintenant sur le qui-vive.

Denis lui fit un petit geste d'apaisement.

— Des gentilshommes me demandent parfois d'obtenir pour eux des choses que d'autres ne peuvent leur obtenir. C'est onéreux. Il faut planifier les choses, avoir les contacts nécessaires. Je peux faire ce qu'ils ne peuvent pas. C'est tout.

— Vous dissimulez cela sous de vagues paroles, mais vous l'avez vendue, tout comme vous auriez vendu une prostituée à une maison close.

Ses joues se colorèrent légèrement.

— Si vous êtes venu ici en croisade, je vous suggère de revoir votre position. Je sais que vous avez interrogé mon cocher, Horne et Grenville. Mais je vous mets en garde, capitaine. Ne vous immiscez pas dans mes affaires. Vous n'avez ni le pouvoir ni la fortune, pour le faire en toute impunité. Et ne pensez pas pouvoir vous cacher derrière votre ami Grenville. Sa plus grande qualité, c'est sa discrétion. Il ne vous aidera pas.

— Est-ce que vous attendez de moi que je tourne le dos alors que vous détruisez la vie de jeunes femmes et de leurs familles ?

— Vous devez faire comme il vous plaira, bien entendu.

Je posai mes poings sur son bureau.

— Horne ne vous a pas payé ce qu'il vous devait, n'est-ce pas ? C'est pour cette raison que vous êtes allé le voir, le jour de sa mort.

Denis s'accouda, se joignit les mains et me regarda par-dessus.

— Mes arrangements financiers ne regardent que moi.

— Je sais que Horne vous devait de l'argent. Ce n'est pas un secret. Alors, l'avez-vous tué ? Parce qu'il ne comptait pas payer ?

— Ce serait insensé de ma part de tuer un homme qui me doit de l'argent. Je préfère avoir de l'argent dans mon coffre que du sang sur les mains.

— Et vous n'auriez pas pu réclamer la somme à son héritier, puisqu'il vous aurait été impossible d'expliquer la transaction commerciale, dis-je. Je doute que vous gardiez la moindre trace. Je suppose que je devrai me satisfaire du fait que vous n'accordiez pas la moindre valeur au déshonneur de Jane Thornton.

Denis m'observa encore une fois longuement avant de desserrer les mains.

— J'admire votre courage, capitaine. Peu d'hommes oseraient entrer chez moi et me lancer de telles accusations à la figure. Ou peut-être n'êtes-vous pas conscient du danger.

— J'ai été prévenu.

Grenville m'avait dit de ne pas venir ici tout seul. Pomeroy m'avait dit que j'étais fou. Je commençais à penser qu'ils avaient tous les deux raison.

— Et vous êtes quand même venu ? demanda Denis. Je dois dire que vous m'avez étonné.

Il se leva.

— Je vous souhaite une bonne fin de journée, capitaine.

Ma respiration s'accéléra et je ne pris pas sa main tendue.

— Je ne peux pas dire que je vous souhaite une bonne santé.

Le coin de ses lèvres se crispa subrepticement.

— Vous êtes admirablement franc, capitaine. Mais faites attention. Ne faites plus rien pour vous mêler de mes affaires. Cela n'en vaut pas la peine.

Encore une fois, je ne pus déceler la menace dans ses yeux, mais j'y vis de la cruauté. Cette froideur devait, sans aucun doute, inspirer la crainte à ceux qui entraient en contact avec lui.

Cela faisait longtemps que je ne connaissais plus la peur.

Je ne lui dis pas au revoir. Je pivotai simplement et m'en allai.

❊ ❊ ❊

Je rentrai chez moi, enragé et pas plus avancé. Hier, je pensais que Denis avait tué Horne, mais après l'avoir rencontré, j'avais changé d'avis. Je croyais Denis quand il disait qu'il aurait obtenu davantage de Horne si celui-ci était resté en vie. Denis devait être d'une humeur favorable à Horne s'il lui avait personnellement rendu visite.

Je caressai l'idée que Denis ait demandé à la brute qui montait la garde dans le bureau de Denis d'effrayer physiquement Horne, et qu'il dise, ensuite, que la brute avait tué Horne par accident, mais j'écartai également cette possibilité. Denis était bien trop prudent. La brute n'aurait pas commis d'erreur. Et Denis n'aurait certainement pas assassiné un homme alors qu'on l'avait vu ouvertement lui rendre visite.

Cependant, personne d'autre n'avait rendu visite à Horne, ce jour-là. J'étais revenu au point de départ. Il se pouvait que ce pitoyable Bremer ait tué son maître, après tout. Ou bien la cuisinière l'avait fait, parce que Horne n'avait pas suffisamment apprécié ses friandises. Ou alors Hetty, dans un fervent élan de morale. Ou encore la frêle Aimee l'avait tué, puis s'était attachée toute seule, s'était enfermée dans l'armoire depuis l'extérieur, tout cela en réussissant à ne pas avoir une seule goutte de sang sur elle.

Je saisis mes notes sur l'écritoire et les jetai dans le feu. Tous mes efforts avaient été vains. Grenville poursuivait l'affaire Charlotte Morrison dans le Somerset tandis que je trébuchais et n'arrivais à rien. Ma jambe me faisait souffrir, j'avais dépensé une fortune en fiacres, et je n'avais rien fait d'utile.

Non, Janet m'avait trouvé utile. Elle s'était amusée avec moi en attendant de partir dans le Surrey avec son nouveau protecteur.

Je compris soudain que Marianne, entre tous, avait raison. Janet s'était toujours accrochée à ceux qui pouvaient le plus lui venir en aide. Elle s'était agrippée à moi lorsqu'elle avait été réduite à promettre ses faveurs au vainqueur d'une partie de cartes. Elle s'était accrochée au voisin de sa sœur, M. Clarke, après la mort de sa sœur. Elle s'était accrochée à Foster maintenant qu'il était capable de l'installer dans une vie confortable, une fois de plus.

Ma colère me submergea et s'installa profondément en moi. Pour la première fois dans ma vie, je songeai à tuer un homme de sang-froid. James Denis ne serait jamais atteint par la justice ordinaire. Il était trop prudent, et même les détectives de la rue Bow avaient peur de lui. Pomeroy avait comparé le fait que j'aille débusquer Denis dans sa tanière à lancer l'assaut sur une colline occupée par l'artillerie. Il avait peut-être eu raison.

J'avais porté l'assaut à cette colline parce que si je ne l'avais pas fait, la bataille aurait été perdue et beaucoup d'hommes seraient morts. Les Français avaient tout misé sur cette batterie d'armes. Mes sergents avaient presque refusé de donner l'ordre, mais je les avais malmenés. Et j'avais eu raison. Les tireurs de l'artillerie étaient entraînés à faire sauter les rangs de la cavalerie et des tireurs en contrebas ; ils n'avaient pas anticipé un assaut de la cavalerie sur leur flanc. Nous avions gravi la colline et capturé les tireurs avant qu'ils ne soient capables de tourner les canons.

Tuer James Denis ne revenait-il pas un peu au même ? Je pourrais fixer un autre rendez-vous avec lui, cacher un pistolet armé sous mon manteau et lui tirer dessus depuis l'autre côté de son bureau vide. Ou alors, je pourrais attendre qu'il rentre chez lui après une sortie, qu'il ouvre la porte de sa voiture et lui tirer dessus sur-le-champ. Jane Thornton serait vengée, et Londres serait débarrassée d'une impitoyable menace.

Je perdrais certainement la vie dans cette démarche. J'avais remarqué la vigilance des gardes du corps de Denis, et je savais qu'ils étaient bien payés pour arrêter des têtes brûlées comme moi. Mais qu'avais-je à perdre ? La société dans laquelle je vivais avait en horreur n'importe quelle imperfection physique. Et voilà où j'en étais, un homme estropié à l'esprit un peu perdu dans la dépression qui essayait d'être accepté en tant que gentilhomme dans une société qui avait de telles conceptions. Je n'y arriverais jamais, ou ne le pourrais jamais. Je n'avais devant moi que des nuits et jours à plonger dans la dépression ou à essayer d'oublier que je n'avais pas de vie à proprement parler. Qui regretterait que je la quitte ?

Peut-être Louisa.

Louisa. Je répétai son nom silencieusement, m'y accrochant pour me sortir de ce sinistre désespoir. Louisa s'en soucierait. Sa préoccupation avait été la seule chose qui m'avait gardé en vie après que son mari ait fait tout son possible pour me tuer. J'avais besoin de la voir.

J'avais reçu une autre lettre de sa part, aujourd'hui, au sujet de son satané dîner, me prévenant que je devais y assister. Je devrais la décevoir. Je n'étais pas d'humeur à tenir des conversations stupides à une fête où son mari serait présent. J'envisageai de me précipiter dehors et de tirer sur Denis sans plus attendre seulement afin d'avoir une excuse pour échapper au dîner de Louisa.

La plaisanterie ne soulagea ni mon humeur sinistre, ni mon besoin de lui parler. Je quittai la maison et marchai jusqu'au théâtre de Covent Garden. Avec un peu de chance, Louisa y serait. Cependant, je ne vis pas la voiture de Brandon parmi celles qui patientaient aux alentours. Je ne vis pas Nancy non plus. Je grimaçai à la pensée de devoir faire le trajet jusqu'à la maison de Brandon dans Mayfair et refusai de me précipiter en ville à sa recherche.

Finalement, je rendis visite aux Thornton et j'y retrouvai Louisa.

— Je pensais que vous seriez en pleine partie de whist chez Lady Aline, dis-je en m'asseyant dans le modeste petit salon des Thornton.

Alice reprit place sur un repose-pied en face de Mme Thornton, pâle et épuisée, qui s'assoupissait au-dessus d'un écheveau de laine.

— Je n'étais pas d'humeur à jouer aux cartes ce soir, répondit Louisa.

La laine rouge, bleue et dorée qu'elle était en train d'enrouler ajoutait une touche de couleur vive à sa robe de coton brune. Ses yeux gris et le bandeau attaché dans ses cheveux étaient les seuls accessoires qu'elle portait, ce soir-là.

— Comment va M. Thornton? demandai-je.

Alice me jeta un coup d'œil.

— Pas de changement, Monsieur.

Je sus en cet instant que je n'aurais pas dû venir. Les regarder me rendait le cœur encore plus dur. Je pris la main froide de Louisa.

— Parlez-moi.

Elle leva les yeux, les sourcils froncés, mais ce qu'elle vit sur mon visage la laissa sans voix. Elle me connaissait depuis longtemps et savait ce dont j'étais capable.

Elle ôta gentiment ma main de la sienne, puis elle se mit à parler de petites choses sans importance. Je fermai les yeux et laissai sa voix s'infiltrer dans ma colère, dissoudre mon désespoir, défaire le nœud dans mon cœur. Je restai là pendant qu'Alice et elle parlaient des petites choses de la vie jusqu'à ce que je puisse me faire confiance et rentrer chez moi me mettre au lit.

✳ ✳ ✳

Je me sentis légèrement mieux le lendemain matin. La poste m'apporta une lettre de Grenville qui me disait qu'il rentrait chez lui sans tarder et que le Somerset s'était révélé intéressant. Il n'entra pas dans les détails.

Je mis sa lettre de côté et ouvris la réponse à ma lettre à Maître Philip Preston, du numéro 23 de la place de Hanovre. Je lui avais écrit la veille avant de sortir pour rencontrer Denis, lui demandant un rendez-vous de manière formelle. Il avait répondu.

« Cher capitaine Lacey : J'ai reçu votre lettre et ai trouvé très approprié de votre part de m'écrire. Je suis alité depuis la Saint-Michel, et ils ne me permettent de voir personne, mais si vous pouviez venir aujourd'hui à une heure, je vous assure que vous serez autorisé à entrer. Je sais que vous enquêtez au sujet du meurtre qui s'est produit dans la maison d'à côté, parce que je vous ai vu de ma fenêtre. Vous avez également fait face aux hommes de la cavalerie qui ont dissipé l'émeute, *tout seul*, ce que j'ai trouvé très courageux. J'aimerais beaucoup vous rencontrer et parler du meurtre. Votre dévoué Philip Preston. »

L'écriture penchée et juvénile ainsi que les taches d'encre éparpillées me firent un peu sourire. J'enfonçai la lettre dans ma poche.

À une heure, j'émergeai d'un fiacre sur la place de Hanovre. Le temps avait changé. Une esquisse du mois de mai et d'un printemps plus chaud flottaient dans la brise qui chassait les nuages. Le mois de mai amènerait également le mariage de la fille du prince régent, Charlotte, avec le prince Leopold. Les festivités faisaient déjà parler d'elles dans Londres. Après cela viendrait le mois de juin avec ses longues journées lumineuses. J'attendais impatiemment l'été, même si je savais qu'il passerait bien trop vite. La monotonie de la plus grande partie de l'année ne faisait pas beaucoup de bien à ma dépression.

Je frappai au numéro 23, parvenant à ne pas regarder le numéro 22. Un majordome qui aurait pu être issu du même moule que celui du numéro 21 ouvrit la porte. Il commença à me dire que M. Preston était sorti, mais je lui tendis ma carte et lui dis que j'avais rendez-vous avec le jeune maître.

Un air indulgent apparut sur son visage, ce qui le fit presque paraître humain.

— Bien sûr, Monsieur. Je vous en prie, suivez-moi.

Chapitre 19

Le majordome me fit traverser une maison qui réson-
nait et qui était élégamment meublée, avec de nombreuses colonnes pseudogrecques et doriques, et il me
conduisit à l'étage supérieur. Au bout d'un couloir, il s'arrêta, cogna à une porte et l'ouvrit lorsqu'une jeune voix nous
invita à entrer.

La pièce derrière la double porte était d'une chaleur
étouffante. Les flammes hautes du feu rugissaient dans la
cheminée, et les fenêtres étaient calfeutrées. Des livres jonchaient la pièce, tout comme des papiers, des stylos cassés,
les restes d'un microscope et de nombreux autres instru-
ments qui paraissaient scientifiques.

Philip Preston se releva d'un bond du divan. C'était un
jeune garçon grand et filiforme d'environ quatorze ans, et
sa voix avait déjà mué, passant du son strident enfantin à la
voix de baryton prévirile. Je ne pouvais pas dire si sa mai-
greur était due à sa maladie ou s'il ne s'était simplement
pas développé dans la plénitude de son corps. Il avança
d'une démarche saccadée, comme si quelqu'un le contrôlait
avec des ficelles, et il exécuta une révérence maladroite.

— Vous ne portez pas votre uniforme, dit-il d'un air déçu quand le majordome fut reparti. John d'à côté dit que vous faisiez partie de la cavalerie. Le 35ᵉ régiment des légers.

— J'en faisais partie. Je ne porte mon uniforme qu'aux événements officiels.

Il sembla trouver cela raisonnable.

— Vous enquêtez sur le meurtre, n'est-ce pas ? Comme un détective.

J'écartai quelques journaux et m'assis sur une chaise.

— Pas précisément en tant que détective.

Les détectives recevaient la récompense lorsqu'un criminel était capturé et jugé coupable. Je ne recevrais rien pour mes efforts, sauf la satisfaction d'avoir empêché qu'un homme soit pendu à tort.

— Je vous ai vu parler à l'un d'eux. Un homme blond et costaud.

Je penchai la tête.

— Pomeroy. Oui, c'est un détective. C'était l'un de mes sergents sur la péninsule.

— Vraiment ? Absolument génial. Qui a commis le meurtre, selon vous ?

— Je suis venu jusqu'ici afin d'avoir votre opinion à ce sujet. Je crois que vous observez beaucoup ce qui se passe, par la fenêtre.

Philip se laissa tomber sur le divan.

— Je dois le faire. Je ne suis pas en bonne santé, voyez-vous. À la Saint-Michel, je suis rentré à la maison avec de la fièvre qui a duré un mois. Je suis encore trop faible pour retourner à l'école, d'après ce que dit le médecin de maman.

Je le regardai de haut en bas. Maigre, oui, mais ses yeux bougeaient avec impatience, et le désordre dans la chambre ne reflétait pas de la faiblesse.

— Vous passez beaucoup de temps seul, dis-je.

— En effet. Maman n'est pas en bonne santé, elle non plus. Elle reste enfermée dans sa chambre pendant des jours et ne descend pas. Parfois, elle sort avec papa, mais la plupart du temps, elle ne sort pas. Papa sort presque tout le temps. Il a du travail. C'est un membre du Cabinet, vous savez.

Ah. Ce Preston-là. Le bras droit du ministre des Finances. Cela ne devait pas plaire à un homme comme lui d'avoir une épouse hypocondriaque et un fils solitaire qui s'ennuie.

— Montez-vous à cheval? demandai-je.

Les yeux de Philip s'illuminèrent, puis ils s'assombrirent.

— J'ai mon propre poney. Mais je ne monte pas. Le médecin de maman dit que cela me fatiguerait.

Je suspectais le médecin de sa mère d'avoir découvert comment soutirer des honoraires à ses riches patients.

— Je vous emmènerai, vous et votre poney, à Hyde Park, et je vous apprendrai à monter comme un homme de la cavalerie. Cela veut dire parcourir de longues distances sans se fatiguer.

Un large sourire éclaira son visage.

— Vous feriez cela, Monsieur? Je suis libre lundi. C'est... Oh, je vois, Monsieur. Vous ne faisiez que vous montrer poli envers moi. Je suis désolé.

Je secouai la tête.

— Pas du tout. Bien monter est une aptitude qui est fortement admirée chez les gentilshommes. Je vous montrerai comment même un homme malade peut le faire.

Il se mit presque à danser sur son siège, puis il jeta un coup d'œil sceptique à ma canne.

— Montez-vous encore ?

— Je le peux, répondis-je. Je vous retrouverai lundi pour une leçon d'équitation, si vous me dites ce que vous avez vu par la fenêtre le jour où M. Horne est mort.

Philip fit un signe de la main.

— Je peux tout vous raconter. Mon tuteur était censé venir ce jour-là, mais papa l'a renvoyé parce qu'il a été discrédité — le tuteur, je veux dire—, et je n'avais rien à faire. J'étais assis à la fenêtre et j'observais. Il ne s'est pas passé grand-chose, ce jour-là. La bonne, Grace, est sortie dans la matinée, puis John, le valet, est sorti à son tour. Il m'a fait un signe de la main. Il me parle de temps en temps.

— Quelle heure était-il ?

— Oh, très tôt. Environ neuf heures. Ils sortent souvent à cette heure-là. Grace revient avec un panier bien rempli et John ramène généralement des paquets. Grace est ressortie vers une heure. Elle était très pressée et n'arrêtait pas de regarder derrière elle, comme si elle avait peur que quelqu'un la voie. Elle n'a pas regardé dans ma direction. Elle ne le fait jamais.

— Dans quelle direction est-elle partie ?

Il fit un geste de la main.

— Par là, vers la rue Oxford. Elle s'est arrêtée sur le coin pour parler à un homme.

— Vraiment ? Avez-vous vu à quoi il ressemblait ?

Il rougit.

— J'ai bien peur de ne pas l'avoir vu.

Je patientai. Un jeune homme qui connaissait les domestiques de la maison d'à côté par leur nom et qui connaissait leurs habitudes aurait dû être capable de décrire un étranger à la perfection. Mais il me regarda d'un air honteux.

— Pour dire la vérité, capitaine, je ne regardais pas à ce moment-là.

— Vous regardiez peut-être quelque chose d'autre, suggérai-je.

Il se leva et fit les cent pas, les mains derrière le dos, imitant parfaitement un gentilhomme qui avoue un défaut de caractère à ses amis.

— Il y a une jeune lady qui vit trois maisons plus loin. Mlle Amanda Osborne. Elle est sortie à ce moment-là et elle est entrée dans une voiture avec sa mère.

Je cachai un sourire.

— Et elle est très belle, je suppose.

Il rougit encore davantage.

— Je projette de l'épouser, voyez-vous. Quand je serai plus âgé, bien entendu.

Je me demandai s'il faisait allusion à un mariage déjà arrangé entre leurs familles, ou s'il avait simplement déjà choisi sa vie future — et celle de la jeune femme.

— Les jeunes ladies peuvent nous détourner de nos objectifs les plus rationnels, dis-je.

Il me lança un regard qui me disait sa gratitude quant au fait que nous, deux hommes du monde, nous comprenions.

— Ensuite, une voiture est arrivée vers une heure et quart et s'est arrêtée devant le numéro 22. Je devais descendre dîner, mais je ne pouvais détacher mes yeux de la voiture. Elle était faite en bois poli, avec des dorures sur les coins et sur la porte. Les roues étaient noires avec des rayons dorés. Il y avait un écusson sur la porte et je n'avais jamais vu cette calèche auparavant, donc je ne savais pas à qui elle appartenait. Les chevaux étaient plus beaux que ceux de mon père, plus beaux que ceux de M. Berring. Il vit de l'autre côté de la maison de M. Horne. C'étaient des chevaux bais et chaque cheval avait une patte blanche. Cela a dû demander un certain effort pour qu'ils soient assortis de la sorte.

Je me penchai en avant, mon intérêt s'intensifiant.

— Et qui est sorti de cette calèche?

— Un gentilhomme, Monsieur, et son domestique. Le domestique était grand et costaud, et il avait le visage rouge. L'homme qui est descendu était grand et avait les cheveux foncés. Je n'ai pas pu bien voir son visage parce qu'il n'a pas levé la tête, mais il était élégamment vêtu. Tout en noir avec un foulard blanc, ainsi qu'un manteau noir avec une dou- blure bleu marine. Vu son apparence, il aurait très bien pu se rendre sur-le-champ à la demeure Carleton. Il a envoyé son domestique vers la porte, puis il l'a suivi. Il était en colère.

Je tapotai mon pantalon du bout des doigts.

— Comment le savez-vous? Vous avez dit que vous n'aviez pas pu voir son visage.

— Eh bien... à cause de la façon dont il marchait. Vous savez, il marchait vite et tapait des pieds. Impatient et contrarié, comme s'il n'avait pas envie d'être là.

— Combien de temps est-il resté?

Philip regarda le plafond quelques instants.

— À peu près une heure. On m'a fait descendre pour dîner après cela, et quand j'ai fini de manger et que je suis remonté, le gentilhomme était en train de partir. Il devait être environ deux heures et demie.

— Était-il encore en colère ?

Philip se tapota la joue avec l'index.

— Je ne sais pas. Je l'ai juste entraperçu à ce moment-là. Il est allé vers sa voiture, son manteau virevoltant, et il y est monté. Mais il bougeait de manière différente. Je pourrais presque dire qu'il semblait satisfait.

Intéressant. J'allai plus loin.

— Après le départ de ce gentilhomme, quelqu'un d'autre est-il venu à la maison ?

— Personne de tout l'après-midi. Ils ont eu des livraisons, comme d'habitude, mais ils sont descendus à la cuisine. Deux hommes avec un chariot et une dame avec un panier.

— Étaient-ce les personnes qui livraient d'habitude ?

Il secoua la tête.

— Ils en ont d'autres de temps en temps. La dame livrait depuis environ un mois, et j'ai reconnu l'un des deux hommes, mais pas l'autre.

Ils avaient dû aller à la cuisine, et tout le personnel avait dû les voir. Seul M. Denis, l'homme élégant à la calèche élégante, avait rendu visite à M. Horne en passant par la porte d'entrée.

— Et personne d'autre ?

— Vous êtes arrivé juste quand la nuit commençait à tomber, puis leur garçon de courses est parti en cavalant et est revenu plus tard avec le détective. Je vous ai reconnu du jour précédent, lorsque vous étiez devant les hommes de la cavalerie. Connaissiez-vous les hommes de la cavalerie ?

— Je connaissais le lieutenant.

— Vous les avez empêchés de faire du mal à la dame. Et ensuite, vous avez emmené l'homme et la dame. Les avez-vous emmenés en prison ?

— Bien sûr que non. Je les ai ramenés chez eux. L'homme avait énormément de chagrin. Vous a-t-il effrayé ?

Philip haussa les épaules.

— Je n'en suis pas sûr. Je l'ai vu arriver et commencer à crier devant la porte de M. Horne. Je pouvais voir qu'il était très en colère et très malheureux. Il a commencé à crier et à se tirer les cheveux. Mais il a certainement ému la foule. Je m'attendais à ce qu'ils commencent à briser les vitres et à entrer dans les maisons, mais ils ne l'ont pas fait.

Il avait l'air déçu.

— Ils n'étaient pas très courageux, dis-je. Les hommes à cheval les ont facilement effrayés.

J'hésitai.

— Regardez-vous par la fenêtre durant la nuit également ?

Il soupesa sa réponse, comme s'il décidait de ce qu'il pouvait admettre, puis il décida finalement de me faire confiance.

— Je ne dors pas beaucoup. Je regarde les gens sortir et puis revenir de leurs fêtes et du théâtre. Lorsque je serai adulte, je ne serai plus malade et j'irai tout le temps dans des bals, au théâtre et dans des clubs.

— Se passait-il beaucoup de choses au numéro 22 pendant la nuit ?

— Non, Monsieur. M. Horne ne sortait pratiquement pas.

Je méditai.

— Est-ce que quelque chose d'inhabituel s'est passé une nuit en particulier, disons, il y a trois ou quatre semaines ?

Les yeux de Philip s'illuminèrent d'admiration.

— Comment le savez-vous, Monsieur ? C'est la nuit où la calèche noire est venue. Toute lumière éteinte. J'ai pensé que c'était insensé et dangereux de rouler comme ça. Elle est restée devant la maison de M. Horne pendant environ un quart d'heure.

— Est-ce que quelqu'un est sorti de cette calèche ?

— Non. Mais quelqu'un y est monté. Ce n'était pas M. Horne ; l'homme était trop grand et costaud pour que ce soit lui. Et il portait quelque chose sur son épaule, quelque chose qui ressemblait à un tapis. Il est monté, et la voiture est repartie.

Un tapis. Ou une jeune fille empaquetée, inconsciente ou morte. Horne l'avait-il tuée, ou avait-il trouvé un autre moyen de s'en débarrasser ?

— Cela a-t-il quelque chose à voir avec le meurtre ? s'empressa de demander Philip.

J'écartai les mains.

— Cela se pourrait.

— Pensez-vous que l'élégant gentilhomme qui est arrivé cet après-midi-là pourrait être le meurtrier ?

Je fis la moue.

— En tout cas, il se trouvait au bon endroit, au bon moment.

J'imaginai encore une fois Denis bouger son petit doigt et son homme de main costaud exécuter la tâche, à savoir poignarder Horne à mort. Je continuais à penser que c'était peu probable. Et la mutilation du corps ne correspondait pas. Je doutais que Denis, avec ses yeux dépourvus d'émotion, prenne la peine de couper ses parties génitales. C'était comme si cela avait été commis pas une personne tout à fait différente.

La vigilance s'éveilla en moi tandis que l'idée venait et s'en allait. Je la repris, la ressassai lentement. Deux personnes *différentes*. Les pièces se recoupaient, s'assemblaient et s'imbriquaient parfaitement.

— Je sais que Bremer ne l'a pas assassiné, disait Philip. Il est trop vieux et il a peur de tout. Même une araignée l'effraie.

— Il est effrayé, dis-je lentement. Mais la peur peut être une motivation très puissante.

— Vraiment, Monsieur ?

Je hochai la tête, puis me levai et fis un salut militaire.

— C'est possible. Je vous remercie pour votre franchise, M. Preston. Vous m'avez énormément aidé.

※ ※ ※

Ensuite, je quittai Philip, lui assurant que je n'oublierais pas ma promesse de lui donner une leçon d'équitation lundi.

Je m'arrêtai au bureau du journal pour leur demander s'il y avait eu de nouvelles réponses quant à l'endroit où pouvait se trouver Jane, et il n'y en avait aucune. Je rentrai chez moi et mangeai l'un des petits pains sans raisins de Mme Beltan avant de monter. Plus tard dans la journée, je me rendis rue Bow et demandai à Pomeroy s'il y avait de nouveaux éléments d'enquête. Pomeroy répondit par la négative et sembla surpris que je ne sois pas satisfait que Bremer soit pendu pour le crime. Le procès de Bremer aurait lieu lundi, me dit-il. On était samedi.

Je pensai à ce que m'avait dit Philip Preston à propos de la voiture noire au milieu de la nuit et du paquet qu'ils avaient pris au numéro 22. Il était vraisemblable que ce paquet ait été Jane. Mais était-elle morte ou vivante ? L'avaient-ils emmenée dans un bordel ou jetée dans une rivière ?

Une calèche avait besoin d'un cocher. À la suite de mon enquête à propos de Horne et de sa maison, je savais qu'il n'en avait pas, ce qui voulait dire qu'il devait louer les services d'un cocher quand c'était nécessaire. Il aurait donc dû louer une voiture et un homme pour la conduire.

Je pensai au cocher que Nancy avait retrouvé pour moi, Jemmy — qui travaillait en fait pour Denis. Denis l'avait installé chez les Carstairs, et je croyais à présent que c'était lui également qui l'en avait fait partir. Il n'y avait aucun doute, Jemmy m'avait fait concentrer ma curiosité sur Denis, son véritable employeur.

Je commençai à poser des questions aux dépôts des voitures, demandant si quelqu'un se souvenait d'avoir loué une voiture à un bourgeois sur la place de Hanovre, un mois plus tôt. Personne ne s'en souvenait. Je rentrai à la maison alors que la nuit tombait et m'installai devant un souper froid composé du rôti de la veille du pub et d'une miche de pain de ma propriétaire.

Je ramenai mes pensées sur Denis. Il avait tout su à mon sujet et sur ce que je voulais. Horne avait pu lui parler dans sa lettre de mes questions à propos de Jane Thornton, mais j'en doutais. Les seules personnes qui avaient connu mon intérêt pour l'enlèvement de Jane, à part Horne, étaient Jemmy et Grenville.

Je laissai mon esprit vagabonder. Grenville s'était montré empressé à m'aider, et à ses propres frais. Il s'était montré étrangement intéressé par la disparition de Charlotte Morrison et m'avait traîné jusqu'à Hampstead pour enquêter. Ensuite, il s'était montré volontaire pour faire tout le voyage jusque dans le Somerset pour continuer l'enquête.

La nuit que nous avions passée à Hampstead, il avait disparu de l'auberge et il n'avait fourni aucune explication sur l'endroit où il était allé. Bien sûr, il se pouvait qu'il ait simplement retrouvé une connaissance, ou alors qu'il soit simplement allé faire un tour, et il n'avait aucune raison de me tenir au courant de ses faits et gestes. Et ses balades nocturnes à Hampstead n'avaient peut-être rien à voir avec James Denis. Cependant, je continuais à me demander pourquoi il avait essayé de garder secret ce qu'il faisait.

Un coup à ma porte me surprit et me tira hors de mes réflexions. J'avais regardé fixement les flammes pendant que je réfléchissais, et quand je détournai les yeux, je fus ébloui, et je pus à peine voir devant moi tandis que je traversais la pièce.

Un garçon se tenait sur le seuil avec une lettre et un regard plein d'espoir. Je pris la lettre et lui donnai une pièce.

Le mot venait de Grenville. « J'ai fait un long voyage pour rentrer à la maison, puis j'ai entendu dire que vous étiez allé voir Denis sans moi. Je vous en ai voulu. Je suppose que vous n'avez rien appris de votre côté. Retrouvez-moi à mon club ce soir. Je dois vous raconter quelque chose, et nous devons faire des plans. Je vous enverrai ma voiture à neuf heures. »

Je jetai la lettre froissée en boule dans le feu. J'en avais assez que Grenville me convoque comme son garçon de courses. Je l'avais contrarié ; il voulait que je rampe à ses pieds, que je sois pendu à ses lèvres et que j'obéisse à ses ordres comme le reste de Londres.

Je m'assis à mon écritoire et lui écrivis une réponse dans laquelle je lui disais que je lui rendrais visite lorsqu'il me plairait. Je laissai filtrer mon agacement dans la lettre et j'insinuai ce que je pensais d'un homme qui pouvait briser la carrière d'un artiste d'un simple froncement de sourcils de même que l'acceptation d'une personne rien qu'en écarquillant les yeux. J'étais fatigué de sa charité et je refusais de renoncer à mon intégrité pour le délicieux brandy et les fins mets de Grenville. Je finis par lui dire que s'il désirait savoir ce qu'était la vraie vie, il devrait assister au dîner organisé par Louisa Brandon. Il n'y avait aucun doute que Brandon régalerait les personnes présentes avec les détails de nos aventures pendant la guerre.

Son message disait qu'il enverrait sa voiture à neuf heures. Peu avant neuf heures, je laissai la note à Mme Beltan pour qu'elle la poste le lendemain matin, et je sortis.

Je marchai jusqu'à Long Acre, puis vers l'est et le nord, loin de mes habituels lieux de prédilection. Le valet de Grenville n'avait qu'à me chercher en vain dans les environs de Covent Garden.

Le froid était tombé en même temps que la nuit, mais le froid mordant de l'hiver s'en était allé. L'air avait fini par s'adoucir, et c'était presque un plaisir de marcher. Les autres personnes devaient ressentir la même chose, car les rues étaient bondées.

J'entrai dans une taverne où je n'étais jamais allé auparavant. Les gens des environs, des ouvriers aux mains calleuses et aux visages tannés qui plaisantaient gaiement, me regardèrent de haut en bas d'un air soupçonneux lorsque j'entrai dans l'établissement. Il y avait des charretiers, des charrons, des palefreniers et un homme costaud aux muscles saillants qui devait être un forgeron ; ils passaient un bon moment avec leurs comparses avant de rentrer dormir chez eux. Après que je me fus installé sur une chaise basse pour y rester assis tranquillement, ils me laissèrent seul. Je pris un verre de gin chaud, puis une chope de bière

J'avais vidé la moitié de celle-ci et m'étais agréablement réchauffé quand Black Nancy virevolta dans la pièce. Elle parcourut la pièce avec de grands yeux impatients, balançant les hanches, puis elle me repéra et traversa rapidement la pièce.

— Vous voilà, capitaine. J'ai essayé de vous suivre, mais je vous ai perdu sur Long Acre. J'ai demandé à tout le monde s'ils avaient vu un homme boiteux qui marchait seul. Un monsieur m'a dit qu'il vous avait aperçu entrer ici, et vous voilà.

Je posai ma bière.

— Très intelligent de ta part. Je suis venu ici parce que je n'avais pas envie d'avoir de la compagnie.

— Je suis désolée de vous entendre dire ça.

Elle tira un tabouret jusqu'à ma table, s'y installa et m'adressa un sourire malicieux.

— J'ai quelque chose à vous offrir.

Je n'étais pas d'humeur pour ses taquineries.

— Quelque chose que j'ai refusé auparavant, dis-je sèchement.

— Pas ça. Je sais que je n'ai aucune chance. Écoutez, capitaine, vous voulez choper le type qui a piqué votre Mlle Jane ou Mlle Lily, ou quel que soit son nom, n'est-ce pas ?

Je hochai la tête et sirotai ma bière.

— Eh bien, je peux vous aider. Jemmy et moi. Il y a repensé et il n'aime pas avoir été impliqué là-dedans. C'est pour ça qu'il a été tellement méchant quand vous l'avez interrogé. Mais nous avons réfléchi à un moyen d'attraper le gars, et nous avons besoin de votre aide.

Une sonnette d'alarme retentit en moi.

— Bon sang, de quoi es-tu en train de me parler, Nancy ?

Nancy posa la main sur mon épaule.

— Ne vous inquiétez pas, capitaine, ce sera facile. Tout ce que je dois faire, c'est de me faire enlever, et vous l'attrapez sur le fait.

Chapitre 20

Ma réponse fut immédiate.
— Non.

Un large sourire vint orner son visage.

— Je savais que vous diriez ça. Jemmy et moi, nous avons tout planifié.

— Cet homme est bien trop dangereux, Nancy. Je ne veux vraiment pas que tu t'en approches.

— Je ne vais pas m'en approcher. On a tout prévu. Jemmy se portera volontaire pour sortir et m'enlever. Il me ramènera à son maître, et ensuite, vous pourrez venir avec le juge et l'arrêter. Puis, vous l'obligerez à nous dire où se trouve Jane, et Jemmy et moi, nous nous partagerons la récompense de dix guinées. Je serai riche. Vous voulez que je sois riche, n'est-ce pas ?

Je secouai la tête devant ses idées simplistes.

— M. Denis n'est pas un proxénète ordinaire. Il ne veut pas de filles de la rue, et il est très probable que Jemmy travaille encore pour lui et qu'il soit en train de nous appâter, toi et moi, et de nous mettre en danger.

Nancy claqua ses doigts sous mon nez.

— C'est tout ce que vous savez. De toute façon, on l'a déjà fait. Jemmy n'est pas stupide. Il est assez beau, en plus.

Elle me regarda de haut en bas, comme si elle nous comparait.

— Nancy, ne fais pas ça, dis-je sérieusement.

— Peu importe. Je dois retrouver Jemmy, passé minuit, derrière le théâtre de Covent Garden. Vous pouvez venir, ou bien Jemmy et moi, nous le ferons tomber tous seuls. Nous n'avons pas besoin de vous pour obtenir la récompense.

Je lui attrapai le bras.

— Jemmy et toi, vous êtes tous les deux fous. Cet homme est trop dangereux.

— Laissez-moi tranquille. Vous n'êtes pas mon père.

La voix ce Nancy porta. Des têtes se retournèrent. Les habitués me regardèrent d'un air désapprobateur.

— Si j'étais ton père, je t'enfermerais dans la cave.

Elle se libéra d'un geste brusque de ma poigne.

— Et je hurlerais. Vous n'êtes pas mon protecteur non plus. Si vous l'étiez, je ferais tout ce que vous me demanderiez, toujours.

Nancy s'enfuit. Je jetai une couronne sur la table et boitillai derrière elle. Les clients me regardèrent m'en aller, contents d'être débarrassés de moi.

— Nancy, l'appelai-je au milieu de la nuit.

J'entendis le bruit de ses pas s'éloigner sur l'avenue étroite, mais je ne pouvais la voir dans l'obscurité. Je la suivis en boitillant, même si je savais que je n'arriverais jamais à la rattraper. Elle était experte dans l'art de disparaître. Je devrais simplement aller au théâtre de Covent Garden un peu plus tôt et la faire disparaître avant que Jemmy et elle ne puissent mettre leur plan à exécution. Je n'avais pas de cave où l'enfermer, mais j'avais les clés du grenier de Mme Beltan. Je pouvais l'y emmener jusqu'à ce que le danger soit écarté. Elle ne me remercierait pas, mais au moins, elle resterait en vie.

Je me rendis dans une autre taverne, plus près de chez moi, et pris tranquillement une autre chope de bière. Aucune jeune fille aux cheveux noirs et aux idées ridicules n'entra en trombes pour m'ennuyer, et si les laquais de Grenville étaient en train de me chercher, ils ne le faisaient pas du tout de façon minutieuse. À dix heures trente, je retournai sur l'avenue Grimpen. Je ne vis pas la voiture de Grenville, ni aucun de ses efficaces valets, donc j'en conclus qu'ils avaient décidé que m'attendre ne valait pas la peine et étaient repartis bredouilles auprès de Grenville.

À onze heures trente, je me rendis au théâtre de Covent Garden, qui se trouvait au bout de la rue Bow. Les calèches des gens fortunés faisaient des va-et-vient devant l'édifice, mais à l'arrière de celui-ci, l'obscurité était complète. J'éclairai avec ma lanterne les passages étroits et sombres, mais à part un rat et un vieil homme qui s'enfuit à la hâte, j'étais seul. Le rat resta.

La cloche de l'église Saint-Paul de Covent Garden sonna les trois quarts de l'heure. Le bruit de pas d'une personne qui courait résonna. J'abaissai ma lanterne et reculai dans l'obscurité. Je reconnus les pas légers de Nancy, et je vis qu'elle s'approchait au pas de course de la faible lueur de la lanterne.

— Qui est là ? demanda-t-elle bien trop fort à mon goût.

— Moi.

Ses dents étincelèrent alors qu'elle s'avançait vers moi.

— Ah, Lacey, je savais que vous viendriez.

Je saisis ses poignets et la tirai d'un coup sec. Ses yeux, proches des miens, s'arrondirent.

— Que faites-vous ? Essayez-vous de m'embrasser ?

— Non, je te retiens.

Puis, elle me regarda, alarmée, et prit une longue inspiration, se préparant à crier. Je plaquai ma main sur sa bouche. Elle essaya de me donner un coup de pied, mais je la calai contre le mur de tout mon poids. Elle me mordit la main. Soudain, elle devint flasque et silencieuse.

Je la relevai et commençai à la traîner vers la rue, ramassant la lanterne au passage. Elle trottinait tout en reniflant.

Au coin du théâtre, quatre hommes attendaient. Aucun d'eux n'était Jemmy. Je fis un pas en arrière, mais ils me suivirent.

Je lançai la lanterne dans une direction et Nancy de l'autre. Elle poussa un cri en tombant dans les ordures. La lanterne roula et s'éteignit, plongeant le passage dans l'obscurité.

Les hommes attaquèrent. J'esquivai rapidement et sentis un souffle effleurer mon visage. J'arrachai l'épée de ma canne et tins le fourreau dans mon autre main. J'entendis un coup arriver et je plongeai de côté. Un homme grogna de surprise et de douleur.

Ils se battaient avec moi dans l'obscurité, tentant d'échapper à mon épée et de passer derrière moi. Je collai le dos à un tas d'ordures et frappai fort et vite. Je ne les atteignais pas à tout coup, mais je les gardais à distance.

Mais pour combien de temps ? Je ne pourrais me battre ici à jamais ; je commençais déjà à fatiguer. Je ne pouvais compter sur le fait que Nancy aille chercher de l'aide. Elle pleurait bruyamment dans l'obscurité, ne faisant aucun effort pour s'échapper. Elle pourrait être blessée. L'un d'eux pourrait l'attraper.

Un coup passa et atterrit sur ma poitrine. J'expirai brusquement, mais je restai debout et rendis les coups avec mon poing et mon fourreau. Je sentis des dents. L'homme que je venais de toucher poussa un juron et cracha.

Une lumière soudaine m'aveugla. Une lanterne éclairait mon visage, m'éblouissant les yeux. Je les fermai rapidement et regardai ailleurs, mais il était trop tard. Un coup puissant frappa mon genou gauche, et une douleur fulgurante me saisit. Je bondis sur le côté. Dans la lumière, un autre coup frappa le bras portant mon épée, après quoi trois hommes s'approchèrent de moi et m'arrachèrent l'épée de la main.

— Dépêchez-vous.

Je reconnus la voix de Jemmy et sentis son visage derrière la lanterne. Je continuai à me battre. Un autre coup de pied à ma jambe blessée m'arracha un cri, puis mes mains et mon visage touchèrent le sol, une douleur cinglante m'envahissant alors que je heurtais les pavés durs.

Ils continuèrent à me rouer de coups. Je me recroquevillai, protégeant mon visage et mon ventre. Mon genou n'était plus qu'une boule de douleur, et c'était pratiquement tout ce que je ressentais. Quand le brouillard engourdi se dissipa légèrement, je remarquai qu'ils avaient arrêté de me frapper. Je bougeai le bras et entendis mon propre gémissement. Du sang épais coulait sur ma joue.

J'ouvris les yeux. Dans la lueur de la lanterne allumée, j'aperçus un pied élancé dans un chausson souillé, à quelques centimètres de mon nez seulement.

— Quel beau retournement de situation, n'est-ce pas, capitaine ? demanda doucement Nancy avant de me donner un coup de pied en plein visage.

✳ ✳ ✳

Lorsque je revins à moi, bien plus tard, j'étais allongé sur un fin matelas, et une couverture était jetée sur moi. La lumière — la lumière du jour — s'infiltrait au travers des lattes cassées du volet en bois d'une lucarne. Mes membres semblaient curieusement lourds, et la vive douleur à laquelle je m'étais attendu n'était qu'une douleur lancinante, sourde et lointaine.

Je tentai de bouger et découvris que mes mains étaient attachées dans mon dos, les cordes bien serrées et coupantes. Mes pieds, de la même manière, étaient attachés, et on m'avait enlevé mes bottes.

Ils ne m'avaient pas couvert la bouche. Je léchai mes lèvres sèches et repris mon souffle pour appeler à l'aide, mais seul un faible croassement s'échappa de ma gorge, tel un souffle de vent au milieu des branches par un après-midi d'été. Mon lit — non, toute la pièce — tournait doucement, et je sentis l'odeur de la boue, de la saumure et de la crasse. Des ombres dansaient sous la lumière du jour, de bas en haut, de bas en haut, m'apprenant que je me trouvais sur l'eau. Quelque part. L'air avait l'odeur nauséabonde de la ville, pas l'odeur pure de la mer, donc je supposais que j'étais sur la Tamise, encore à Londres.

Étais-je seul ? Ou est-ce que quelqu'un tenait la barre ? Le bateau allait peut-être sombrer, m'entraînant, seul, vers le fond de la rivière, mon corps perdu à tout jamais.

J'avais faim et soif, et j'avais affreusement sommeil. J'étais sur le qui-vive, et malgré cela, mes yeux se fermaient, mon corps cherchant l'oubli duquel il s'était réveillé.

Lorsque je rouvris les yeux, la lumière provenant de la lucarne faiblissait. Une journée s'était écoulée. Une seule? Ou deux? Ou plus? Mon esprit embrouillé avait le pressentiment que c'était important, mais je n'arrivais pas à m'en soucier. Au moins, le bateau était encore à flot. J'entendis la voix d'un homme à l'extérieur de la porte de la cabine, puis une autre qui lui répondait. Donc, je n'étais pas seul. Ils allaient peut-être d'abord me tirer dessus avant de fuir le bateau.

Je passai en revue mes souvenirs confus. Je ne pouvais pas vraiment me souvenir de ce qui s'était passé après avoir été roué de coups par les quatre hommes et Jemmy, derrière le théâtre de Covent Garden. Je me souvenais d'avoir été allongé dans une voiture sombre, des gémissements s'échappant de mes lèvres, et je me souvenais d'une main qui m'avait obligé à boire quelque chose d'amer et de brûlant. De l'opium. Ce qui expliquait cette sensation de pesanteur et d'engourdissement, ainsi que mon indifférence à ma situation désespérée. Lorsque l'effet de l'opium se serait dissipé, je me sentirais, bien évidemment, affreusement mal.

Mes lèvres craquelées formèrent un sourire. J'expliquerais à Louisa, si je devais la revoir un jour, que j'avais raté son dîner parce que j'avais été noyé en essayant de sauver une prostituée de seize ans de sa propre stupidité.

Nancy m'avait dupé, et j'avais plongé à pieds joints. Elle avait su que je ne pourrais pas m'empêcher d'essayer de la tenir à l'écart de mon enquête, et Jemmy et elle avaient mis au point un simple piège. Jemmy travaillait pour Denis, et les quatre hommes qui m'avaient attaqué me faisaient penser à la brute qui se trouvait dans le bureau de Denis. Ce dernier devait avoir présumé que je ne pourrais pas partir de chez lui sans essayer de me venger. Il devait avoir lu dans mes yeux l'idée stupide que j'avais eue de lui tirer dessus, cela avant même que cette idée ne se soit réellement formée. Donc, il avait frappé en premier.

La porte bancale s'ouvrit, et deux hommes costauds entrèrent — je supposai — pour me tuer.

Au lieu de cela, ils me frappèrent. Bruyamment, minutieusement, avec leurs poings et des gourdins, ils rouèrent mon corps de coups jusqu'à ce que la douleur me transperce malgré l'effet de l'opium. Des cris rauques, que je ne pouvais retenir, s'échappèrent de ma bouche. Je regardai l'un des deux hommes droit dans les yeux, des yeux aussi fades et insensibles que ceux de Denis.

Ils repartirent en me laissant complètement étourdi.

On dit que l'opium procure une clarté de l'esprit. On dit que les poètes et les musiciens s'en servent pour créer leurs plus belles œuvres. Je lisais peu de poésie, mais la musique m'apportait de la joie, et j'avais l'impression, en cet instant, que des accords de violon et de piano s'insinuaient dans mon cerveau et encerclaient mes pensées. La drogue élevait mon esprit au-dessus de la douleur, séparant les sensations et la pensée. Lorsque mon corps se souilla et alors que j'étais allongé dans la puanteur de mon propre sang et de mon urine, les événements des derniers jours se remirent dans l'ordre de façon claire et nette.

Philip m'avait raconté tout ce que j'avais besoin de savoir. J'avais concentré ma rage sur Denis, l'homme qui acquérait discrètement des choses pour ses clients ; sa seule préoccupation étant de savoir combien ils étaient prêts à payer et à quel point ils étaient désespérés. Peu importe que Denis s'habille élégamment, c'était une ordure, et je le savais. Cependant, à cause de mon dégoût pour sa personne, j'avais été aveuglé et n'avais pas pu voir la simple vérité — à savoir que ce n'était pas *une* personne qui s'était rendue chez Horne, ce jour-là, mais *cinq*.

Bremer n'avait rien à voir avec la mort de Horne. Il avait été aussi surpris que n'importe qui en le découvrant. Je l'avais toujours su, au plus profond de mon cœur. Mais parmi ces cinq personnes — Denis, la brute de Denis, deux hommes faisant des livraisons, et une femme avec un panier —, il y avait le coupable. Mme Thornton portait un panier le jour où on avait tiré sur son mari, sur la place de Hanovre. Alice possédait certainement aussi un panier pour faire des achats au marché. Et qui remarquait une domestique ?

Qui faisait attention à un homme qui faisait des livraisons, d'ailleurs ? Si Mulverton, le cousin de Horne, avait été impatient de toucher l'héritage, il aurait pu se déguiser en ouvrier et aller à la maison avec un sac de navets simplement pour repérer l'endroit.

C'était tiré par les cheveux ; je ne pouvais imaginer un instant qu'un gentilhomme du Sussex puisse envisager de mettre des vêtements usés et de salir son visage simplement pour voir s'il pouvait écarter son cousin de son chemin. Mais je retournai cette possibilité dans mon esprit, parce que ce que je croyais était réellement quelque chose d'horrible et que je ne voulais pas analyser cette certitude de trop près. Bremer était un meilleur coupable. Un vieil homme qui avait consenti à exécuter les ordres répugnants de son maître et qui allait devenir célèbre par la pendaison.

Je ne savais toujours pas où se trouvait Jane Thornton, mais j'avais une idée de ce qui lui était arrivé. Philip avait vu quelqu'un l'emmener une nuit et, en mon for intérieur, j'avais peur qu'elle soit morte. Je savais également qui le savait avec certitude, et ma rage se retourna contre cette personne et bouillonna pendant un bon moment.

Tandis que la lumière faiblissait, je pensai au deuxième cas, celui de Charlotte Morrison. Je repensai à ses lettres et à ce que j'avais vu dans les yeux de son cousin. C'est alors que je compris ce qui l'avait effrayée. Je m'en étais rendu compte à Hampstead, mais je n'avais pas voulu croire cette chose exécrable ; je ne m'étais donc pas permis de tirer cette conclusion.

L'opium m'aida à voir clairement ce que je savais déjà. Tout comme cela s'était passé il y a des années, lorsque j'avais compris quel officier et quel sergent avaient décidé de débarrasser l'armée d'Arthur Wellesley, j'étais immédiatement arrivé à cette conclusion, mais je n'avais pas voulu la voir en face. Une nuit, seul, ayant peur pour ma vie, j'avais été forcé de reconnaître la vérité. Au cours de cette nuit froide au Portugal, je n'avais pas pu profiter de l'opium pour calmer ma peur, mais ma vie avait été en danger, au moins autant qu'en ce moment.

Néanmoins, les secrets à propos de Jane, de la mort de Horne et de la disparition de Charlotte mourraient avec moi. Personne ne les retrouverait dans mon cerveau pourri par l'eau quand ils me repêcheraient au fond de la Tamise. Ce serait ma faute, pour avoir évité de douloureuses vérités et pour avoir gardé mes certitudes pour moi.

J'étais à présent allongé dans la pénombre, les yeux ouverts, et j'observais les dernières ombres dériver sur le sol endommagé et incrusté de goudron.

Un peu plus tard, la porte s'ouvrit. La lueur d'une lumière vacillante transperça mes pupilles dilatées et enfonça des clous de douleur dans ma tête.

Black Nancy ferma la porte et s'avança jusqu'à la couchette. Elle déposa la lampe sur le sol et dégagea les cheveux de mon front. Ses doigts sentaient le goudron et la boue. Elle pouvait bien avoir pris un bain pour moi, quelques jours auparavant, mais elle n'en avait certainement pas repris depuis lors.

— Ne vous en faites pas, capitaine. Nancy va prendre soin de vous.

Je ne répondis rien, encore trop faible pour parler.

Elle continua de me caresser les cheveux.

— Il va vous offrir à moi, le saviez-vous ? chantonna-t-elle. J'aide à vous capturer, a-t-il dit, et il s'arrange pour que vous fassiez toujours ce que je dis. Black Nancy aura toujours ce dont vous avez besoin.

Elle se pencha et embrassa mes lèvres. Je gisais là, sans réaction. Elle fourra sa langue dans ma bouche, forçant mes lèvres recouvertes de sang à s'ouvrir, mais je ne répondis pas à son insistance. Sa main serpenta pour toucher mon bras, mon torse, mon entrejambe. Son sourire s'élargit.

— Voilà, je savais que vous étiez réveillé. En vérité, vous m'aimez bien, n'est-ce pas ?

La drogue qui effaçait ma douleur semblait augmenter ma réponse physique. J'étais de plus en plus dur sous sa main, mais l'excitation s'arrêtait là. Elle ne toucha à aucun moment mon esprit ou mon cœur. Mon pantalon était trempé là où je m'étais fait dessus, mais Nancy ne semblait pas le remarquer ou s'en soucier. Elle m'adressa un sourire satisfait et commença à déboutonner mes vêtements.

Soudain, la porte se referma violemment et un verrou se remit en place. Nancy hurla, détacha brusquement sa main et se précipita vers la porte.

Elle observa, stupéfaite, la barricade quelques instants, puis écrasa son poing contre la porte.

— Eh vous, laissez-moi sortir.

Aucune réponse. Nancy martela de nouveau la porte. Je roulai sur le côté et m'efforçai à m'asseoir. Nancy cria et hurla jusqu'à ce que sa voix devienne rauque.

— Ils ne te laisseront pas sortir, Nancy, dis-je. Ils vont me tuer, et toi aussi.

Elle se retourna brusquement.

— Non, ils ne vont pas faire ça. Ils me l'ont promis.

Je secouai la tête, ce qui ne fit que la pilonner d'une affreuse douleur.

— C'est qu'ils ont l'habitude, Nancy. Ils ne nous laisseront pas partir. Ils vont certainement saborder le bateau.

Des larmes coulèrent le long de ses joues couvertes de saleté.

— Ils ne peuvent pas faire ça. Je vous voulais simplement, c'est tout. J'aurais fait n'importe quoi pour vous avoir.

Je voulais la haïr pour m'avoir fait ça, mais la seule chose que je pus ressentir pour elle, c'était de la pitié. Denis avait utilisé le besoin enfantin et absurde de Nancy, qui me voulait. J'avais utilisé son désir de m'aider en lui demandant de retrouver Jemmy, le cocher. Je savais qui il fallait blâmer pour l'avoir entraînée en premier dans cette histoire.

J'essayai de parler sévèrement.

— Viens ici et détache-moi les mains.

Elle écarquilla les yeux.

— Si je vous détache, vous allez me frapper.

— Je ne ferai pas ça, Nancy. Je te le promets. Détache-moi et je vais réfléchir à un moyen de nous sauver.

— Vous mentez. Vous allez me frapper.

Je perdis patience.

— Maudite sois-tu. Viens ici.

Elle se prit le visage dans les mains et se mit à gémir.

Je serrai les dents et essayai d'adoucir ma voix.

— Je n'ai pas la force de te battre, Nancy, même si je le voulais. Si tu ne veux pas te noyer, tu vas me détacher, et je te ferai sortir d'ici.

Elle baissa les mains.

— Comment ? demanda-t-elle en reniflant.

— Je vais y réfléchir. Je t'en prie.

Elle me regarda craintivement pendant quelques instants, puis elle avança en titubant jusqu'au lit. Je roulai sur moi pour la laisser accéder à mes mains.

Cela prit un certain temps. Nancy tira sur les nœuds serrés en sanglotant. Ses larmes coulèrent sur mes mains en sang, les brûlant au passage. Elle dit en pleurant qu'elle ne pouvait pas faire ça. Je la malmenai jusqu'à ce qu'elle ne puisse plus penser à cause de ses pleurs.

Les nœuds finirent par se desserrer. Je tirai sur les liens jusqu'à ce que l'un d'eux se casse et je détachai rapidement ma main. J'essayai de pousser sur mes mains afin de me redresser, mais mes doigts étaient raides, inanimés et ne me supporteraient pas. Je balançai mes jambes et mes épaules pour me faire rouler une nouvelle fois, et je parvins finalement à m'asseoir.

Je m'adossai au mur et reposai les mains sur mes genoux, fermant les yeux tandis que des épingles et des aiguilles brûlantes me transperçaient le corps. Je devrais attendre que mes doigts retrouvent suffisamment de leur agilité pour dénouer les cordes qui liaient mes chevilles.

Le fait de me trouver en position assise m'avait presque vidé de toute mon énergie. Je me demandais comment j'arriverais à me débrouiller pour nous sortir tous les deux, Nancy et moi, du bateau et arriver à parcourir la distance pour atteindre le rivage.

Elle se frotta le nez contre sa manche.

— Si seulement vous aviez pris ce que je vous offrais, on ne serait pas dans cette situation.

Ses yeux se remplirent de larmes.

— Je ne vous aurais pas pourchassé, et je ne les aurais pas crus quand ils m'ont dit que je vous aurais pour moi. Vous auriez été à moi, et je me serais tellement bien occupée de vous que vous n'auriez pas eu envie d'en trouver une autre.

Sa voix allait bon train.

— J'aurais pris soin de vous, et je ne me serais pas plainte quand il vous serait arrivé de me cogner, et je ne serais allée voir aucun autre homme à moins que vous ne m'y ayez autorisé.

Les larmes coulèrent de ses yeux.

— J'aurais fait n'importe quoi pour vous. Pourquoi ne voulez-vous pas de moi?

Je réprimai un soupir. Elle ne pouvait toujours pas comprendre que tout cela allait plus loin que le désir. Mais elle était blessée et effrayée, et j'étais responsable de l'avoir mise en danger.

Je tapotai maladroitement le lit à côté de moi.

— Nancy. Viens ici et assieds-toi.

Elle me lança un regard méfiant, mais elle s'approcha en trainant des pieds et s'assit. La couchette s'affaissa, faisant basculer ma jambe contre sa cuisse.

— J'ai parlé de ceci à très peu de gens, Nancy, dis-je. Avant, il y a très longtemps, j'avais une fille.

Nancy parut surprise.

— C'est vrai?

— Oui. Quand j'étais très jeune, j'ai pris une femme.

Le mot resta coincé dans ma gorge, et je dus avaler avant de pouvoir poursuivre.

— Et nous avons eu une fille. Un jour, ma femme... a pris ma fille et est partie.

Je n'en avais pas beaucoup parlé au cours des quatorze dernières années. Les mots étaient douloureux. Oh, bon sang, ils faisaient mal.

Nancy me fixa.

— Elle vous a quitté? La vieille bique. Était-elle folle?

La colère monta en moi en entendant que l'on appelait « vieille bique » cette jeune femme pâle et blonde d'un passé lointain, mais je me rappelai que Nancy ne comprenait pas et ne pouvait pas comprendre.

— Elle détestait l'armée et l'idée de devoir me suivre. Je ne l'en blâme pas; c'était une vie difficile, et elle était d'une nature fragile.

— Et où est-elle, maintenant? demanda Nancy en fronçant les sourcils. Et votre petite fille?

— Je ne sais pas. Elles sont parties en France il y a très, très longtemps, et je n'ai jamais pu les retrouver. Je ne sais même pas si ma fille est vivante ou morte. Mais si elle est vivante, elle devrait avoir, oh, à peu près ton âge.

Elle me fixa du regard, fascinée.

— Est-ce qu'elle avait les cheveux noirs comme moi ?

— Non. Ses cheveux étaient blonds comme un champ de boutons d'or. Comme ceux de sa mère. La dernière fois que je l'ai vue, elle n'avait que deux ans. Elle pouvait à peine dire mon nom.

Mon cœur se serra, et l'intensité de la blessure m'étonna un peu. J'avais pensé que toutes ces années écoulées depuis avaient effacé le plus gros de la douleur. Peut-être que l'opium dans mes veines avait abaissé le bouclier que je dressais d'habitude devant ce souvenir.

— Vous ne savez même pas si elle est vivante ? demanda Nancy.

— Parfois, je me pose la question. Et si elle est en vie, je me demande qui sont les amis qui prennent soin d'elle. Ou si elle est…

— Comme moi, finit Nancy. Une fille de joie. Obligée de suivre des hommes qui vont certainement la cogner en paiement d'avoir écarté les jambes.

Je touchai les boucles noires et emmêlées de Nancy.

— Oui. Et quand je te regarde, je pense à elle. Et je me pose des questions.

— Si elle est comme moi ?

— Oui.

— Donc, coucher avec moi serait comme coucher avec ta fille ? Certains gars aiment ça.

Je fis semblant de ne pas entendre.

— Je ne te veux aucun mal. Tu es tellement jeune et pourtant, j'ai vu des filles comme toi mourir à peine plus vieilles que toi. Je veux te protéger.

Des larmes silencieuses roulèrent sur les joues de Nancy.

— Vous ne pouvez pas me protéger. Si je ne couche pas avec des hommes, mon père me bat jusqu'au sang.

— Tu dois me laisser essayer.

Je continuai à caresser ses boucles.

— De quelle couleur sont vraiment tes cheveux ?

Nancy essuya ses larmes du dos de la main.

— Bruns.

— J'aimerais bien voir ça. Laisse-les pousser sans les colorer.

Elle renifla.

— Je ressemblerais à une folle avec la moitié des cheveux d'une autre couleur.

— Alors, coupe-les. Certaines ladies à la mode coupent toujours leurs cheveux.

Elle me lança un regard qui me disait que j'étais irrémédiablement vieux et probablement dément.

— Je ne peux pas y faire grand-chose, ici. Alors, comment allons-nous sortir ?

Sa voix donna l'impression qu'elle était plus âgée, et mes doigts avaient en partie retrouvé leurs sensations. Je me penchai et commençai à défaire les liens à mes pieds. Je frottai mes chevilles nues et grimaçai tandis que le sang circulait de nouveau dans mes pieds. Cela prit du temps, et Nancy s'inquiétait.

Je doutais que je puisse me lever, marcher, me battre ou nager. Cependant, je n'allais pas rester assis et attendre bêtement que l'on me tue. Le bateau était calme, mais les bruits de pas occasionnels à bord nous faisaient savoir que les hommes de Denis se trouvaient encore sur le pont.

Je finis par arriver à me mettre debout, même si mes jambes tremblaient comme de jeunes branches sous un vent de printemps. Je refermai les boutons que Nancy avait ouverts sur mon pantalon, les doigts toujours engourdis.

— Donne-moi la bougie, dis-je.

Nancy la reprit sur le sol et me la tendit. La flamme n'était rien de plus qu'un chiffon trempé dans de la graisse, tourné pour former une mèche sur le dessus. La faible flamme était bleue et ne diffusait pas beaucoup de lumière, mais le chiffon était trempé, suffisamment pour ce que je voulais faire.

Je boitillai jusqu'à la porte bancale en bois. Ma jambe gauche se déroba sous le coup de la douleur, et je dus m'arrêter trois fois pour atténuer le poids que je mettais sur celle-ci avant de pouvoir continuer.

Je frottai mes mains dans la graisse, puis sur le chambranle de la porte, près du loquet. Je répétai plusieurs fois l'opération, prenant soin de ne pas éteindre la lampe, puis j'approchai la flamme du bois.

Le chambranle crasseux se mit à grésiller, et une petite bande de fumée s'éleva et me piqua les yeux. Je gardai la flamme contre celle-ci et frottai davantage de graisse. Le bois se fit de plus en plus chaud. La graisse fondit. Au bout d'un long moment, la flamme se mit à lécher le bois humide, trouva du carburant et s'y accrocha.

— Que faites-vous ? cria Nancy.

— Je mets le feu à la porte.

Elle se leva d'un bond.

— Vous êtes fou ? Vous allez nous tuer.

— Je suppose que les hommes de Denis ne voudront pas rester sur un bateau en flammes.

— Non, ils ne sont pas stupides. Ils rejoindront le rivage.

— Pas s'ils n'ont aucun moyen pour y arriver. Ils ne voudront pas sombrer avec nous.

— Pourquoi ne sortons-nous pas tout simplement par la lucarne ?

— C'est ce que nous allons faire. Mais les hommes de Denis sont dehors. Et tu as peut-être raison.

Je lançai la lanterne sur la couchette. La flamme faillit s'éteindre, puis elle s'accrocha au drap sale. Le lin craqua et se mit à fumer.

Nancy me regarda fixement, les yeux ronds.

— Raison à propos de quoi ?

— Sur le fait que je suis fou. Allez, on y va.

Je la pris par la taille et la hissai vers la lucarne. Elle poussa sur celle-ci.

— Elle est bloquée.

— Donne un bon coup. Le bois est vieux.

— Vous auriez dû le faire avant de mettre le feu.

Elle cogna les poings contre l'encadrement, mais en vain.

Je la déposai sur le sol. J'enlevai ma veste et l'enroulai autour de mes mains. Elle se tapit dans un coin, le plus loin possible de la couchette, et je tendis les bras et abattis les mains, les bras complètement tendus, contre les lattes au-dessus de moi.

La couchette flambait bien, à présent, tout comme le mur derrière. La flamme serpentait de haut en bas sur le chambranle de la porte, et la fumée envahissait fortement l'air. J'entendis crier. Ils s'en étaient aperçus. Ils arrivaient.

Je donnai des coups sur les planches. Elles cédèrent dans un bruit sec. Je continuai à cogner, fracassant et faisant tomber les lattes de bois. Des éclats de bois me tombèrent dessus et des morceaux traversèrent ma veste et me déchirèrent les mains.

Je jetai la veste et attrapai Nancy.

— On y va.

Elle poussa un cri perçant. Je la poussai, en appuyant la main sur son derrière, vers la lucarne brisée.

— Une fois dehors, tu cours vers le côté du bateau, tu passes par-dessus bord et tu t'accroches au bateau. Je serai juste derrière toi.

Elle gémit.

— Je ne sais pas nager.

— Bon sang, moi je sais. Je suis un bon nageur. Je te traînerai jusqu'au rivage.

Je ne savais pas du tout si je serais capable de traverser le pont, encore moins atteindre, avec une pauvre jeune fille en pleurs, la rive de la Tamise, mais j'avais persuadé Nancy d'agir. Elle se hissa vers le haut et attrapa les bords de la lucarne. Nancy cria légèrement tandis que des morceaux de bois lui coupaient les mains, puis passa de l'autre côté. Elle atterrit sur le ventre et roula de côté.

Je ne parvins pas à la suivre. Ma jambe m'empêchait de sauter, et le seul meuble sur lequel j'aurais pu monter, la couchette, était vissé au mur et était en flammes.

Un jet d'eau atteignit la porte. Ils essayaient d'éteindre le feu sans entrer dans la cabine. Je souris. Futile. Les flammes léchaient le plafond, se dirigeant vers la lucarne par laquelle Nancy avait fui. Ce bateau allait brûler.

J'attrapai ma veste, l'enveloppai autour de mon bras et de mon épaule et me ruai sur la porte en feu. Le bois, fragile et incandescent, céda du premier coup, et je tombai de l'autre côté. Mon pied nu glissa sur le pont trempé et je tombai brutalement sur les genoux.

Je m'empressai de me relever. L'une des immenses brutes de Denis se rua sur moi, et je me mis à courir, serrant les dents de douleur. Je me demandai si Nancy était partie, et si c'était le cas, de quel côté.

Dans l'ombre de la cabine, une ancre gisait sur les planches du pont. Une corde tendue tractait une barque sur le côté du bateau. L'ombre imposante d'un homme s'accroupit à l'arrière de la chaloupe, mais à l'avant, j'aperçus, un pied sur le plat-bord, Lucius Grenville. La lueur du feu se refléta sur ses cheveux sombres et dans ses yeux étincelants. Il tenait un pistolet dans la main et il le pointa droit sur moi.

Chapitre 21

Je reculai d'un pas, puis me précipitai en avant et passai par-dessus bord. Grenville cria. Le froid glacial de la Tamise m'accueillit, glissant le long de mon corps. L'eau sale qui m'enveloppa la tête brûla les écorchures que j'avais sur le visage.

Je remuai énergiquement les pieds et refis surface. Au-dessus de moi, Grenville fit feu. L'étincelle flamboya dans la nuit et le grondement m'assourdit. Une fine spirale de fumée s'éleva, blanche dans l'obscurité. Sur le pont, l'un des malfrats de Denis tomba en gémissant.

Une corde serpentait entre moi et la barque et clapotait dans l'eau. J'attrapai la corde et l'enroulai autour de mes poignets engourdis. Elle se tendit et me tira en direction de la chaloupe. Je notai que la forme corpulente derrière Grenville, qui me remorquait pour me mettre en sécurité, était Aloysius Brandon.

J'agrippai le bord. Brandon se pencha en avant, m'empoigna sous les bras et me hissa dans la chaloupe. J'atterris sur le plat-bord et roulai, accompagné d'une gerbe d'eau. Grenville tira un nouveau coup. Brandon m'abandonna pour trancher la corde qui nous maintenait attachés au bateau de Denis.

— Attendez.

Je me mis à genoux, claquant des dents.

— Il faut trouver Nancy.

— Quoi?

— Nancy. Je lui ai dit que je la ramènerais sur le rivage. Elle ne sait pas nager.

— Bon sang, je n'arrive pas à comprendre ce que vous me dites, Lacey. Asseyez-vous. On y va.

— Non.

J'avais la gorge nouée.

Grenville se retourna brusquement.

— Êtes-vous en train de parler de la jeune femme? Je l'ai vue sortir en rampant de la cabine et aller sur le côté. Vous êtes sorti juste après.

Ma joue tremblait très fort à cause du froid et en réaction à la situation.

— Où ça? Ramez jusque de l'autre côté du bateau.

Grenville se jeta sur la banquette et s'empara des rames. Je pensai, hystériquement, que je devais prendre pour un compliment le fait qu'il était en train de ruiner une paire d'élégants gants en chevreau pour me sauver.

Il fit preuve de compétence et contourna la poupe du bateau de Denis. La cabine était complètement en feu, maintenant, et les hommes de Denis dirigeaient à présent leurs efforts sur le feu. J'espérais, à tout instant, voir Nancy accrochée au bord du bateau, sa tête noire au-dessus de l'eau, mais elle n'apparut pas. Grenville faisait des cercles près du bateau, ne ramant que d'un seul côté.

Je scrutai l'obscurité, protégeant mes yeux de la lumière du feu.

— Nancy!

Je n'entendis aucune réponse par-dessus le crépitement des flammes. D'autres bateaux, attirés par l'incendie, s'approchaient, venant en aide à l'embarcation en difficulté.

— Nancy !

Mes yeux piquaient et mon esprit, embrouillé par l'opium, voulait sombrer encore une fois dans le sommeil. Mais la drogue commençait à se dissiper suffisamment pour que je sente les blessures que m'avaient infligées les hommes de Denis, de même que les coupures provoquées par la lucarne et mon pied nu lacéré.

Un coup de pistolet retentit et une balle siffla près de ma tête. Brandon se baissa rapidement et poussa un juron.

— Bon sang, Lacey, il faut y aller.

— Je ne vais pas la laisser.

Grenville ramait, respirant bruyamment. Je scrutai la surface de l'eau près du bateau et l'eau en dessous de celui-ci. Je ne vis rien. On fit le tour complet jusqu'à notre point de départ.

— Faites encore une fois le tour, criai-je.

Grenville se pencha au-dessus des rames. Brandon se leva.

— Non. Il faut partir. Ramez vers le rivage.

— Je ne la laisserai pas tomber !

— Il le faut. Nous n'avons plus le temps.

Ma poitrine brûlait, mon ventre se serra.

— Refaites le tour, Grenville. Faites-le.

— Bon sang, Lacey. J'en donnerai l'ordre s'il le faut.

Je me jetai sur Brandon.

— Je ne la laisserai pas moisir ici, espèce de bâtard, tout comme vous m'avez laissé tomber. Grenville, ramez.

Un autre tir siffla près de nous. Brandon m'empoigna.

— Dois-je vous assommer ?

Ma rage se transforma en une vague de démence. Je lui asśenai un coup, violent dans la gorge et un autre sur la joue. Brandon poussa un juron et cracha du sang, puis il releva la tête et ses yeux crachèrent toute la colère et la haine qu'il avait refoulées derrière la politesse au cours des deux dernières années.

— Allez vous faire foutre, dit-il.

Je bondis sur lui. Je le frappai, l'homme que j'avais, autrefois, le plus aimé au monde, je le frappai avec toute la colère, la rage et l'impuissance que j'avais ressenties quand les hommes de Denis m'avaient roué de coups. Je le frappai pour Nancy qui était en train de se noyer dans les eaux sombres de la Tamise, pour Jane Thornton qui avait probablement connu le même destin. Je le frappai pour Aimee, brisée et marquée par un monstre, et pour Louisa qui se faisait bien trop de soucis à cause de nous deux. Je le frappai pour moi-même et ma vie en ruine.

Grenville m'empoigna par-derrière.

— Ça suffit, Lacey, arrêtez. Il a raison. Elle n'est pas là.

Brandon se dégagea. Du sang lui barbouillait le visage et giclait sur son foulard.

Je commençai à me calmer. Grenville me tint encore un instant jusqu'à ce que ma colère soit complètement dissipée, et mes jambes me lâchèrent. Je m'affaissai sur le fond du bateau et enfouis la tête entre mes mains.

Les deux autres demeurèrent silencieux. Brandon respirait bruyamment. Le feu sur le bateau de Denis vrombissait au milieu de la nuit.

De l'eau, des sanglots étouffés nous parvinrent, faibles et discrets, accompagnés de vagues bruits d'éclaboussures d'eau. Je levai la tête.

Grenville se leva, tanguant en même temps que le bateau, et scruta l'obscurité.

— Là !

Il montra du doigt. Je suivis la ligne formée par son doigt tendu jusqu'à une petite tache plus sombre, flottant dans le courant.

Je me mis à genoux et m'emparai d'une rame. Grenville se laissa tomber sur la banquette, m'arracha la rame des mains et pencha le dos pour tourner la barque. Brandon faillit tomber, marcha à moitié à quatre pattes jusqu'à la barre et s'en empara alors qu'elle commençait à claquer sur l'eau.

Nous glissâmes sur le courant en direction de la jeune femme qui pataugeait faiblement dans l'ombre du bateau de Denis, ses cris de plus en plus faibles au fur et à mesure que nous approchions. Je tenais la corde, prêt. Grenville tourna adroitement pour flotter aux côtés de Nancy, juste au moment où sa tête plongea sous l'eau.

Je jetai la corde, me penchai fortement par-dessus bord et l'empoignai. L'épaule de Nancy glissa de mon emprise, mais ses cheveux s'enroulèrent autour de mon poignet. J'y enfonçai les doigts et la tirai vers le haut. Elle remonta, flasque et lourde. Je mis les mains sous ses bras et la hissai sur la barque. Nancy tomba au fond dans un claquement mouillé, sa jupe en lambeaux, ses jambes entaillées et en sang.

Ses yeux étaient clos, sa peau froide et humide. Je la fis rouler sur le ventre et poussai fort sur ses côtes. Je poussai et poussai, tandis que l'opium se dissipait et que la douleur grandissait en moi.

Finalement, Nancy se mit à gémir et à vomir l'eau sombre de la Tamise. Je l'attirai dans mes bras, la tint contre moi, la berçai et embrassai son visage mouillé. Des larmes coulèrent de ses yeux, mais elle se cramponna à moi et m'embrassa en retour, les lèvres molles.

Grenville reprit les rames et nous éloigna de l'incendie et des bateaux qui zigzaguaient sur la rivière et, finalement, nous amener sur le rivage.

✳ ✳ ✳

Je me réveillai sous un chaud rayon de soleil, dans un lit délicatement parfumé et avec une main froide posée sur mon front.

— Louisa.

Je lui pris la main et la serrai fort, fort. Elle me rendit la pression, et nos yeux se rencontrèrent et demeurèrent accrochés.

J'étais couché dans un lit de plume, des draps frais me couvraient, et ma tête reposait sur des oreillers parfumés à la lavande. Tout mon corps me faisait mal, et mon visage brûlait à cause des entailles qui cicatrisaient.

— Où suis-je ? demandai-je d'une voix rauque. Ce n'est pas votre chambre d'amis.

Louisa sourit.

— Non, c'est celle de M. Grenville. Il a insisté pour que vous soyez emmené ici, et il a fait venir son propre médecin.

Vraiment gentil de sa part, mais je sentis une vague d'inquiétude.

— Et Nancy ? Où est-elle ?

— Chez moi. Elle est dorlotée par ma cuisinière et ma femme de chambre, et elle déteste ça.

Mon visage me faisait trop mal pour que je puisse sourire.

— Elle n'aime pas beaucoup les femmes.

— C'est ce que j'ai compris d'après son regrettable langage. Qui est-elle ?

Je laissai Louisa libérer sa main de la mienne.

— Une fille de la rue dont le bien-être me tient bêtement à cœur. S'il vous plaît, ne l'envoyez pas dans un hospice de pauvres. Ou dans l'une de ces horribles maisons de correction.

— Ne vous inquiétez pas. Elle peut rester dans mon grenier jusqu'à ce que vous décidiez ce que l'on peut faire pour elle.

— J'espère que vous avez un verrou solide à la porte de votre grenier.

Un sourire se forma aux coins de ses yeux.

— Elle a essayé de s'enfuir deux fois. Jusqu'à ce que je lui dise que vous vouliez qu'elle reste là. Depuis, curieusement, elle se montre docile. Les choses qu'elle dit à votre sujet sont assez… intéressantes.

Je grognai.

— Ne lui faites pas confiance.

Louisa sourit une nouvelle fois, puis elle baissa les yeux, observant sa main lisser mon drap.

— Aloysius veut s'excuser auprès de vous. Pour une chose qu'il a dite sur la rivière, je suppose.

Ma tête se mit à marteler.

— Je suis bien trop fatigué pour affronter Aloysius.

— Juste un moment, Gabriel. Je vous en prie.

Je la fixai jusqu'à ce qu'elle lève les yeux et rencontre mon regard. J'avais envie de lui dire que je préférais de loin les jurons sincères d'Aloysius à cette satanée politesse en public derrière laquelle il se cachait tout en me fusillant du regard, plein de haine. Mais je n'étais pas certain qu'elle me comprendrait. Elle voulait que je lui pardonne tous ses vieux péchés, et je n'y étais pas encore prêt.

— Dites à votre mari d'aller au diable avec ses excuses.

Ses yeux se remplirent de larmes. Nous nous dévisageâmes pendant quelques secondes de silence jusqu'à ce qu'elle se retourne, traverse la pièce dans un bruissement de tissus et passe la porte. Elle ne dit pas au revoir.

Mon cerveau embrouillé flottait encore à cause des effets secondaires de l'opium et de tout ce que le médecin de Grenville avait dû me donner pour soulager la douleur. Je me souvins des conclusions que j'avais tirées au clair à bord du bateau, et je les cherchai à tâtons dans le brouillard de mes pensées. Il me manquait une seule information au sujet de la mort de Horne — l'identité d'une personne —, mais je savais, à présent, ce qu'avait fait cette personne.

Je tentai tellement d'y réfléchir que mes yeux se fermèrent. Quand je me réveillai, les ombres étaient déjà bien inclinées sur l'énorme tapis.

La chambre d'amis de Grenville devait faire dix mètres de long et autant en hauteur. Le lit à baldaquin dans lequel j'étais couché aurait pu accueillir cinq personnes, et le coût des tentures damassées aurait permis de leur acheter à tous de la nourriture pour une année. J'eus l'impression d'être un insecte qui attendait qu'on lui marche dessus.

J'étais en train de frotter mes yeux embués quand Grenville entra d'un pas lourd dans la chambre. Il était vêtu d'un costume coûteux et d'une cravate immaculée, mais il ne portait aucun bijou sur les revers de sa veste et avait des chaussures souples et plates aux pieds; je présumai donc qu'il allait passer la soirée à la maison.

Quand il vit que j'étais réveillé, il poussa un fauteuil à côté du lit et s'y laissa tomber, reposant ses coudes sur ses genoux.

— Où avez-vous appris à ramer comme ça? demandai-je, la voix râpeuse.

— Au Québec. Et sur le Nil. Je vous parlerai de tout ça, un jour. Je n'aurais jamais pensé que je vivrais des aventures à Londres, cette ville guindée et ennuyeuse, mais c'était avant de vous rencontrer.

— Grenville, à propos de cette lettre que je vous ai envoyée…

Mon visage chauffa alors que je me souvenais des paroles hautaines que j'avais utilisées.

Grenville leva la main.

— Ne dites rien. Je n'avais pas le droit de me comporter comme un tel prétentieux autoritaire et je méritais tout ce que vous avez dit. Eh bien, en majorité. Je pourrais vous frapper pour l'une ou l'autre chose. Néanmoins, c'est une chance que vous m'ayez conseillé d'aller au dîner de Mme Brandon. Lorsque mes domestiques sont revenus à la maison sans vous, je me suis un peu inquiété, mais quand j'ai reçu votre lettre le lendemain matin, j'ai compris que vous étiez simplement fâché contre moi. Quand je suis venu vous rendre visite en personne et que vous n'étiez pas chez vous, j'ai encore supposé que vous étiez en train de m'éviter. Cependant, quand j'ai parlé de votre absence à Mme Brandon, elle s'est immédiatement alarmée.

Il haussa les épaules.

— Bon sang, Lacey, Denis aurait pu vous tuer, et nous ne l'aurions même pas su.

— Il n'avait pas l'intention de me tuer.

— Non ? Les coups de feu sont passés très près de nous pour une personne qui n'avait pas l'intention de vous tuer.

Je secouai la tête contre l'oreiller.

— Si Denis avait voulu me voir mort, il m'aurait tué sur-le-champ. Il aurait pu le faire à tout moment, facilement, et vous seriez encore en train de vous demander où j'ai bien pu aller. Non, il avait l'intention de me faire peur afin que je cesse de me battre contre lui. Il voulait que je m'échappe, et il a probablement observé pour voir comment je m'y prendrais. Les tirs provenaient de ses hommes de main qui étaient, on peut le comprendre, contrariés que je mette le feu au bateau.

— Peut-être.

Il paraissait sceptique.

— Au fait, comment avez-vous su où me trouver ?

Les yeux sombres de Grenville s'illuminèrent, comme s'il avait attendu impatiemment d'avoir l'occasion de me raconter son rôle dans l'aventure.

— Comme je l'ai dit, Mme Brandon s'est inquiétée quand je lui ai dit que je n'avais pas été capable de vous trouver. C'est alors que j'ai parlé à Brandon — et à son épouse, parce qu'elle refusait de quitter la pièce — de Denis et de mes craintes.

Grenville s'interrompit pour sourire.

— Votre Mme Brandon doit faire partie des Furies. Dès qu'elle a entendu mon histoire, elle n'a plus eu qu'une seule idée en tête : il fallait que nous partions immédiatement à votre recherche. Elle était prête à nous accompagner jusqu'au bout. Rien de ce que son mari a dit n'a pu la persuader du contraire, même quand il lui a crié qu'elle devait lui obéir.

Je pouvais très bien imaginer la scène.

— Louisa est la femme la plus têtue que je connaisse.

— J'ai relevé le fait que Mme Danbury était arrivée et qu'elle avait besoin que l'on s'occupe d'elle, et cela a semblé la convaincre. Mais en regardant dans les yeux de Mme Brandon, j'ai compris ce qu'avaient ressenti les Spartiates. On avait intérêt à vous ramener vivant, ou alors ne pas revenir du tout.

— Mme Danbury.

Je me souvenais de l'élégante femme blonde que j'avais rencontrée lors de l'exhibition du tableau.

— Mon Dieu, elle ne m'a pas vu, n'est-ce pas?

— Non. Je vous ai directement ramené ici et envoyé un mot à Mme Brandon.

— Merci.

Grenville s'adossa au fauteuil.

— Voulez-vous savoir comment je vous ai trouvé?

Il semblait impatient de me faire part de la suite de l'histoire. Je hochai la tête sans réellement y tenir.

— J'ai commencé à vous chercher dans la zone de l'avenue Grimpen et de Covent Garden. L'un de mes valets a retrouvé votre canne — en morceaux — derrière l'opéra. Le fourreau était cassé, mais je suis en train de vous en faire faire un autre.

— Gentil de votre part.

— Pas du tout. Votre trace a été facile à suivre, après ça. Des hommes costauds terminent une bagarre complètement en loques et ennuient les gens, et on s'en souvient. Quelqu'un les a vus vous faire monter dans une voiture et prendre la direction de la rivière. Je me souvenais que Denis avait deux bateaux sur la Tamise — ce que j'avais appris lorsqu'il avait fourni le tableau pour mon ami —, et c'est là que je suis allé. Un des deux bateaux n'était pas là, et plusieurs bateliers sur le quai l'avaient vu sortir. J'ai donc loué un bateau, et Brandon et moi, nous nous sommes lancés à votre recherche.

Il s'interrompit.

— Est-ce vrai que c'est vous qui avez mis le feu au bateau ?

— Oui.

— Parbleu. Vous auriez pu vous tuer.

— Je sais. Mais j'aurais entraîné les hommes de Denis avec moi. Ils avaient l'intention de me faire peur, et je voulais, à mon tour, les effrayer.

— Bon sang, Lacey. J'espère qu'il va faire une trêve. Et que vous allez la respecter.

Je restai allongé sans bouger pendant un moment, ma tête douloureuse ayant besoin d'une pause. J'avais froissé Grenville avec ma colère pleine d'orgueil, et pourtant, il s'était lancé dans une dangereuse et difficile tentative pour me porter secours. Il est vrai qu'il l'avait fait, en partie, afin de satisfaire son appétit d'aventure, mais ses actes me prouvaient qu'il me pardonnait mon irritabilité passagère et que cela ne portait pas à conséquence. Il y avait des chances pour que je vienne de me faire un ami.

Je rouvris les yeux.

— Vous avez dit dans votre lettre que vous aviez trouvé des choses intéressantes dans le Somerset.

Les yeux de Grenville pétillèrent.

— J'y ai trouvé bien plus que ça, Lacey. J'y ai trouvé Charlotte Morrison.

Chapitre 22

Je voulus m'asseoir, mais la douleur me força à me rallonger.

— Vous l'avez trouvée?

— Oui, saine et sauve, et mariée à un pasteur, qui plus est.

Je le regardai fixement.

— Avez-vous bien dit qu'elle était mariée à un pasteur?

— Exactement.

— Donc, elle n'a rien à voir avec Jane Thornton.

— Je n'ai pu voir aucun lien, non.

Je massai mes tempes qui martelaient.

— Bon sang. Vous y êtes donc allé pour rien.

— Pas nécessairement, dit Grenville. Je pense que le problème est plus compliqué. Son vicaire est devenu un pasteur avec une rente, et une rente plutôt bonne; je n'arrive pas à imaginer les Beauchamp s'opposer à l'union.

— Pourquoi ce mystère, dans ce cas?

Grenville se tapota le bout des doigts, une habitude, je l'avais remarqué, qu'il avait quand un problème éveillait son intérêt.

— C'est ce que je me suis demandé. Mlle Morrison ne m'a pas dit grand-chose, et son mari non plus. Ils ont d'abord cru que j'avais été envoyé par les juges pour la ramener à Hampstead. Quand j'ai fini par les convaincre du contraire, ils se sont un peu relâchés, mais ils ne voulaient toujours pas que je dise aux Beauchamp où elle se trouvait. J'ai fait remarquer à Mlle Morrison qu'elle avait extrêmement inquiété ses cousins, mais cela n'a pas semblé l'émouvoir. Elle semble avoir très peur de quelque chose, et je ne suis pas parvenu à lui faire dire de quoi.

Je pensai aux lettres qu'elle avait écrites à son amie et qui laissaient entendre une certaine peur.

— Avez-vous parlé à son amie, Mlle Frazier ?

— Je l'ai fait. C'est une femme pleine de vie, une vieille fille d'environ trente ans et, apparemment, la meilleure amie de Mlle Morrison. Quand je lui ai demandé ce dont Charlotte Morrison lui avait parlé dans ses lettres, elle a baissé les yeux et m'a demandé de me mêler de mes affaires. Elle m'a dit qu'elle ne ferait rien qui puisse porter atteinte au bonheur de Charlotte et que la meilleure chose que je puisse faire, c'était de rentrer à Londres et de prétendre que je n'étais jamais venu.

— Elle semble savoir ce qu'elle veut. Qu'avez-vous fait ?

Grenville leva les mains.

— Je suis rentré à Londres. J'ai soudain compris qu'elle avait raison et que les vies de Charlotte Morrison et des Beauchamp ne me regardaient pas. Donc, ai-je suis mainte-nant face à un dilemme. Est-ce que je dis aux Beauchamp que leur cousine va bien, soulageant ainsi leurs craintes ? Ou est-ce que je prétends que je ne suis jamais allé dans le

Somerset, comme me l'a demandé Mlle Frazier, les laissant se débrouiller seuls?

Je restai immobile, réfléchissant. Les conclusions auxquelles mon esprit drogué était arrivé étaient en train de disparaître. Ce qui m'avait semblé alors si clair me semblait maintenant flou et confus.

— Je crois que je sais pourquoi elle est partie, dis-je.

— Vraiment? Eh bien, je suis perplexe. J'aurais pu comprendre pourquoi elle avait agi ainsi si elle s'était enfuie avec un débauché, mais elle a épousé un pasteur impassible et respectable aux cheveux gris. Pourquoi aurait-elle peur de le dire à sa famille? À moins qu'il ne soit un bandit de grand chemin déguisé.

Il rit un peu de sa propre blague.

— Je suis certain que le pasteur est aussi respectable et fiable qu'il en a l'air. Mais j'ai un avantage. J'ai lu les lettres, et pas vous.

— Mais vous m'avez parlé de leur contenu, fit remarquer Grenville.

— Je sais. Mais je n'ai pas pu transmettre ce que j'avais ressenti en les lisant. Il y avait beaucoup de choses que Mlle Morrison ne disait pas.

Grenville me regarda impatiemment.

— Donc, qu'est-ce que je fais, Lacey? Je dis aux Beauchamp de la chercher eux-mêmes?

— Ne leur dites rien pour l'instant. J'aimerais aller à Hampstead et parler à Lord Sommerville.

— Pourquoi? Sommerville m'a déjà dit qu'il n'avait rien découvert à propos de la mort de la fille de cuisine.

La fatigue envahissait mes membres et j'avais besoin de dormir, mais je répondis.

— Charlotte a disparu peu de temps après la mort de la servante. Tellement peu de temps après que j'ai d'abord pensé, en entendant l'histoire, que le corps découvert était celui de Charlotte.

— J'ai pensé la même chose. Mais ce n'était pas le cas.

— Non, Charlotte est vivante et va bien.

Grenville me lança un regard impatient.

— Vous êtes sacrément énigmatique, Lacey.

— Veuillez m'excuser, je suis encore à moitié mort sous l'effet de l'opium. Je veux dire que Charlotte sait certainement qui a tué la jeune femme. C'est ce qui l'a fait fuir pour se réfugier dans le Somerset.

Grenville me fixa un instant, visiblement curieux, puis il secoua la tête.

— De toute façon, notre voyage à Hampstead devra attendre. Je ne pense pas que vous soyez capable de marcher pour le moment.

Il avait raison. Je m'enfonçai un peu plus dans le matelas.

— C'est gentil de votre part de m'héberger. Je rentrerai chez moi dès que possible.

— N'importe quoi. Restez jusqu'à ce que vous soyez guéri. Vous avez besoin de rester au chaud, et j'ai plein de charbon. Mon chef est content de pouvoir créer des menus pour vous. Je pense qu'il commence plutôt à s'ennuyer avec moi.

— Je suppose que vous ne me laisserez pas protester.

— Oubliez votre orgueil, pour une fois, et faites ce qui est bon pour vous, Lacey. Nous irons à Hampstead quand vous irez mieux, et uniquement à ce moment-là. Ou bien j'irai chercher Mme Brandon qui, j'en suis sûr, vous attachera au lit.

Je souris et m'apaisai. Je me préparais à replonger dans le sommeil quand je me souvins de quelque chose.

— Quel jour sommes-nous ?

— Lundi, un bel et lumineux après-midi.

J'essayai de m'asseoir.

— Le procès de Bremer a lieu aujourd'hui. Je ne peux, en toute conscience, le laisser être condamné pour quelque chose qu'il n'a pas fait. Il faut que je parle à Pomeroy.

Grenville secoua la tête.

— Cela ne sert à rien. En fait, cela n'a plus d'importance.

Son regard sombre m'alarma.

— Pourquoi pas ?

— Je suis désolé, Lacey. J'ai entendu dire hier que ce malheureux Bremer était mort.

✳ ✳ ✳

Je restai en convalescence chez Grenville pendant cinq jours. Son chef me concocta de copieux et délicieux plats, et ce fut probablement grâce à sa cuisine que je guéris aussi rapidement. Son valet sembla également heureux de me servir, et le valet de pied, qui apportait les caisses de charbon, restait toujours un moment pour parler de sport ou me donner des conseils sur les courses.

Et la seule chose qui me triturait l'esprit, c'était de n'avoir pas pu sauver le stupide et frêle Bremer.

Grenville avait un ami qui était avocat et, connaissant l'intérêt que portait Grenville à l'affaire, il lui avait fait part de la nouvelle de la mort de Bremer. Il n'y avait rien eu de sinistre dans tout ça. Le froid s'était attaqué à ses poumons, et il était mort rapidement.

— Mon ami m'a dit que le juge pensait Bremer coupable et qu'une justice douce avait été rendue par la main de Dieu. Le majordome est devenu fou et a tué son maître, selon le juge ; il a été arrêté et est mort en prison. Fin de l'histoire. Public et justice satisfaits, me raconta Grenville.

Mais je n'étais pas satisfait. J'étais couché dans la somptueuse chambre d'amis de Grenville, trop malade pour bouger et trop frustré pour pouvoir me reposer. J'avais négligé Bremer en poursuivant bêtement Denis.

Grenville fit son possible pour me mettre de bonne humeur, me lisant des articles dans les journaux et m'informant des potins de son club. J'appris qui avait porté la veste d'une mauvaise couleur, qui avait été ignoré et qui avait perdu une fortune au whist, et je n'avais rien à faire de tout cela.

Louisa vint me voir tous les jours et me menaça en disant que je connaîtrais un sort horrible si j'essayais de sortir trop tôt du lit. Un jour, elle emmena son époux.

Alors que le soleil descendait derrière les fenêtres élégamment drapées de satin de Grenville, le colonel Brandon entra seul dans ma chambre. Il s'avança et s'arrêta au milieu du tapis, les mains derrière le dos, adoptant la position du repos militaire, et il me regarda. Je me demandai s'il était venu pour me forcer à entendre ses excuses, mais la lueur au fond de ses yeux bleus et froids me fit comprendre qu'il en avait assez d'être poli.

— Vous êtes vraiment affreux à voir, dit-il.

Je hochai la tête.

— J'imagine que c'est le cas.

Une coupure partait du coin de la bouche de Brandon jusqu'à son menton. Je me rappelais vaguement d'avoir abattu mon poing à cet endroit lorsque nous nous étions battus sur la barque.

— Je pensais que vous aimeriez le savoir, dit-il. Je parlais l'autre jour avec le colonel Franklin, l'officier-commandant de Gale. Il dit qu'il a reçu l'ordre, concernant la place de Hanovre, du général Champlain en personne.

Champlain avait été l'un des plus fidèles généraux de Wellington. Je me calai contre les oreillers, attendant qu'il poursuive.

— J'ai vu Champlain à une partie de cartes, hier, dit-il. Il nous a appris qu'il avait donné l'ordre à Franklin en réponse à un message d'un ami. Cet ami avait peur que la foule mette le feu à la maison d'une connaissance sur la place de Hanovre. Champlain devait un service à cet ami et a accepté de l'aider.

— Et le nom de l'ami ?

Mais je l'avais déjà deviné.

— James Denis.

Bien sûr. Denis ne voulait évidemment pas que le père de la fille enlevée attire l'attention sur Horne. Je me demandai si Denis avait ordonné que l'on tire sur M. Thornton, ou si cela avait été uniquement l'idée du cornette Weddington.

— Louisa l'a fait parler, dit Brandon. Franklin a donné les ordres au lieutenant Gale, et Gale a emmené un escadron composé de ses meilleurs hommes.

Il hésita.

— D'après Grenville, ce Denis est l'homme qui vous a traîné sur ce bateau.

— Oui.

— Bon sang, Lacey, l'un des plus grands généraux d'Angleterre lui doit des faveurs. Et vous vous êtes opposé à lui.

— C'est ce que j'ai fait.

Brandon me fixa longuement du regard, sa colère palpable depuis là où il se trouvait.

— Vous avez toujours été sacrément fou.

Il savait bien mieux que quiconque quel idiot j'avais été.

Ainsi, Denis avait un général dans sa poche. Je me demandai combien d'autres hommes occupant de hauts postes devaient des « faveurs » à Denis. J'aurais peut-être dû mettre mon plan visant à tirer sur Denis à exécution, après tout.

— Merci, dis-je, fatigué. Cela m'aide. Remerciez Louisa de ma part pour avoir interrogé Champlain.

Brandon aurait simplement dû répondre « Il n'y a pas de quoi » et quitter la pièce. J'aurais aimé qu'il le fasse. Cependant, il demeura planté là, sur le tapis, comme s'il avait encore plein de choses à dire. Chaque muscle de mon corps se contracta.

Brandon s'éclaircit la gorge, et mes muscles se crispèrent encore davantage.

— Sur le bateau, dit-il. Vous auriez pu tous nous tuer en voulant sauver cette fille.

— Je sais.

— C'est pour cette raison que j'ai voulu vous en empêcher.

— Je sais.

Il s'éclaircit encore une fois la gorge, eut l'air mal à l'aise et posa les poings sur les hanches.

— Vous avez bien fait, Lacey. Même si c'était sacrément stupide.

Mes lèvres se fendirent lorsque je souris.

— Bel éloge de mon courageux commandant.

Brandon me lança un regard noir, son visage s'empourprant. Encore une fois, j'eus envie qu'il parte. J'étais trop épuisé pour me chamailler avec lui et j'avais envie de dormir. Je priai pour qu'il n'essaie pas de m'offrir son pardon pour tous mes péchés passés et présents. Je ne pensais pas que je le supporterais en cet instant précis.

Sa lèvre se retroussa.

— C'est à cause de choses comme celles-là que vous n'êtes jamais arrivé à un grade au-dessus de celui de capitaine, Lacey. Aussi admirable que vous soyez.

Je sentis monter la colère en moi malgré ma douleur et ma fatigue, mais je fermai les yeux et imposai le silence à ma colère.

— Avez-vous terminé ?

Lorsque je rouvris les yeux, ce fut pour voir sur le visage de Brandon le masque d'une colère non dissimulée. Était-il venu ici en espérant provoquer une réconciliation ? Si c'était le cas, il était fou.

Brandon inspira bruyamment dans le silence.

— Avec la façon dont vous agissez, Gabriel, nous n'en finirons jamais.

J'attendis qu'il m'explique ce qu'il entendait par là, mais Brandon ferma la bouche et tourna les talons. Il ne dit pas un mot de plus, pas de bonne soirée, ni de bons vœux de rétablissement. Il partit simplement d'un air indigné, laissant le claquement de la porte me faire savoir ce qu'il pensait de mon impolitesse.

Je fermai les yeux, une douleur aiguë s'emparant de ma tête. Il me fallut longtemps avant d'arriver à replonger dans le sommeil.

❉ ❉ ❉

Rester chez Grenville me donna non seulement le temps de guérir et de penser, mais cela me permit aussi de mieux le connaître. C'était un homme complexe qui prenait trois heures pour s'habiller lorsqu'il sortait, mais qui pouvait se montrer philanthrope de manière éloquente et utile. Il avait des connaissances au sein de toutes les classes de la société et ne portait de préjugés que sur l'homme qui n'était pas capable de réfléchir par lui-même.

Il admirait les belles femmes et avait eu de discrètes liaisons aussi bien avec des duchesses qu'avec des actrices, mais Grenville n'avait jamais trouvé une femme qu'il avait eu envie d'épouser. Je lui avais dit sèchement que c'était tout aussi bien ; son épouse n'aurait pas trouvé d'endroit dans cette maison pour y accrocher son propre miroir. Sur ce, il rit et supposa que je venais de soulever une vérité.

La veille de mon retour chez moi, au soir, Grenville rentra dans ma chambre, paraissant plutôt perplexe.

— Je viens d'avoir la visite de votre Marianne Simmons.

Mon attention fut piquée, car je me souvenais lui avoir dit de s'adresser à Grenville pour ses dix guinées.

— Je suis désolé, Grenville, j'aurais dû vous prévenir à ce propos. Elle est venue me voir avec une information intéressante et je vous l'ai envoyée pour qu'elle me laisse tranquille. Cela m'était sorti de la tête.

— Cela n'a pas d'importance. Elle est plutôt… étourdissante, non ?

— C'est de cette manière qu'elle survit.

Grenville avait l'air troublé.

— Et pourtant, voilà que je lui ai donné vingt guinées.

— Vingt ? Je lui ai dit dix, la misérable.

— Elle en a demandé dix. Mais ensuite, j'ai vu que ses chaussures étaient bon marché et usées. Personne ne devrait se promener mal chaussé, Lacey. Je lui ai parlé d'un cordonnier rue Oxford et lui ai intimé de leur dire qu'elle venait de ma part.

— Qu'a-t-elle répondu à cela ? demandai-je.

— Elle m'a dit que j'étais un gentilhomme. Et ensuite, elle a dit quelques petites choses qui m'ont fait rougir. Je vais vous dire, Lacey, bien que j'aie voyagé dans le monde, je n'ai jamais rencontré une personne comme elle.

— Vous pouvez vous en estimer chanceux.

Grenville me lança un regard noir.

— Il n'y a rien entre vous, n'est-ce pas ?

— Entre Marianne et moi ? Bon sang, non. Elle n'aime que les hommes fortunés. Je ferais attention, si j'étais vous.

Il me regarda longuement.

— Je pense que c'est un bon conseil. Merci, Lacey.

Grenville sonna pour que l'on apporte du vin et le partagea avec moi, mais il but beaucoup et resta assis en silence la plus grande partie de la soirée.

✳ ✳ ✳

Je rentrai à la maison pour me rendre compte que malgré ses vingt guinées, Marianne avait pris toutes mes bougies, et je fus obligé de me rendre chez le fournisseur pour en acheter de nouvelles. Le fait que mon retour se soit passé tranquillement et que j'aie pu aller au magasin de bougies, au pub et rentrer à la maison sans être accosté me conforta dans l'idée que Denis m'avait enlevé pour me montrer quelle était ma place dans son monde, et non pas pour me tuer.

Je comprenais le message. Je devais rester hors de sa route.

Toutes les choses qu'il fallait que je fasse tournoyaient dans mon esprit, mais mon corps était trop fatigué pour les faire. J'avais écrit au jeune Philip Preston, lui présentant mes excuses pour avoir manqué notre rendez-vous pour une leçon d'équitation, et il fallait que j'écrive une nouvelle lettre pour fixer une nouvelle date. Cette fin de semaine, Grenville et moi allions nous rendre à Hampstead, où je parlerais avec Lord Sommerville. Je rendrais également visite aux Beauchamp, ayant décidé de ce que j'allais leur dire. En ce qui concernait l'endroit où pouvait se trouver Jane Thornton et l'identité de l'assassin de Horne, mon esprit rechignait. Je savais qui avait tué Horne et pourquoi, mais je n'avais pas envie de le savoir. Le monde était heureux en pensant que Bremer était le coupable ; qu'il en soit ainsi.

J'avais aussi perdu mon temps à m'ennuyer de Janet. Je souhaitai pour la centième fois ne jamais être allé chez Arbuthnot pour voir ce fichu tableau — j'y avais rencontré une femme splendide, Mme Danbury, qui m'avait clairement fait comprendre que je ne l'intéressais pas, et j'avais rencontré Janet par hasard. Dieu s'était amusé avec moi, ce soir-là.

J'aurais dû rester plus longtemps chez Grenville, pensai-je en allumant une bougie dans l'obscurité de mon appartement. Lui, au moins, il me divertissait grâce à son bavardage, de la nourriture et de l'alcool. Ici, j'étais seul avec mes pensées, mes souvenirs et mon passé. J'avais besoin d'action.

Je me changeai et mis mon uniforme, boitillai jusqu'à la station de fiacres au marché de Covent Garden, et je me rendis chez James Denis.

Chapitre 23

— Vous excuserez ma prudence, capitaine.

Denis se joignit les doigts et m'observa calmement depuis sa bergère en brocart.

— Je suppose que vous ne me rendez pas visite afin de vous excuser d'avoir mis le feu à mon bateau.

À mon arrivée, deux de ses brutes m'avaient complètement fouillé afin de voir si je ne portais pas d'armes et avaient emporté ma canne, que Grenville avait fait réparer pour moi.

Cependant, le fait que Denis ne me laisse pas l'approcher sans me fouiller m'apporta une certaine satisfaction. À cause de moi, il ne se sentait pas en sécurité.

— Vous êtes curieux de connaître la raison pour laquelle je suis venu, dis-je. Sinon, vous ne m'auriez jamais laissé entrer.

Il hocha brièvement la tête.

— Je l'admets, je suis assez curieux. Mais j'ai un rendez-vous dans une demi-heure, aussi je vous prierais d'être bref.

Je n'avais nullement l'intention d'être bref.

— J'ai eu beaucoup de temps pour réfléchir, au cours de la semaine qui s'est écoulée. Il s'avère que Josiah Horne était un homme aux goûts sordides et vulgaires.

Denis haussa ses sourcils bien taillés.

— S'il vous plaît, ne me dites pas que vous avez fait tout ce trajet jusqu'à Mayfair pour m'informer de ce fait évident.

— L'enlèvement de Jane Thornton témoigne de la grossièreté de Horne. Enlever une jeune femme innocente à sa famille et prendre plaisir dans son déshonneur, voilà qui correspond à Josiah Horne et à sa façon de vivre.

Denis parut peiné.

— En effet.

— Toutefois, il m'est apparu qu'une affaire de cette sorte ne vous ressemble pas. Vous travaillez pour les personnes riches et discrètes. Vous volez de précieux tableaux sous le nez de Bonaparte. Votre commerce est subtil ; vous avez des réseaux bien disséminés un peu partout. Vous faites en sorte que les désirs deviennent réalité avec une apparente facilité.

— Vous me voyez flatté.

— J'ai eu le temps de bien réfléchir au risque et à l'enlèvement complètement fou de Jane Thornton, et j'ai mis cela en parallèle avec ce que j'avais appris sur vous. Je me suis demandé pourquoi un homme tel que vous voudrait faire une chose pareille. Et puis cela m'a frappé. *Vous n'avez rien à voir dans cette affaire.*

Denis ne bougea pas, mais ses paupières tremblèrent.

— C'est ce que je vous ai dit le jour où vous m'avez rendu visite.

— En fait, vous ne m'avez rien dit. Vous m'avez laissé m'abandonner à ma colère et vous avez nié suffisamment pour me mettre sur une fausse piste. Vous étiez au courant du fait que Horne avait enlevé Mlle Thornton, et cela vous avait mis en colère. Tellement que vous étiez allé lui rendre visite pour le lui dire. Cependant, cela ne vous irritait pas au même point que moi. Vous ne vous souciiez pas le moins du monde du bien-être de Mlle Thornton. Au lieu de cela, vous étiez inquiet que les actes stupides de Horne ne mettent en danger une autre affaire dans laquelle vous étiez impliqué. De quoi pourrait-il bien s'agir ?

Denis ramena ses doigts sur son menton.

— Cela n'a plus d'importance, n'est-ce pas ? Horne est mort.

— Et vous pourriez être son assassin.

— J'aurais pu le tuer. Mais je ne l'ai pas fait.

— Je vous crois. Vous ne me mentiez pas quand vous m'avez dit qu'il avait plus de valeur pour vous vivant que mort. Que vous a-t-il demandé ? Que lui avez-vous donné pour qu'il soit à ce point sous votre emprise ?

Denis m'observa un instant, et je finis par apercevoir une once d'émotion au fond de ses yeux bleus et froids. Cette émotion était de l'irritation.

— La première fois que je vous ai vu, capitaine, je me suis dit qu'un homme comme vous pourrait m'être utile. J'ai changé d'avis. Vous êtes trop impétueux. Je ne pourrais pas vous faire confiance.

— Il vous appartenait corps et âme, n'est-ce pas ? dis-je. Je pense qu'il fut une époque où le vulgaire M. Horne voulait un siège au Parlement. Il est venu vous voir et s'est comporté comme s'il vous rendait service en vous demandant d'acheter des votes pour lui. Il vous dégoûtait, mais vous avez dû y voir une opportunité. Vous possédez certainement d'autres hommes à la Chambre des communes, et peut-être même au sein de la Chambre des Lords, des personnes qui vous doivent une faveur, tout comme le général Champlain. Mais un de plus ne ferait pas de mal. Vous pouviez ainsi avoir des yeux et des oreilles dans tous les partis et manipuler celui qui vous apporterait le plus gros avantage. Donc, vous avez aidé Horne à obtenir son siège, et le prix que vous avez demandé était qu'il réponde à tous vos ordres. Je peux imaginer qu'un homme comme Horne ne vous en tenait même pas rigueur. Il avait un siège; qui se souciait qu'il ne fasse rien sans votre permission? Cependant, sa stupidité avec Jane Thornton aurait pu mettre sa position en péril, particulièrement quand vous avez découvert que son père avait suivi sa trace jusqu'au seuil de sa porte. Quand Thornton a tenté d'accuser Horne d'avoir déshonoré sa fille, vous avez demandé une faveur, et cinq hommes de la cavalerie sont arrivés sur la place de Hanovre pour faire taire Thornton. Ils ont donc obéi aux ordres et ont tiré sur un homme innocent qui avait de la peine à cause de sa fille.

Denis me regarda calmement.

— Vous semblez avoir tout résolu d'une manière qui vous satisfasse.

— Si ce n'est pas la vérité, en tout cas, c'en est proche.

Son regard dériva vers l'horloge sur le manteau de cheminée.

— Mon rendez-vous est dans dix minutes, capitaine. Je dois vous souhaiter une bonne soirée.

Je ne bougeai pas.

— Vous n'avez peur ni de moi, ni de mes révélations. Horne est mort et je ne peux rien prouver. J'imagine que de nombreux hommes puissants vous doivent un service et s'assureraient que vous ne soyez pas touché, même si je parlais. J'imagine que, tout comme Horne, ils vous sont reconnaissants pour ce que vous avez fait et que cela ne les dérange pas de vous aider.

— C'est ainsi que tourne le monde, capitaine. N'essayez pas de me faire croire que vous ne le savez pas. Vous étiez dans l'armée.

— J'admets que j'ai fait des choses que je n'aurais pas envie d'examiner de près, dis-je. Cependant, mes promesses ont été faites sur la base de l'honneur.

— Oui, j'ai beaucoup entendu parler de votre honneur. Il a fait de vous ce que vous êtes aujourd'hui : un homme pauvre et sans importance.

— Je dois vivre avec.

Denis haussa les épaules.

Je suis heureux de rencontrer une personne qui accorde une telle valeur à l'honneur. On en rencontre peu, de nos jours. Mais il faut que j'insiste pour que vous partiez, maintenant. J'ai énormément de choses à faire ce soir.

Je me levai, et il fit de même. J'étais légèrement plus grand que lui, mais le regard vide et froid des yeux bleus de Denis me fit comprendre que cela n'avait aucune importance pour lui.

— Bonsoir, capitaine. La prochaine fois, souvenez-vous que je ne reçois personne sans rendez-vous.

Je restai là.

— Je suis également venu pour une autre raison. J'aimerais beaucoup parler une nouvelle fois avec votre cocher, Jemmy.

Denis eut l'air de réfléchir.

— J'en suis certain. Et je suis sûr de savoir pourquoi. Très bien, je ferai en sorte que vous puissiez le voir. Toutefois, je vous prie de vous rappeler que le meurtre n'est pas autorisé par la loi.

— Jemmy m'est plus utile vivant que mort, dis-je.

— Pas pour moi.

Le froid glacial qui brillait dans les yeux de Denis aurait pu geler des océans.

— Soyez gentil de lui dire cela de ma part quand vous lui parlerez.

❊ ❊ ❊

À la fin de la semaine, je me sentis suffisamment en forme pour accompagner Grenville à Hampstead. Il m'emmena à la propriété de Lord Sommerville, un vicomte âgé, et m'écouta avec curiosité interroger cet homme au sujet de la fille de cuisine.

Lord Sommerville réitéra ce qu'il avait dit auparavant à Grenville, disant qu'il n'avait pas trouvé de coupable satisfaisant pour le meurtre de sa fille de cuisine. Il me dirigea vers la gouvernante, qui avait mieux connu la jeune femme, en me faisant savoir qu'il voulait être au courant de tout ce que je découvrirais à propos du meurtre de la jeune femme. La gouvernante me réaffirma ce que m'avait dit Lord Sommerville et me laissa parler avec la sœur de la fille de cuisine, qui travaillait également dans la maison.

La sœur était encore très peinée de la mort de Matilda, mais elle me parla volontiers. Elle voulait plus que tout trouver le coupable et l'amener devant les tribunaux. Oui, elle pensait que c'était un homme, le même homme qui avait détourné Matilda de son jeune petit ami. Matilda n'avait pas dit à sa sœur qui elle fréquentait, mais elle lui avait montré les petits bijoux que l'homme lui avait achetés et se vantait qu'elle était en train de monter dans la société. Matilda s'était esquivée au milieu de la nuit, probablement afin de retrouver son nouvel amoureux, et elle n'était jamais revenue.

Je présentai mes condoléances à la femme, puis Grenville et moi repartîmes.

— Cela vous a-t-il été utile? demanda-t-il tandis que nous roulions à bord de sa luxueuse calèche. J'ai d'abord pensé que la personne qui avait tué la bonne avait également tué Charlotte Morrison, mais Mlle Morrison est vivante.

— Mlle Morrison est vivante parce qu'elle s'est enfuie. Et elle s'est enfuie à cause de la mort de la bonne.

— Parce qu'elle avait peur pour sa propre vie?

— Parce qu'elle sait qui a tué la bonne. Et cela l'a tellement ébranlée qu'elle a fui.

— Si c'est le cas, pourquoi n'est-elle pas allée trouver Lord Sommerville et ne lui a-t-elle pas raconté ce qu'elle savait?

Je contemplai le pré vert sur notre droite.

— Elle avait peur. Ou était tellement horrifiée par ce qu'elle savait que la seule chose à laquelle elle pouvait penser, c'était de partir. Elle a eu tort de partir, mais je comprends pourquoi elle l'a fait. Il est parfois plus facile de tourner le dos à la vérité que d'y faire face, spécialement quand c'est plus douloureux que ce que vous êtes capable de supporter.

Grenville n'eut rien à répondre à cela, et nous continuâmes notre route en silence pendant un moment. Puis, Grenville s'éclaircit la gorge.

— Il y a une chose que je voulais vous demander, Lacey, à propos de vous et de Brandon. Sur la barque, vous l'avez frappé violemment, et il vous regardait comme s'il aurait aimé vous tuer. Je pensais que vous étiez de très bons amis.

— Nous l'étions. Autrefois.

La curiosité étincela dans ses yeux, mais je secouai la tête.

— Je pourrai peut-être vous l'expliquer un jour. Le jour où vous m'expliquerez pourquoi vous avez disparu de l'auberge lorsque nous sommes venus à Hampstead la première fois.

Grenville sursauta, puis se mit à rire.

— Moi qui pensais avoir été totalement discret!

Il se tourna pour regarder par la fenêtre, son regard s'accrochant à une chose qui était bien loin d'ici.

— Disons que j'ai un ami qui a rencontré une lady par le passé. Mais ce qu'il y avait entre eux était impossible, et il a accepté de partir. Mais du temps s'est écoulé depuis lors. Ensuite, l'ami a appris que la lady se trouvait à Hampstead, et il a donc cherché une excuse pour y aller.

Il me lança un regard narquois.

— Malheureusement, sa fichue curiosité l'a amené à s'impliquer dans d'autres problèmes, et il a fait tout le trajet jusque dans le Somerset pour la satisfaire.

Grenville parut embarrassé, une expression que je n'avais jamais vue sur son visage. Son sang-froid s'était éclipsé, et j'eus le sentiment que peu de gens l'avaient vu ainsi.

Je donnai de petits coups de canne sur le bout carré et abîmé de ma botte.

— J'ai un ami..., dis-je avant de m'interrompre.

Je n'aurais pas du parler, mais d'une certaine façon, je voulais que Grenville sache, qu'il comprenne ma profonde colère et la raison pour laquelle je n'avais jamais pardonné à Brandon, et inversement.

— Cet ami connaissait un autre homme, un homme digne et riche que mon ami respectait profondément. Cet ami obéissait à ses ordres sans poser de question. Un jour, dis-je en parlant plus lentement, cet homme respectable a pris la décision de répudier son épouse. Elle ne pouvait lui donner d'enfants, voyez-vous, ce qui était un coup sévère pour lui. La famille et le nom de cet homme formidable signifiaient beaucoup pour lui, et il voyait sa lignée lui échapper au profit de branches plus faibles et moins importantes. Il a donc décidé, avec beaucoup de réticence, qu'elle devait être éloignée.

J'étudiai intensément l'extrémité de ma botte.

— Mon ami s'est opposé le plus farouchement possible au déshonneur que cela causerait à cette lady. Si elle avait été répudiée, elle aurait été détruite, honnie, et cela, mon ami ne pouvait le permettre. Il s'est retrouvé dans la situation de devoir choisir entre son amour pour la dame et son amour pour l'homme formidable. Alors, il a choisi. Dès lors, les choses sont devenues de plus en plus complexes. Autant dire que les deux gentilshommes ont failli s'entretuer à cause de cela.

Je m'interrompis, fatigué par les souvenirs. Le souvenir du soir où Louisa était venue me voir, folle d'inquiétude, et avait posé sa tête blonde sur mon épaule était encore net dans mon esprit. Je me souvenais très clairement, comme si cela s'était passé hier, de la texture soyeuse de sa chevelure sous ma paume, de la chaleur de ses larmes sur ma joue. Je voyais encore, de façon nette, l'expression sur le visage de Brandon quand il était entré dans la pièce et l'avait trouvée en train de pleurer sur mon épaule — la colère, le chagrin, le déchirement absolu.

Je ne parlai pas de ce qui avait suivi, la façon dont Brandon avait laissé bouillonner la colère en lui jusqu'au jour où il avait eu l'occasion de se venger. Après Vitoria, il m'avait envoyé afin de reprendre immédiatement le commandement d'une autre unité, négligeant de m'informer que je ferais le trajet seul et que je devrais traverser une zone infestée par les troupes françaises. Ils m'avaient tendu une embuscade, volé les papiers que j'avais sur moi — qui étaient faux, de toute façon — et s'étaient amusés à me torturer.

Une troupe anglaise avait fini par leur tomber dessus, et je me trouvais parmi les corps des morts. Les Anglais ne m'avaient pas vu, et j'étais parvenu à ramper et à m'éloigner des charognards, en piteux état et à peine vivant.

Au bout de plusieurs jours, j'avais pu rejoindre mon régiment, la jambe en morceaux. L'expression que j'avais vue alors sur le visage de Brandon quand avait vu que j'étais encore en vie m'avait tout fait comprendre.

Notre commandant n'avait pas du tout été content de notre comportement à tous les deux. Il ne voulait pas d'un scandale entre officiers au sein de son régiment. Il m'avait fait comprendre que si je faisais du raffut, si Brandon passait devant la cour martiale, comme il le méritait, notre honneur serait sali — celui de Brandon, le mien, celui de Louisa et du régiment.

Nous avions, tous les trois, accepté de quitter l'armée et de rentrer à Londres.

Lorsque je levai les yeux de ma botte boueuse, je vis Grenville me regarder d'un air surpris et abasourdi.

— Je vous prie de m'excuser, Lacey. Je ne savais pas.

Il prit une profonde inspiration.

— Je suis honoré que vous me l'ayez raconté. Je vous jure que cela ne franchira jamais mes lèvres à l'intention d'une autre personne.

Je n'avais aucun doute sur le fait qu'il garderait le silence. Grenville continua à me fixer du regard comme s'il pensait, encore plus qu'avant, que j'étais une personne spéciale, au point où cela finit par m'irriter.

— Vous en faites un trop grand cas, dis-je avant de me tourner pour regarder par la fenêtre.

Nous restâmes silencieux jusqu'à notre arrivée devant la maison de bonne famille des Beauchamp, les cousins de Charlotte Morrison.

Chapitre 24

— Je suis très contente de vous revoir, capitaine.

Mme Beauchamp me serra la main.

— Avez-vous des nouvelles ?

— Je suis heureux de vous apprendre, Mme Beauchamp, que Mlle Morrison est en vie et va bien. Elle se trouve dans le Somerset.

Ils écarquillèrent les yeux.

— Le Somerset ? bredouilla M. Beauchamp.

— Ciel, pourquoi ne nous a-t-elle pas écrit ? demanda son épouse au même moment. Est-elle retournée dans sa maison familiale ?

Grenville me jeta un coup d'œil. Je ne lui avais pas fait part de ce que j'avais l'intention de dire, mais il suivit ma direction.

— Je l'ai vue, dit-il. Elle va bien. Et elle est mariée.

Mme Beauchamp resta bouche bée.

— Mariée ?

— Mais pourquoi ne pas nous écrire ? demanda son mari. Pourquoi se couvrir de honte en s'enfuyant ?

— Cela n'a aucune importance, dit Mme Beauchamp. Elle va bien, Dieu merci. Avez-vous son adresse,

M. Grenville ? Il faut que je lui écrive et que je lui dise que lui pardonnons, bien entendu. Elle a dû être inquiète que nous soyons fâchés contre elle. Non, nous devrions nous préparer à voyager jusque-là et le lui dire de vive voix.

Je levai les mains.

— Je crois qu'elle ne veut pas encore de visite. Elle vous écrira, sans aucun doute, lorsqu'elle sera prête.

Mme Beauchamp perdit son sourire.

— Je ne comprends pas. Nous sommes sa famille.

— C'est tout ce que je sais, Madame. La seule chose qui m'importe, c'est qu'elle soit en vie et qu'elle se porte bien.

Un mélange de soulagement et de colère apparut sur le visage rougeaud de Beauchamp.

— Je vous remercie d'être venu en personne pour nous l'annoncer, capitaine.

Il tendit la main.

— C'était gentil de votre part.

— Oui, dit sombrement Mme Beauchamp.

Je leur serrai la main à tous les deux.

— Je vous souhaite un bon après-midi.

Grenville, qui avait parfaitement gardé sa contenance tout au long de l'entretien, s'inclina et murmura ses adieux, même si je voyais qu'il était impatient de me poser des questions.

Beauchamp nous suivit. Il attendit jusqu'à ce que le valet nous donne nos chapeaux et nos gants, et il nous accompagna à l'extérieur sous une fine pluie.

— Ma femme est vexée, et cela se comprend, dit Beauchamp. Néanmoins, nous avons craint le pire. Il ne fait aucun doute que nous allons nous réjouir de savoir que

Charlotte va bien, une fois la surprise passée. C'était gentil de votre part de faire toute cette route pour nous informer.

— J'avais autre chose à faire dans le coin, dis-je. Et je voulais vous donner ceci.

Beauchamp fronça les sourcils devant le paquet, mais il le prit, déconcerté.

Le valet de Beauchamp m'aida à monter dans la voiture et Grenville monta derrière moi, la porte se refermant au moment où la calèche se mit en route. Beauchamp resta devant la maison, fixant l'emballage brun, la pluie coulant sur sa tête dénudée.

Grenville se retint jusqu'à ce que nous ayons parcouru près d'un kilomètre.

— J'ai gardé mon calme assez longtemps, Lacey. Que lui avez-vous donné, bon sang ?

La route tournait, longeant le terrain plat situé à l'arrière de la maison de Beauchamp.

— Demandez à votre cocher de s'arrêter.

— Serait-ce vain de vous demander pour quelle raison ?

— Je vous le dirai dans un instant.

Grenville parut se sentir lésé, mais il donna un coup sec sur le toit de la voiture et donna l'ordre au cocher de s'arrêter.

Nous attendîmes. L'air humide nous envahit, doux et embaumant la végétation, la terre riche et vierge attendant les premières plantes du printemps. Un chemin boueux menait à une barrière et, plus loin, à la prairie qui se trouvait à l'arrière de la maison des Beauchamp.

Les chevaux, qui s'ennuyaient, s'ébrouèrent et bougèrent dans les traces formées par les roues, faisant légèrement tanguer la voiture. La pluie fine se mit à tomber dru.

Un cavalier apparut au fond de la prairie, montant un petit cheval qui trottait rapidement. Tant le cheval que son cavalier étaient rondelets, le maître rivalisant avec sa monture avec son corps trapu et son ventre corpulent.

Grenville baissa sa vitre.

— C'est Beauchamp.

Arrivé à la barrière, Beauchamp descendit de cheval. Il ne l'attacha pas, mais celui-ci parut heureux de baisser la tête et de brouter. Beauchamp grimpa sur la barrière et se laissa retomber de l'autre côté, son visage trempé par la transpiration et la pluie.

Il s'approcha de la voiture. J'ouvris la porte et en descendis pour le rejoindre.

Il me tendit brusquement le paquet.

— À quoi jouez-vous, Lacey ? Qu'est-ce que c'est ?

— La gouvernante de Lord Sommerville me l'a donné, dis-je. Ce sont les restes de la robe de chambre qu'une servante portait le jour où elle a été tuée, quelque part vers la fin du mois de février. Un homme l'a frappée à la tête et a tenté de l'enterrer dans les bois. N'étiez-vous pas présent lors de l'enquête ? Tout le village est venu, d'après ce que l'on m'a dit.

Beauchamp me lança un regard noir, rouge et en colère.

— Ma femme et moi sommes restés à l'écart. C'était une affaire sordide.

J'ouvris le paquet et lissai les lambeaux de tissu de laine bleue.

— C'était certainement sa plus belle tenue. Elle devait être excitée de savoir qu'elle allait rejoindre un amant. Pas le jeune homme solide et travailleur qui avait espéré l'épouser, mais un homme plus âgé, aisé et respecté, un homme qui lui offrirait des cadeaux. Peut-être des bijoux et des robes plus belles que celle-ci.

Grenville descendit de la voiture, et son cocher nous observa d'en haut. Beauchamp nous regarda, Grenville et moi, l'un après l'autre.

— Que me voulez-vous ?

Je l'ignorai.

— Peut-être qu'en étant la maîtresse d'un homme riche, la fille de cuisine a commencé à se donner de grands airs. Peut-être a-t-elle menacé de tout raconter à son jeune ami à propos de son amant, ou à votre épouse.

Beauchamp eut l'apparence d'une personne traquée.

— C'était une fille stupide, une bonne, pour l'amour de Dieu. Que voulait-elle que je fasse ? Abandonner ma chère épouse pour elle ? Vous me comprenez, Messieurs.

— Votre cousine, Charlotte, sait qui l'a tuée, dis-je.

Beauchamp se mit à bégayer.

— Matilda n'a pas été assassinée. C'était un accident. Elle est tombée et s'est cogné la tête.

— Ou il se peut que Charlotte n'en ait rien su, je ne peux l'affirmer. Cependant, vos attentions ont dû effrayer Charlotte. Tellement qu'elle vous a fui, d'une façon qui vous a empêché de la poursuivre et de la ramener.

Beauchamp m'adressa un regard implorant.

— Nous avons accueilli Charlotte, nous lui avons donné une maison. Comment a-t-elle pu faire ça ? Nous étions sa famille.

Sa voix chevrotante était pathétique, mais je durcis mon cœur.

— J'imagine que la jolie jeune cousine de votre femme fut une grande tentation pour vous. Une belle et intelligente jeune femme aurait été bien plus satisfaisante qu'une bonne idiote. Et elle était à portée de main, sous votre propre toit. Vous n'auriez pas besoin de rendez-vous galants secrets derrière une haie. Avez-vous séduit Charlotte ? Ou l'avez-vous menacée de représailles si elle ne se soumettait pas ?

Beauchamp prit une courte inspiration.

— Comment êtes-vous au courant ? Charlotte a dû vous en parler.

— Votre femme m'a donné ses lettres. Vous avez envoyé un garçon à mes trousses pour qu'il me les vole et les détruise. Vous aviez peur que Charlotte ait pu y laisser une piste, un indice sur ce que vous lui aviez fait.

Beauchamp posa ses mains sur son ventre imposant.

— Vous ne devez pas en parler à ma femme. C'est une personne douce. Cela lui briserait le cœur. S'il vous plaît, je vous en conjure.

Je poursuivis, sans pitié.

— Que s'est-il passé dans les bois, cette nuit-là ? Avez-vous dit à Matilda que vous aviez trouvé mieux ? Il se peut que Matilda n'ait pas voulu se retirer aussi facilement. Il se peut qu'elle ait menacé de faire des histoires. Cela vous a fait peur et vous vous en êtes pris à elle.

Des larmes coulèrent le long de ses joues.

— Non, c'était vraiment un accident. Je le jure. Matilda voulait que je parte avec elle. Elle a commencé à hurler et à pleurer. J'ai essayé de la faire arrêter. Elle a commencé à courir, mais elle a trébuché et est tombée. J'ai entendu sa tête se briser contre une pierre. J'ai essayé de lui porter secours, mais sa tête était couverte de sang et elle ne respirait plus. Je ne pouvais pas la ramener à la maison, je ne pouvais pas expliquer.

Je lui remis le paquet dans les mains.

— Expliquez ça à Lord Sommerville. C'est un homme raisonnable.

Beauchamp se frotta les yeux.

— Reverrai-je un jour Charlotte ?

— J'en doute. Dites la vérité à votre femme, toute la vérité. Elle comprendra pourquoi Charlotte ne revient pas.

Je me détournai. Grenville, le visage pâle, attendit tandis que je remontais dans la voiture.

— Je vous en prie, Messieurs.

Grenville monta derrière moi, et son cocher, qui essayait de cacher le fait qu'il était choqué, ferma la porte. Par la fenêtre, je regardai Beauchamp, qui pleurait un peu plus bas.

— Rentrez chez vous, dis-je.

Grenville donna un petit coup sur le toit de la voiture et le cocher fit avancer l'attelage.

❋ ❋ ❋

— Allez-vous en parler à Sommerville ?

Grenville me jeta un coup d'œil sévère.

— Si vous ne le faites pas, je le ferai.

Je m'adossai aux coussins somptueux, soudainement épuisé et désireux d'en avoir fini de tout ça.

— J'écrirai ce soir à Sommerville et posterai la lettre dans la matinée. Je veux laisser à Beauchamp le temps de se confesser. S'il a une once d'honneur, il assumera sa culpabilité et laissera sa femme en dehors de cela.

— S'il avait un tant soit peu d'honneur, il devrait déjà être mort, dit Grenville.

Je me demandai si cet homme aux yeux de lapin aurait le courage de poser un pistolet contre sa tempe et d'épargner à sa femme la reconnaissance publique de sa trahison et son procès.

— J'aimerais le savoir. Tout est entre ses mains, dorénavant.

Sur le chemin du retour vers Londres, ma fatigue se dissipa quelque peu et je parlai à Grenville de ma deuxième visite à Denis et de ce que j'avais compris de son implication dans l'enlèvement de Jane Thornton. Je n'avais pas très envie d'en parler, mais j'avais retenu la leçon. Si je n'avais pas écrit à Grenville cette lettre impolie et pleine de colère, s'il n'avait pas été suffisamment magnanime pour me pardonner ma fierté ridicule et s'il ne s'était pas lancé à ma recherche, je serais probablement en train de reposer au fond de la Tamise, et Black Nancy avec moi.

Grenville était avide d'interroger Jemmy avec moi, mais je lui dis que je devais faire une autre course et que je préfèrerais la faire seul. Il ne me posa pas de question, mais il me regarda sévèrement quand je descendis de la voiture.

Ce à quoi je devais faire face ensuite me peinait au plus haut point. Je quittai la maison peu après la tombée de la nuit et me rendis à la maison qui se trouvait près du cimetière de la paroisse Saint-Paul. Comme la fois précédente, on me conduisit à un petit salon à l'étage, et Josette Martin m'y rejoignit.

Elle s'avança et me prit la main, un rayon de soleil printanier se reflétant sur ses nattes épaisses de cheveux presque noirs.

— Capitaine Lacey. Je suis ravie de vous revoir. Asseyez-vous.

Je restai debout, lui tenant la main.

— Quand partez-vous pour la France ?

Elle me regarda d'un air surpris.

— Dans une semaine. Pourquoi ?

— Pourriez-vous partir demain ? Est-ce qu'Aimee serait capable de voyager ?

— Demain ? Je n'en suis pas certaine.

— Même si elle ne peut pas, je vous conseille d'emmener Aimee et de partir immédiatement pour la France.

— Pourquoi, capitaine ? Je ne comprends pas.

Je laissai Josette se diriger vers le divan et l'aidai à s'asseoir face à moi. La pièce sentait vaguement les vieilles fleurs, supplantées par l'odeur légèrement étouffante d'une pièce dont les fenêtres ont été longuement maintenues fermées.

— Parce que je sais qui a tué Josiah Horne, dis-je. En mon âme et conscience, et afin de remplir mon devoir, il faudra que je parle à quelqu'un de ce que je sais.

Le visage de Josette se décolora.

— Je vous en prie, expliquez-moi ce que vous voulez dire.

— Les détectives ont arrêté Bremer, le majordome. On l'a emmené à Newgate, mais il est mort avant son procès. Ils sont satisfaits. Cependant, Bremer n'a pas tué M. Horne.

Ses beaux yeux se dérobèrent.

— Vous ne pouvez le savoir. Comment le pourriez-vous ?

Je lui pris doucement les mains.

— Alice a dû vous raconter qu'elle croyait qu'Aimee était captive dans la maison de Horne. Elle n'avait aucune preuve, mais cela ne vous a pas arrêtée, n'est-ce pas ? Vous rendre à la porte principale n'aurait été d'aucune aide pour les Thornton et Alice, donc vous avez décidé d'approcher par les cuisines. Vous avez commencé par faire des livraisons chez Horne, probablement en offrant vos services à un marchand de fruits et légumes, ou alors à une couturière.

— Je n'ai rien fait, Monsieur, dit-elle faiblement.

— Je m'étais tellement concentré sur les personnes qui étaient entrées chez Horne par la *porte d'entrée,* ce jour-là, qu'il ne m'était jamais venu à l'esprit de me demander qui était entré par l'arrière-cuisine. Mais le jeune homme qui vit dans la maison à côté de celle de Horne vous a vue. Vous aviez commencé à faire vos livraisons, a-t-il dit, à peu près quatre semaines plus tôt — juste après qu'Alice et M. Thornton aient découvert que Jane vivait sous le toit de Horne. Le jeune homme d'à côté a passé la journée du meurtre à regarder par la fenêtre, attendant son précepteur, qui n'est jamais arrivé. Il m'a raconté que deux livreurs et une femme avec un panier avaient descendu l'escalier menant à la cuisine et étaient entrés dans la maison. Je ne pensais pas que c'était important, et lui non plus. Ce jour-là, vous avez enfin eu l'occasion de quitter les cuisines et de vous rendre dans le bureau à l'étage. J'imagine que dans cette maison où régnait le chaos, personne ne vous a remarquée. Ai-je raison ?

Josette porta les mains à son visage, et des larmes s'échappèrent de ses yeux magnifiques.

— Elle n'avait pas l'intention de le faire. Aimee était tellement effrayée. Et tellement désespérée. Elle a juste porté un coup. Elle ne s'en est même pas rendu compte.

Chapitre 25

J'e patientai, le cœur lourd, jusqu'à ce que les sanglots de Josette s'apaisent. Lorsqu'elle leva les yeux sur moi, ses cils foncés étaient recouverts de larmes.

— Vous avez trouvé Aimee dans le bureau quand vous y êtes entrée, dis-je calmement.

Elle hocha la tête.

— Il était allongé sur le tapis, avec le couteau enfoncé dans sa poitrine, et Aimee était évanouie à ses côtés. Cela s'était passé juste quelques instants avant que je n'arrive. Aimee n'avait même pas conscience de ce qu'elle venait de faire. Il l'avait fait sortir de l'armoire dans laquelle il l'avait enfermée, ce jour-là. Le couteau se trouvait sur le bureau — je suppose qu'il l'avait utilisé pour ouvrir son courrier ou des livres. Elle s'en est simplement emparée et l'a frappé avec celui-ci. Il y avait très peu de sang. Un petit peu sur sa main, c'est tout.

— Si c'est fait correctement, un coup comme celui-là ne saigne pas beaucoup.

— Mais je savais que si l'on retrouvait Aimee dans le bureau, elle serait pendue. Peu importe ce que Horne lui avait fait, Aimee aurait payé.

Le feu brûla au fond de ses magnifiques yeux.

— Je ne pouvais pas laisser faire ça.

— Non, consentis-je. Vous ne pouviez pas. Donc, vous avez essuyé ses mains, rattaché ses poignets, et vous l'avez enfermée une nouvelle fois dans l'armoire. Aimee était suffisamment effrayée et confuse pour vous obéir. Vous saviez qu'on la retrouverait certainement après la découverte du meurtre et que, bien sûr, personne ne la suspecterait, puisque ses mains étaient bien attachées et que l'armoire était verrouillée de l'extérieur. S'ils ne l'avaient pas trouvée, vous seriez retournée là-bas en tant que tante inquiète à sa recherche. Cela a dû être difficile de la laisser là-bas.

Elle hocha la tête avec ferveur.

— Ça l'a été, oh, oui, ça l'a été. Mais si je l'avais emmenée à ce moment-là, on aurait pu nous voir. Ils auraient découvert M. Horne et Aimee aurait été accusée du crime. Il fallait que je l'abandonne.

— Vous avez été judicieuse.

Enfermer encore une fois Aimee dans l'armoire remplirait deux objectifs — le premier, le plus évident, était de faire croire qu'Aimee ne pouvait pas avoir commis le meurtre ; et le second était que, par la découverte d'Aimee dans l'armoire, Horne aurait été vu comme le salaud qu'il était. Un homme qui couchait avec une bonne était une chose. En faire une esclave en était une autre.

Josette avala sa salive.

— Il fallait que je sois sûre que les liens lui coupent la chair, puis j'ai dû partir. Il a fallu que je rentre chez moi et que j'attende, ne sachant pas qui trouverait Aimee et à quel moment. Il m'a fallu attendre jusqu'au lendemain matin pour recevoir une lettre d'Alice me disant qu'elle était sauve.

Toute cette nuit-là, je m'étais demandé si j'avais eu raison. Pas moyen de le savoir…

Encore plus de larmes coulèrent de ses adorables yeux.

Je pressai la main de Josette usée par le labeur dans la mienne.

— Mais votre supercherie a fonctionné. J'ai donné mon opinion à voix haute à tout le monde, disant qu'il avait été impossible qu'Aimee ait tué Horne. Ce n'est que lorsque j'ai commencé à spéculer sur le fait que deux personnes pouvaient être impliquées que j'ai compris qu'Aimee aurait très bien pu le poignarder. Sa complice devait être une personne à la tête froide, courageuse, et qui devait lui être complètement loyale. Et je me suis souvenu qu'Aimee avait une tante qui l'avait élevée et qui prévoyait de l'emmener en France.

— Vous avez raison, dit doucement Josette. Je lui suis loyale. Et je suis aussi coupable qu'elle.

— Vous avez encore fait une chose avant de quitter cette pièce.

Elle pâlit.

— Je m'en souviens à peine.

Je caressai le dos de sa main.

— J'aurais moi-même été dans une colère violente.

— Je l'étais.

Elle leva la tête, avec des paroles dures.

— Il avait si profondément meurtri Aimee et il était allongé là, agonisant, hors de portée. Je voulais le faire souffrir en retour. Il avait déjà abaissé son pantalon, et il était là, exposé à la vue de tous. Je ne suis pas certaine de ce qui s'est passé ensuite. Mais le couteau était dans ma main, et je…

Je revis le tapis jaune baigné de sang et en sentis l'odeur âcre. Je vis Josette aux yeux splendides, le couteau dans la main, le visage dévasté par la colère, trancher sauvagement l'homme qui avait violé sa nièce adorée. Du sang s'était déversé de son corps, exposant ses péchés. Il avait saigné de la même façon que n'importe quel homme saignerait, mais son âme était infecte et noire.

— Qu'allez-vous faire, capitaine ? demanda Josette d'une voix calme. Si vous allez voir un juge, s'il vous plaît, je vous en prie, laissez-moi endosser la culpabilité. Dites-leur que j'ai tué M. Horne. Laissez Aimee s'en aller.

Je me levai, m'appuyant lourdement sur ma canne.

— Dans deux jours, je confierai ce que je sais à une autre personne et déciderai ensuite de ce qu'il convient de faire. Si j'attends plus longtemps, je serai tenté de me taire à jamais et de laisser l'innocent Bremer en porter la culpabilité. Vous pouvez être en France dans deux jours. Je vous conseille de ne dire à personne l'endroit exact où vous irez.

Josette me regarda longuement avant de hocher la tête.

— Je ferai ce que vous dites. Je crois qu'Aimee se sentira suffisamment bien pour partir dès demain.

Elle fit une pause.

— Vous devez penser que je suis violente, capitaine, à cause de ce que j'ai fait. Mais elle est mon unique famille. Et ce qu'il a fait était impardonnable.

Je pris sa joue dans le creux de ma main.

— Je pense que vous êtes courageuse, Josette. Et vraiment belle.

Je me penchai en avant et déposai un baiser sur ses lèvres entrouvertes.

— Que Dieu vous bénisse, murmurai-je avant de partir.

❋ ❋ ❋

Le lendemain, James Denis m'envoya une voiture, et quand j'y montai, j'y trouvai Denis en personne qui m'attendait.

— Après réflexion, dit-il tout en installant une couverture de ses mains revêtues de gants raffinés, j'ai décidé que je voulais être présent pendant que vous interrogeriez mon ancien cocher.

Ce revirement ne me réjouissait pas, mais je n'avais pas le choix. Si je voulais retrouver Jane Thornton, j'avais besoin de l'aide de Denis.

— Pour éviter que Jemmy me dise des choses compromettantes ? demandai-je.

— En quelque sorte.

Denis, lui non plus, n'avait pas trop l'air d'aimer avoir à partager sa voiture avec moi, si la manière dont il bougeait les doigts et sa canne était une indication. Il avait également installé l'un de ses gardes imposants sur le siège à mes côtés, et cet homme observait mes moindres gestes.

Nous nous rendîmes dans une maison sur une avenue qui donnait sur la rue Strand. Je remarquai, en entrant dans cette maison sombre, que celle-ci aurait pu être la maison dans laquelle Jane avait été attirée par la pourvoyeuse.

Jemmy était assis derrière une simple table en bois dans une pièce du rez-de-chaussée. Deux des hommes costauds de Denis se tenaient à ses côtés et nous attendaient. Jemmy sursauta en me voyant, puis il s'adossa de nouveau à sa chaise, le visage blafard.

Un feu avait été allumé, et il faisait chaud dans la pièce, mais la seule lumière était celle qui provenait des flammes dans la cheminée. Lorsque je m'assis en face de Jemmy, une lumière rouge illuminait son visage couvert de cicatrices et se reflétait sur ses dents élimées.

— Où se trouve Jane Thornton ? lui demandai-je.

Jemmy ne me regarda pas, mais bien par-dessus mon épaule, à l'endroit où se trouvait Denis.

— Pourquoi est-*il* là ? Je ne comprends pas.

— Répondez à sa question, fut la réponse de Denis, d'une voix aussi douce que de la soie.

— Je ne sais pas. Je ne sais rien.

— Horne a dû vous rencontrer pendant ses transactions avec votre employeur, dis-je. Peut-être vous a-t-il demandé si vous vouliez gagner un peu d'argent supplémentaire en lui rendant un service.

— Et alors ? Il n'y a pas de mal à se faire un peu d'argent.

Denis intervint.

— Si vous aviez besoin de plus d'argent, vous auriez dû m'en parler. Je vous aurais trouvé du travail supplémentaire.

Son ton calme et pragmatique fit blêmir Jemmy.

— Vous avez contacté la pourvoyeuse, dis-je. Vous avez réfléchi à la jeune femme que vous enlèveriez — la jeune amie de la fille de M. Carstairs — et avez laissé la pourvoyeuse échafauder un plan. Elle a attiré Jane et sa femme de chambre par la ruse, probablement avec l'aide d'une complice, et quand les choses se sont calmées, vous y êtes retourné afin de les emmener chez Horne. Il vous a payé, et vous n'y avez plus pensé. Jusqu'au soir où il vous a de nouveau fait appeler.

Jemmy serra les mains.

— Je ne vais pas écouter ça.

Je n'ai pas vu le regard que lui avait adressé Denis, mais Jemmy se calma instantanément. Derrière moi, j'entendis Denis marcher doucement jusqu'à la fenêtre.

— Cette nuit-là, il y a environ quatre semaines, vous avez conduit la voiture que vous aviez à votre disposition jusqu'à la place de Hanovre, poursuivis-je. Vous êtes repartis de chez Horne avec Jane Thornton. Où l'avez-vous emmenée ?

Jemmy s'humidifia les lèvres.

— Je n'en suis pas sûr. À l'endroit qu'il m'avait indiqué.

— Où ?

— Je ne m'en souviens pas, je vous dis.

Je m'avançai au-dessus de la table pour l'attraper. Jemmy fit un bond en arrière sur sa chaise, m'adressant un regard à moitié agressif et à moitié craintif.

Denis se détourna de la fenêtre.

— Dites au capitaine ce qu'il veut savoir, Jemmy.

Jemmy avala nerveusement sa salive, la lumière du feu se reflétant sur sa peau en sueur.

— Je ne peux pas vous l'expliquer. Il faut que je vous y emmène.

— Dans ce cas, emmenez-moi.

Quand il se leva, le regard de Jemmy se posa immédiatement sur Denis. Je me poussai de côté pour le laisser contourner la table, et nous quittâmes la pièce. L'une des brutes de Denis nous précédait ; venait ensuite Denis, puis moi, puis Jemmy, et le deuxième mastodonte fermait la marche.

Au moment d'arriver dans la rue, Jemmy tenta de déguerpir. Les deux hommes de main se collèrent à Jemmy, chacun d'un côté, et le poussèrent sans ménagement vers le haut de la voiture. Tandis qu'ils le maintenaient là, le valet au visage de marbre de Denis nous aida, Denis et moi, à monter à bord.

Denis donna l'ordre à son cocher de suivre les instructions de Jemmy, mais je demandai que l'on s'arrête d'abord chez les Thornton, non loin de là. Il fallait que je demande à Alice de nous accompagner. Je ne voulais commettre aucune erreur quant à l'identité de Jane Thornton.

Alice parut nerveuse de nous rejoindre, Denis et moi, à bord de la voiture, mais elle vint tout de même, les yeux pleins d'espoir. Je lui demandai des nouvelles de M. Thornton.

— Il se remet, Monsieur. Mais tout doucement. Si nous pouvions retrouver Mlle Jane, cela pourrait faire toute la différence.

Le trajet était fastidieux à cause de la circulation à travers laquelle la voiture zigzaguait, ainsi qu'à cause de la pluie. La voiture était aussi somptueuse que celle de Grenville, avec des parois en velours, le bord des fenêtres recouvert d'or et des tabourets rembourrés pour nos pieds. Denis regardait par la fenêtre, comme si Alice n'existait pas, et l'imposant valet la regardait froidement et impassiblement.

La voiture bifurqua vers le pont de Londres, puis elle le traversa. Nous arrivâmes dans Southwark.

— Où diable nous emmène-t-il ? demandai-je, jetant un coup d'œil au-dehors dans l'obscurité.

Denis haussa les épaules, avec l'air d'un homme qui est toujours entouré d'une bulle de sécurité. Je m'attendais tout à fait à ce que des voyous nous attendent au bout du chemin, Jemmy nous emmenant droit vers eux. Denis pouvait également avoir recruté Jemmy pour m'entraîner dans la gueule du lion, mais je n'y croyais pas. La terreur dans les yeux de

Jemmy avait été réelle, et Denis et moi, nous semblions avoir conclu une sorte de trêve.

L'odeur de la rivière empestait l'air, tout comme la fumée d'une forge. Des flaques stagnantes d'eau répugnante reflétaient la fumée noire du charbon et le ciel gris. La voiture s'arrêta sur une avenue reculée qui longeait la rivière. Des marches menaient sur la rive de la Tamise où des pêcheurs faisaient leur commerce.

Le valet m'aida à descendre, et je tendis moi-même la main à Alice pour l'aider à descendre. Une vague de pluie nous tomba dessus, et Alice tendit son châle au-dessus de sa tête. Jemmy était descendu du haut de la voiture et se tenait maintenant de manière incertaine entre les deux gardes de Denis.

— Par là, en bas, dit-il en désignant la rivière.

— Où ? Montrez-moi.

Il ne voulait pas. Mais sa peur de Denis fut plus grande que sa peur de moi, et Jemmy se mit à descendre d'un pas lourd les marches boueuses et glissantes. Je le suivis avec Alice.

Denis demeura dans la voiture. Il pourrait facilement demander à son cocher de repartir et nous laisser en plan, et je crois qu'Alice pensa de même parce qu'elle se colla à moi et y resta.

Jemmy nous conduisit à une cabane de pêcheurs qui ressemblait aux autres qui parsemaient la rive. La Tamise coulait au loin, la berge lointaine perdue dans le brouillard et la pluie.

Avant d'avoir atteint la porte, Jemmy s'arrêta brusquement.

— C'est la police! cria-t-il à l'intérieur de la cabane. Courez!

Un homme sortit en trombes et courut à toute allure sur le sable. Une femme le suivit, mais trop lentement. Un des hommes de Denis bondit en avant et l'attrapa alors qu'elle glissait sur les rochers. Il nous la ramena en la traînant. Des mèches de cheveux gris tombaient mollement sur son visage, qui était ridé et fatigué.

Ses yeux étaient à la fois apeurés et provocateurs.

— Nous n'avons rien fait. Peu importe ce qu'il a dit.

— Où est Mlle Thornton? demandai-je.

Elle était perplexe.

— Qui?

— Par ici, dit Jemmy.

Il contourna la cabane et emprunta un chemin qui descendait vers la rive. Jemmy nous conduisit le long de celui-ci, Alice et moi derrière lui, et le garde de Denis derrière nous avec la femme, qui continuait à nous baratiner sur le fait que rien n'était de sa faute.

Au bout du chemin, derrière un escalier de pierre qui remontait vers Southwark, il y avait un amas de débris qui ressemblait, tout au plus, à une grotte surplombée par une bâche maintenue par des pierres. Jemmy s'attaqua à la bâche.

— Non! cria la femme. Ce n'était pas moi.

Jemmy souleva des morceaux de débris et les lança sur le côté. Un des gardes s'avança et l'aida. Quand un espace fut dégagé, Jemmy tendit la main et tira sur un pan de la bâche.

En dessous gisait une petite main blanche, paume vers le haut, les doigts recroquevillés comme pour supplier le ciel indifférent.

Alice poussa un cri perçant.

— Ce n'était pas nous, dit la femme d'une voix chevrotante. Il nous l'a emmenée et nous a dit de la cacher.
On voulait la noyer dans la rivière, mais il a dit non, il a dit
qu'il fallait la cacher. Elle était déjà morte quand elle est
arrivée.

Je m'avançai vers les débris tandis qu'Alice se cramponnait à ma veste. Je glissai ma canne sous la bâche et la
retournai.

Le corps d'une femme gisait là, couvert de crasse et de
boue. Ce qui avait été un jour une chemise de nuit collait à
sa poitrine, qui s'était creusée à cause du temps et des tas de
planches qui avaient été entassées au-dessus d'elle. Son
visage était pâle, serein, les yeux clos, la bouche flasque,
mais la peau de son cou était en pleine décomposition.

Alice tomba à genoux à côté de moi et poussa des gémissements déchirants. La femme du pêcheur fit un pas en
arrière, comme si elle était effrayée par les pleurs, et pointa
le doigt sur Jemmy.

— C'est *lui* qui l'a emmenée ici. C'est lui, le meurtrier.

— Je n'ai tué personne, dit Jemmy. Elle était déjà morte
quand il m'a fait appeler.

Je le croyais. J'avais vu ce que Horne avait fait à Aimee.
Il se pouvait que Horne n'ait pas voulu tuer Jane ;
c'était peut-être un simple accident. Peut-être que Horne
avait paniqué quand il avait vu ce qu'il avait fait. Il avait
fait appeler Jemmy, se souvenant du jeune homme qui
l'avait aidé, au départ, à enlever les jeunes femmes, et
lui avait demandé de se débarrasser d'elle. Le jeune Philip
Preston m'avait raconté que quelqu'un avait emporté, cette
nuit-là, un paquet semblable à un tapis dans une voiture
noire. Un tapis, oui, mais enroulé autour du corps de Jane.

Les sanglots d'Alice tournèrent en une muette lamentation. Je couvris le corps de Jane avec la bâche, puis je me redressai et pour faire face à Jemmy.

Jemmy, alarmé, fit un pas en arrière. Je le défiai du regard, l'homme qui avait causé la perte et la mort de Jane Thornton, même si c'était indirectement. Jemmy avait rendu l'enlèvement possible et était tout autant à blâmer que Horne.

Je dégainai mon épée. La lame siffla et des gouttes de pluie scintillèrent sur l'acier brillant tandis qu'une colère amère bouillonnait en moi. Je ne voulais rien de plus qu'enfoncer cette lame aiguisée dans le cœur du cocher apeuré et le regarder se vider de son sang jusqu'à ce qu'il meure.

Derrière moi, Alice sanglotait.

— S'il vous plaît, ne faites pas ça, Monsieur. Cela ne nous la ramènera pas.

C'était comme si ma conscience s'était exprimée à voix haute. Je me forçai à calmer ma colère, rengainai la lame dans son fourreau et aidai Alice à se relever. En silence, je la conduisis en haut du chemin et dans l'escalier.

Ce ne fut qu'au moment d'approcher de la voiture qui nous attendait que je notai que ni Jemmy ni les deux hommes de main de Denis n'étaient revenus avec moi. Au milieu de la pluie, je me retournai et regardai vers la berge en contrebas, mais je ne pus les voir.

Le valet, qui était resté près de la voiture, ouvrit la porte et nous hissa, Alice et moi, à l'intérieur. Alice, trempée et malheureuse, se blottit dans un coin. Je pris place sur le siège à côté d'elle, forçant le valet à s'asseoir à côté de Denis.

Nous fîmes le chemin inverse, traversant Southwark, serpentant dans le trafic, traversant le pont pour rejoindre la ville. Denis, le seul d'entre nous à être sec et non froissé, me scruta dans la douce luminosité de la lanterne.

— La revanche, capitaine, est généralement une perte de temps, dit-il. Je ne me laisse pas aller à cela.

— Jane a été vengée, dis-je calmement.

— Grâce au meurtre de Horne par le majordome ? Je suppose qu'elle l'a été, indirectement.

— Mais cela ne sera pas suffisant. Je veux la pourvoyeuse et tous ceux qui les ont aidés.

Denis secoua la tête.

— Vous êtes un homme dur, capitaine Lacey.

— Si Horne avait pris un enfant innocent et avait brisé son crâne, cela n'aurait pas été différent. Tout ce qu'elle avait connu jusqu'alors, c'était le bonheur et des gens qui prenaient soin d'elle. Soudain, tout cela lui a été arraché, et elle s'est retrouvée face à un monstre. Je ne peux même pas imaginer sa frayeur. Elle a dû trouver inconcevable qu'une telle chose puisse arriver.

Alice se mit à geindre. Je voulais lui tapoter la main, la consoler, mais je n'avais aucun réconfort à offrir. Parfois, il n'y a pas de consolation possible, la seule chose que l'on sait, c'est que le pire est derrière nous.

— Je veux que toute personne ayant pris part à cela se retrouve devant un juge et soit punie pour ses péchés.

Denis fit un petit geste de la tête.

— Jemmy n'affrontera pas de juge. Il m'affrontera *moi*. Il ne pouvait pas traiter directement avec Horne sans que je sois au courant.

Je regardai son visage inexpressif et beau, ainsi que ses yeux froids, et ma colère se fit plus intense et dévorante.

— Vous êtes une ordure.

Denis leva sa main luxueusement gantée et d'un blanc immaculé.

— N'ayez aucun doute, je lui ferai nommer ses complices.

— Et vous les enverrez devant le juge ? Je veux qu'ils soient jugés devant Dieu.

Il regarda négligemment par la fenêtre.

— Cela ne vous apportera rien de les emmener devant la cour. Tout d'abord, il vous faudrait prouver ce que vous dites. Je vous l'ai dit, je ne vous donnerai pas Jemmy, et sans lui, vous n'avez pas de témoin oculaire. Ensuite, vous devrez raconter l'histoire de votre Mlle Thornton avec tous les détails sordides, une histoire suffisamment sensationnelle pour qu'on en parle dans tous les journaux. Sa famille portera toujours la marque de la honte d'avoir eu une fille enlevée, déshonorée et tuée. C'est ce que vous voulez ?

Mes lèvres remuèrent difficilement.

— Non.

— Je sais que vous voulez vous venger, mais la manière ordinaire n'est pas la meilleure, dans ce cas-ci. J'obtiendrai votre revanche à votre place, comme une faveur.

— Je ne veux pas vous devoir de faveur.

— Vous me devez déjà quelques services, capitaine. Vous n'arriverez à rien sans Jemmy, et je ne vous le donnerai pas. Vous allez devoir me laisser traiter cela à ma façon.

Mon regard croisa celui de Denis, clair, froid et sans merci. Il savait que j'étais dangereux pour lui, et il avait déjà commencé à prendre ses précautions contre moi. Je savais que je ne gagnerais pas.

❋ ❋ ❋

— Donc, je l'ai laissé faire, dis-je.

Louisa enlaça ses doigts froids autour des miens. Elle était assise à côté de moi sur le divan bas de mon salon ; cela faisait trois heures qu'elle était installée là à m'écouter m'épancher sur mon histoire.

Cinq jours s'étaient écoulés depuis que j'avais découvert le sort tragique de Jane. J'en avais passé quatre plongé dans la dépression, incapable de quitter mon lit, à peine capable de manger le bouillon que Mme Beltan me forçait à ingurgiter. Encore aujourd'hui, chaque mouvement faisait souffrir mes membres, chaque geste me demandait un effort surhumain.

Je m'étais rendu chez les Brandon sur la rue Brook après avoir aidé Alice à annoncer à Mme Thornton que sa fille était morte. Louisa était sortie, mais son mari était présent et je lui avais demandé de me dire où elle se trouvait. Il avait insisté pour m'accompagner à la partie de cartes chez Lady Aline où Louisa était joyeusement en train de jouer et de bavarder avec des amies.

L'hilarité de Louisa s'était évaporée quand son mari et moi étions entrés pour la faire sortir du salon. Je lui avais expliqué ce qui était arrivé, à peine capable de parler, mon esprit se détachant déjà de moi. Je n'étais pas certain de ce qui s'était passé après cela, parce qu'après un long, long trajet pour rentrer chez moi en traversant Londres et après l'heure qu'il me fallut pour monter l'escalier qui menait à mon appartement, j'avais uniquement eu la force nécessaire pour ramper jusqu'à mon lit et rester allongé là.

J'appris plus tard que Louisa était allée chez les Thornton et les avait aidés du mieux qu'elle le pouvait, notamment en faisant en sorte que le corps de Jane soit récupéré et qu'elle soit enterrée décemment dans un cimetière, comme il se doit. Elle me fit savoir que M. Thornton survivrait à sa blessure par balle, mais qu'elle suspectait qu'il resterait faible. Il n'avait plus de raison de vivre.

Je ne découvris jamais ce qui était arrivé à Jemmy et à la pourvoyeuse, ni quiconque impliqué dans cette affaire. Je tombai sur une lettre succincte de Denis en parcourant le courrier qui s'était entre-temps amoncelé sur mon écritoire. En quelques phrases laconiques, il me signalait que tout avait été réglé, mais sans me donner de détails. À partir de ce jour-là, je n'entendis plus rien, ni de la part de Denis, ni dans les journaux, ni par la rumeur.

Je racontai tout à Louisa, les mots se bousculant sur mes lèvres comme si elle était un confesseur catholique et moi un pécheur contrit.

— Donc, j'ai tourné le dos à Jemmy et l'ai laissé à la merci de Denis. Dieu seul sait ce qu'il a fait de lui.

Louisa leva la tête et la lueur du feu se refléta sur une boucle soyeuse et blonde qui lui arrivait jusqu'au cou.

— J'avoue que je ne ressens pas énormément de sympathie pour cet homme. Pas après avoir passé ces derniers jours avec Mme Thornton. Ni pour Horne, ni pour Jemmy, ni pour la pourvoyeuse.

— Vous n'avez pas vu les yeux de Denis. Je n'ai jamais rien vu d'aussi froid. C'est comme s'il n'était même pas vivant, Louisa.

Elle frissonna.

— Je pense que je ne veux jamais rencontrer cet homme. Même si je suis *très* en colère contre lui pour ce qu'il vous a fait et que j'aimerais le lui dire.

Je souris en imaginant Louisa Brandon réprimander James Denis, le doigt tendu, puis je revins sur terre.

— Il voulait punir Jemmy lui-même, et pas parce que Jemmy avait fait une chose horrible, mais bien parce qu'il lui avait désobéi. Et Denis voit cela comme un moyen de faire pression sur moi.

— Il se peut également que Denis ne veuille pas que Jemmy se retrouve devant la cour par peur de ce qu'il pourrait avouer en prison — ou sur l'échafaud, souligna Louisa.

— Il a les juges dans sa poche, mais les potins et l'opinion publique peuvent toujours causer sa perte.

Je passai mes mains dans mes cheveux.

— Mais j'ai fait pareil, non ? J'ai laissé ma propre volonté l'emporter sur la loi et la justice.

— En laissant la tante d'Aimee l'emmener en France ?

Je posai la tête sur le dossier du divan.

— Soulagez ma conscience, Louisa. Ai-je eu raison de la laisser s'en aller ?

Son regard rencontra le mien. Ses yeux étaient gris clair et remplis de compassion.

— Ce que Horne a fait était impardonnable. Aimee lui a ôté la vie par désespoir et pour protéger la sienne. Il n'aurait jamais payé pour ce qu'il a fait si elle ne l'avait pas tué.

— Mais est-ce qu'un crime en annule un autre ? demandai-je. J'ai tiré sur des hommes qui faisaient de leur mieux pour me tirer dessus, et j'ai enfoncé mon épée dans des hommes qui tentaient de me transpercer de leurs baïonnettes. Est-ce que cela fait de moi — ou d'Aimee, ou de Josette — une personne moins coupable ?

— Je ne peux pas répondre à cela, Gabriel. Je vous en prie, ne me le demandez pas. Ce qui était correct dans le cas d'Aimee, et ce qui ne l'était pas, je n'en sais rien. Peut-être que le choix n'était ni bon ni mauvais. Cela s'est passé comme ça, c'est tout.

Louisa posa la main sur mon genou.

— J'ai bien peur que, dans ce cas-ci, vous ne puissiez pas être consolé par la certitude d'avoir eu raison.

Je fermai les yeux.

— Si je laisse Aimee et Josette s'enfuir en France, c'est comme si je disais que, dans certaines circonstances, le meurtre est parfaitement acceptable. Et qui sommes-nous pour décider de ces circonstances ? Néanmoins, si j'allais dans la rue Bow et que je leur disais tout ce que je sais, ils se lanceraient à leur poursuite et les ramèneraient. Et elles connaîtraient probablement toutes les deux une mort atroce.

— Qu'allez-vous faire, dans ce cas ?

Louisa m'observa, dans l'attente.

Je regardai fixement un point au-delà des arcades en plâtre qui grimpaient jusqu'au plafond. La lueur du feu adoucissait les murs, qui avaient été dorés autrefois pour n'être plus qu'une pâle imitation de leur gloire passée.

— Je dois les laisser vivre.

Louisa sembla soulagée.

— J'en suis ravie.

— Puisse Dieu me pardonner.

Louisa se pencha vers moi, sentant le citron et la soie, et elle déposa un léger baiser sur mon front.

— Même s'il ne le fait pas, murmura-t-elle, moi je le ferai.

Veuillez tourner la page pour un aperçu
de la prochaine aventure du capitaine Lacey

MEURTRE EN UNIFORME

Chapitre 1

Londres, juillet 1816

Un nouveau pont était en construction au-dessus de la Tamise, juste au sud-est de Covent Garden, une masse silencieuse de pierres et d'échafaudages qui étendait, petit à petit, ses arcades au-dessus de la rivière. Je descendis à pied jusqu'à ce pont en construction par une étouffante nuit de juillet, au milieu de l'obscurité qui appartenait aux voleurs à la tire et aux filles de joie ; je partis de l'avenue Grimpen, jusqu'à la rue Russel, en passant par Covent Garden, dont les échoppes étaient fermées et silencieuses, puis je longeai la rue Southampton et la rue Strand pour arriver aux sentiers qui menaient au pont.

Je marchais afin d'échapper à mes rêves. J'avais rêvé d'un été espagnol, aussi chaud que celui-ci, mais avec des vents secs provenant de flancs de coteau rocailleux sous un soleil de plomb. Les longues journées me revenaient, ainsi que les pluies chaudes et humides qui couvraient les routes de boue et qui tombaient sur ma tente, telles des aiguilles au milieu de la nuit. La chaleur me faisait penser à l'époque pendant laquelle j'avais été capitaine de cavalerie, et à une nuit en particulier, une nuit où il y avait eu de l'orage et au cours de laquelle les choses avaient changé pour moi.

J'étais à Londres, à présent, et la péninsule ibérique était bien loin. La chaleur humide des pavés caressait mes pieds ; une pluie douce me fouettait le visage et coulait en petits ruisselets sous mon nez. Le pont imposant était silencieux, une présence sombre pas encore née. Cela ne voulait pas dire que l'endroit était déserté. Un théâtre de rue distrayait les passants sur la rue Strand, et des filles de joie se tenaient au bord des chaussées. Un groupe de trois hommes costauds, bras dessus, bras dessous et sentant la bière avançait en chantant une mélodie joyeuse comme des casseroles. Ils zigzaguaient et se faufilaient entre les attelages sans jamais se lâcher les uns les autres. Leur chanson joviale flottait dans la nuit.

Une femme passa devant moi en me frôlant, se dirigeant vers le tunnel sombre qui conduisait au pont. Des gouttes de pluie scintillaient sur son manteau noir, et j'aperçus, sous sa capuche, un visage aux jolis traits et l'éclat de bijoux. Elle passa tellement près de moi que je vis la forme de chacun de ses doigts fins et gantés qui tenaient son manteau, ainsi que la fine chaîne en or qui ornait son poignet.

Ce fut une ombre furtive dans la brume de la nuit citadine, une lady là où aucune lady n'aurait dû se trouver. Elle était seule ; aucun valet, aucune servante ne marchait derrière elle, et elle avait dans la main un carton à chaussures ou une lanterne. Elle était habillée pour aller à l'opéra, au théâtre, ou alors à la salle de bal de Mayfair, et pourtant, c'était ici qu'elle marchait d'un pas empressé, en direction du pont sombre et inachevé.

Cette femme m'intéressait, piquant ma curiosité malgré ma dépression. Elle était peut-être une personne ambitieuse, une femme de la classe aisée à la réputation douteuse, mais j'en doutais. Les femmes ambitieuses étaient encore plus enclines que les ladies de haute lignée à voyager à bord de calèches voyantes et à prendre grand soin de leurs vêtements et de leurs souliers. De plus, cette femme ne se comportait pas comme une lady aux mœurs douteuses, mais bien comme une lady qui savait qu'elle n'était pas à sa place et qui faisait tout son possible pour avoir tout de même l'air d'une lady de la tête aux pieds.

Je me retournai, ma curiosité et mon inquiétude titillées, et la suivis.

L'obscurité se referma brusquement sur nous, nous laissant la douce pluie pour seule compagne. Elle sortit du sentier et se dirigea vers une arcade inachevée du pont, le bruit de ses souliers semblable à un murmure contre les planches posées sur les pierres.

Je pressai le pas. Les planches bougèrent sous mes pieds et le bruit caverneux porta jusqu'à elle. Elle regarda derrière elle, son visage pâle au milieu de l'obscurité. Son manteau virevolta en arrière, révélant une robe gris tourterelle, et ses minces jambes couvertes de bas blancs apparurent furtivement dans la nuit.

Elle atteignit le sommet de l'arcade. Une rafale transforma la pluie, qui était devenue plus drue, en brouillard au-dessus du pont. Lorsqu'il se dissipa, une ombre se détacha au milieu des bras sombres de l'échafaudage et s'avança vers elle. La femme sursauta, mais elle ne s'enfuit pas.

L'individu, homme ou femme, je ne pouvais le dire, se pencha vers elle et parla rapidement. La lady avait l'air d'écouter, puis elle fit un pas en arrière.

— Non, dit-elle clairement. Je ne peux pas.

L'ombre se pencha en avant, ses mains formant des gestes persuasifs. Elle recula, secouant la tête.

Soudain, elle se mit à crier, pivota et commença à courir. L'assaillant sauta sur elle et j'entendis le bruit métallique d'un couteau.

Je m'élançai en courant. L'assaillant, masculin, leva les yeux et me vit approcher. J'étais un homme grand et j'avais une canne dans laquelle était cachée une épée robuste. Il savait peut-être qui j'étais, il se pouvait qu'il m'ait vu à l'œuvre, ainsi que mon fameux tempérament. En tout cas, il poussa la femme et disparut.

Elle atterrit lourdement sur les planches et les pierres, trop près du bord. J'empoignai l'assaillant, mais son couteau brilla sous la pluie et me traversa la paume. Je gémis. Il détala dans l'obscurité et disparut, ses pas retentissant dans la pluie.

Je le laissai partir. Je gardai mon équilibre sur les planches glissantes et je m'approchai d'elle. Sur ma gauche, le vide s'élevait au-dessus des roulis de la Tamise, du brouillard et de la pluie chaude, ainsi que d'une odeur nauséabonde. Un faux pas m'aurait fait plonger dans la rivière répugnante qui m'attendait.

La femme gisait face contre terre, son corps gisant à moitié par-dessus le bord. Elle était entortillée dans son manteau et ne pouvait donc pas rouler pour se mettre à l'abri. Ses mains battaient en vain l'air pour essayer de retrouver les rochers fermes.

Je me penchai en avant, l'empoignai par la taille et la hissai jusqu'au milieu du pont. Elle eut un mouvement de recul et me repoussa puissamment de ses mains.

— Doucement, dis-je. Ne vous en faites pas, il est parti.

Sa capuche était tombée en arrière. Les bijoux que j'avais aperçus étaient des diamants ornant une élégante tiare. Ils étincelaient sur ses cheveux sombres emmêlés sur son manteau.

— Vous êtes en sécurité. Qui était-ce ? demandai-je d'une voix douce.

Elle regarda frénétiquement autour d'elle, comme si elle n'était pas sûre de savoir de qui je parlais.

— Je n'en sais rien. Un… un mendiant, je pense.

Un mendiant avec un couteau tranchant. Ma main était blessée et mon gant était abîmé.

Je l'aidai à se relever. Elle s'accrocha à moi pendant un moment, encore trop apeurée.

Progressivement, tandis que la pluie se calmait pour se transformer en une fine douche d'été, elle reprit ses esprits. Ses mains lâchèrent graduellement mon manteau tandis que sa poigne paniquée se relâchait.

— Merci, dit-elle. Merci de m'avoir porté secours.

Je répondis poliment, comme si je venais simplement de lui ouvrir la porte à une soirée.

Je l'aidai à descendre du pont et la conduisis hors de l'obscurité en la ramenant dans la solide réalité de la rue Strand. Je continuai à garder un œil vigilant sur son assaillant, mais je ne vis personne. Il avait fui.

Notre aventure n'était pas passée inaperçue. Lorsque nous atteignîmes la rue Strand, une petite foule s'était rassemblée pour nous observer avec curiosité. Un groupe de ladies avec des atours de mauvais goût regardèrent la femme de haut en bas.

— Pourquoi donc est-elle allée là-bas ? fit remarquer l'une d'elles à la foule.

— Essayer de se jeter à l'eau, répondit une autre.

— Enceinte, je parierais.

La seconde hocha la tête.

— Probablement.

La femme parut ne pas les entendre, mais elle se rapprocha de moi, sa main se raidissant sur ma manche.

Un homme filiforme, vêtu de noir délavé, s'immisça à côté de nous tandis que nous avancions. Il arbora un large sourire, dévoilant des dents de travers et m'enveloppant d'une haleine sentant le café.

— Excellent travail, capitaine. Vous êtes tellement courageux.

Je le connaissais. Le nom de cet homme était Billings, et il était journaliste, un de ces personnages sacrément insolents qui s'habillait mal et qui suivait les riches et les personnes célèbres dans l'espoir d'un souffle de scandale. Billings faisait le pied de grue devant les théâtres de l'avenue Drury et de Covent Garden, attendant que les membres de la haute fassent quelque chose d'imprudent.

J'envisageai de le repousser, mais je savais qu'un tel acte serait relayé dans les colonnes du journal relatant l'histoire qu'il déciderait d'écrire.

Ce qui était curieux, c'était que la lady semblait le reconnaître. Elle enfouit son visage dans ma manche. Ce n'était pas un geste de peur, mais cela révélait un désir de se cacher.

Le sourire de l'homme s'élargit. Il me salua et repartit d'un pas nonchalant, certainement pour écrire une version complètement fausse des événements pour le *Morning Herald*.

Je conduisis la lady le long de la rue Strand en direction de la rue Southampton. Elle tremblait, étant encore sous le choc, et elle avait besoin de rentrer chez elle.

— Je veux vous ramener chez vous, dis-je. Vous devez me dire où vous habitez.

Elle secoua la tête avec véhémence.

— Non.

Sa voix ne ressemblait qu'à un murmure rauque.

— Pas chez moi. Pas là-bas.

— Où, alors ?

Mais elle ne voulait pas me donner d'autre adresse, peu importe la façon dont je l'implorais. Je me demandais où elle avait laissé son moyen de transport, où l'attendait son cortège de domestiques. Elle ne m'offrit rien, elle ne fit que continuer à avancer rapidement à mes côtés, la tête inclinée de façon à ce que je ne puisse voir son visage.

— Vous devez me dire où se trouve votre voiture, tentai-je une nouvelle fois.

Elle secoua la tête et continua de la secouer, quelle que soit la façon dont je la suppliais.

— Dans ce cas, très bien, dis-je, ne sachant plus que faire. Je vais vous emmener chez une amie qui prendra soin de vous. Mme Brandon est une femme très respectable. C'est l'épouse d'un colonel.

Ma lady s'arrêta, ses lèvres pâles entrouvertes en signe de surprise. Ses yeux, d'un bleu profond que je vis, maintenant que nous nous trouvions à la lumière, s'agrandirent.

— Mme Brandon ?

Soudain, elle se mit à rire. Elle serra les poings et les appuya contre son estomac, secouée par l'hystérie.

J'essayai de la calmer, mais elle continua à rire jusqu'à ce que ses rires ininterrompus se transforment en sanglots.

— Pas Mme Brandon, dit-elle dans un souffle. Oh, je vous en prie, non, ça, jamais. Je vous accompagnerai, j'irai où vous voudrez. Emmenez-moi en enfer si vous voulez, mais pas chez moi, ni chez Mme Brandon, pour l'amour de Dieu. Ce n'est pas possible.

✳ ✳ ✳

Je finis par l'emmener chez moi sur l'avenue Grimpen, un étroit cul-de-sac qui donnait sur la rue Russel, près du marché de Covent Garden.

Il faisait chaud sur l'avenue, par cette nuit d'été. Mes voisins qui travaillaient dur étaient au lit, mais quelques filles de joie traînaient dans l'ombre et un jeune homme imbibé de gin gisait sur le dos, non loin de la boulangerie. Si l'homme n'arrivait pas à s'en aller, les filles de joie le dépouilleraient certainement, si elles ne l'avaient pas déjà fait.

Je m'arrêtai devant une porte étroite à côté de la boulangerie, la déverrouillai et l'ouvris. Une bouffée d'air étouffant nous tomba dessus. L'escalier à l'intérieur avait jadis été magnifique, et l'on pouvait apercevoir, sous le clair de lune, ce qui restait d'une peinture murale idyllique : des bergers et des bergères se poursuivant au milieu d'un champ vert et plat, un curieux mélange d'innocence et de luxure.

— Où sommes-nous ? demanda la lady en chuchotant.

— Au numéro 5 de l'avenue Grimpen, répondis-je en la conduisant dans l'escalier et avant d'ouvrir la porte sur le premier palier. Il m'arrive de l'appeler ma maison.

Mon logement se trouvait derrière cette porte. Il avait probablement été, par le passé, le salon ou la salle de dessin de la famille fortunée, quelle qu'elle soit, qui avait vécu un siècle auparavant. L'appartement au-dessus du mien était calme, ce qui signifiait que Marianne Simmons, ma voisine du dessus, se trouvait soit sur scène sur l'avenue Drury, soit enfermée quelque part avec un gentilhomme. Mme Beltan, la propriétaire qui tenait la boulangerie d'en bas, vivait avec sa sœur à quelques rues d'ici. La maison était vide, et nous étions seuls.

Je fis entrer la femme. Elle demeura au milieu du tapis, se frottant les mains tandis que j'attisais les braises qui rougeoyaient encore dans ma cheminée. La nuit était chaude, mais les vieux murs diffusaient une fraîcheur que même une grande quantité de soleil ne pouvait effacer. Dès qu'un petit feu se mit à grésiller au milieu du charbon, j'ouvris les fenêtres que j'avais fermées pour éviter que des oiseaux ne viennent trouver refuge dans mon salon. Le vent qui s'était levé près de la rivière soufflait à peine sur l'avenue Grimpen, mais la fenêtre ouverte fit au moins sortir l'air lourd.

À la lumière du feu, je vis que la femme devait être vers la fin de la trentaine, ou alors dans la quarantaine, comme moi. Elle avait une beauté classique que les égratignures ensanglantées sur sa joue ne pouvaient gâcher, une mâchoire bien dessinée, des pommettes saillantes et des sourcils en arcade surplombant des yeux bleus bordés de longs cils. Les légères rides qui s'étiraient au bord de ses yeux et aux coins de sa bouche n'étaient pas dues à l'âge, mais à la fatigue.

Je lui pris son manteau mouillé, puis je la conduisis à la bergère près du feu et lui proposai de s'asseoir. J'ôtai ses souliers abîmés de ses pieds glacés, puis allai chercher une couverture sur mon lit et l'enroulai autour d'elle. Pendant ce temps, elle resta assise, complètement désintéressée.

Je versai une rasade de brandy d'une bouteille qu'une de mes connaissances, Lucius Grenville, m'avait envoyée et la lui apportai. Le verre trembla contre sa bouche, mais je le tins fermement et lui fis boire jusqu'à la dernière goutte. Ensuite, je lui en apportai un autre.

Après le troisième verre, ses tremblements finirent par s'estomper. Elle s'adossa à la bergère usée, les yeux clos. J'allai chercher un linge, l'humidifiai dans mon lavabo et commençai à nettoyer ses mains couvertes de sang et de crasse.

Être assis aussi près d'elle me permit de l'étudier attentivement. Ses cheveux, maintenant lâchés et emmêlés, étaient châtains, striés uniquement de quelques mèches grises. Sa bouche était imposante et droite, la bouche d'une femme qui ne riait pas souvent.

C'était une lady, bien née et fortunée, qui était allée à un bal, une soirée ou l'opéra. Elle avait réussi à quitter sa voiture et à se débarrasser de ses domestiques pour marcher seule jusqu'au pont inachevé, sur la rue Strand, dans un but secret.

Je ne savais toujours pas qui elle était.

Grenville le saurait. Lucius Grenville connaissait tous ceux qui avaient un nom à Londres. Chaque futur dandy depuis le prince de Galles jusqu'aux jeunes hommes tout droit sortis d'Eton copiait sa façon de s'habiller, ses manières, ainsi que ses goûts dans tout ce qui touchait à la nourriture, aux chevaux et aux femmes. Cet homme célèbre s'était lié d'amitié avec moi parce que, d'après ce qu'il avait dit, il me trouvait intéressant. Je le sortais de l'ennui de la société londonienne. La plupart des Londoniens m'enviaient ma situation de favori, mais je n'avais pas encore décidé si je me sentais flatté ou insulté.

— Allez-vous me dire qui vous êtes ? demandai-je tout en nettoyant.

— Non.

Sa voix était pragmatique, son timbre riche et chaud.

— Ou la raison pour laquelle vous êtes allée au pont ?

Ses yeux fermés se crispèrent.

— Non.

— Qui était l'homme qui vous a accostée ? Aviez-vous rendez-vous avec lui ?

Elle ouvrit les yeux, soudain sur le qui-vive, puis elle fixa les yeux sur mon épaule gauche, les posant là comme si cela la stabilisait.

— C'était un mendiant, vous ai-je dit. Je pensais lui donner une pièce parce qu'il me faisait pitié, puis j'ai vu qu'il avait un couteau et j'ai tenté de m'enfuir.

— Par chance, j'ai été là pour l'arrêter.

Je sentais encore battre ma paume à cause de l'entaille qu'il m'avait infligée, mais elle n'était que superficielle, mon gant ayant été le plus touché.

— Cela ne répond toujours pas à la question qui est de connaître la raison pour laquelle vous vous êtes rendue au pont au départ.

Elle leva la tête et me baigna d'un regard hautain.

— Ce sont mes affaires.

Elle ne me dirait pas la vérité, bien entendu, et je n'avais pas pensé qu'elle le ferait. Je me demandai si les femmes près du pont avaient eu raisonde dire qu'elle était allée là-bas pour mettre fin à ses jours. Le suicide était un moyen assez répandu de mettre fin aux problèmes, à cette époque : un gentilhomme criblé de dettes, un soldat effrayé devant le combat, une femme violée et abandonnée.

Je n'étais moi-même pas étranger à la dépression. Au départ, lorsque j'étais rentré à Londres, après l'Espagne, le sinistre désespoir s'était emparé de moi plus souvent que je ne l'aurais voulu. Ma propriétaire avait pris l'initiative d'ôter mon rasoir de mes appartements chaque fois que je ne me présentais pas pour le petit déjeuner dans sa boulangerie. Les crises avaient diminué depuis le début de l'année parce que ma raison d'être me revenait tout doucement. Je m'étais fait de nouveaux amis, et je commençais à trouver des choses intéressantes, même dans les coins les plus pauvres de Londres.

Elle n'ajouta rien de plus et j'appliquai délicatement mon linge sur les égratignures de sa joue. Elle tressaillit, mais elle ne recula pas.

— Vous pouvez vous reposer ici jusqu'à ce que vous vous sentiez mieux, dis-je. Mon lit est inconfortable, mais c'est mieux que rien. Le brandy vous aidera à dormir.

Elle m'étudia un moment, les yeux troubles. Ensuite, avec une rapidité qui me coupa le souffle, elle leva ses bras fins et les enroula autour de mon cou. La soie douce de ses manches caressait ma peau et son souffle était chaud sur mes lèvres.

J'avalai ma salive.

— Madame.

Elle ne me laissa pas m'en aller. Elle m'attira dans ses bras et posa ses lèvres douces contre les miennes.

Un sang primal battait dans mes veines et je serrai les poings. Je goûtai ses lèvres pendant un moment enivrant avant de tendre la main et de la repousser gentiment.

— Madame, répétai-je.

Elle me considéra avec une intensité emplie de désir.

— Pourquoi pas ? Est-ce que cela a tellement d'importance ?

Ses yeux se remplirent de larmes et elle murmura de nouveau :

— Pourquoi pas ?

J'aurais pu facilement accepter ce qu'elle m'offrait. Elle était magnifique, ses lèvres étaient chaudes et elle me fascinait complètement. C'était sacrément difficile de lui dire non.

Mais c'est ce que je fis.

Elle s'adossa au fauteuil et me regarda mollement. Je ramassai le tissu que j'avais déposé et me remis à tamponner le sang sur son visage. Mes mains tremblaient.

Le silence se fit de plus en plus pesant. Le feu crépitait dans la cheminée, le charbon ayant fini par réchauffer l'air. Mes lèvres picotaient encore, elles portaient encore son goût, et mon corps me haïssait vivement. Personne ne m'en voudrait, me disait-il. Elle était venue ici, seule, abandonnant délibérément toute protection et s'était offerte librement. La critique retomberait sur elle et non pas sur moi.

Sauf ma critique personnelle, achevai-je silencieusement. J'avais déjà amassé trop de regrets au cours de ma vie pour en ajouter un autre.

Au bout d'un moment, elle ferma les yeux. Sa respiration se fit de plus en plus régulière, et je crus qu'elle dormait. Je remis le morceau de tissu dans mon lavabo, mais lorsque je revins auprès d'elle, elle était en train de me regarder.

— Ils ont tué mon mari, déclara-t-elle.

À propos de l'auteure

Ashley Gardner, qui a remporté de nombreux prix, est le pseudonyme de l'auteure à succès du *New York Times*, Jennifer Ashley. Sous ces deux noms — ainsi qu'un troisième, Allyson James — Ashley a écrit et publié plus de 35 romans et nouvelles allant du roman policier au roman d'amour. Ses livres ont remporté plusieurs prix du Choix des Critiques Littéraires de *RTBook Reviews* (parmi lesquels le titre de Meilleur Roman Policier Historique pour *The Sudbury School Murders*), ainsi qu'un prix des Meilleurs Auteurs Américains de Romans d'Amour RITA (récompensant les meilleurs romans et nouvelles d'amour de l'année). Les livres d'Ashley ont été traduits dans douze langues et ont récolté des critiques élogieuses dans *Booklist*. Pour en savoir davantage sur la série du capitaine Lacey, visitez le site : www.gardnermysteries.com, ou envoyez un courriel à Ashley Gardner à gardnermysteries@cox.net.

ADA
éditions

www.ada-inc.com
info@ada-inc.com

www.facebook.com/EditionsAdA
www.twitter.com/EditionsAdA